LE GRINGO

Roger Borniche est né en 1919 dans l'Oise.
Il fut tout d'abord artiste lyrique, puis inspecteur de grand magasin.
Pendant la guerre, il passe le concours d'inspecteur de police et est
affecté à la Police Judiciaire de 1944 à 1956. Il est promu inspecteur
principal en 1950. Il est décoré de la Médaille d'Honneur de la
Police et de la Médaille des Actes de Courage à titre exceptionnel. A
titre tout aussi exceptionnel, le ministre de l'Intérieur lui accorde le
bénéfice de l'Honorariat lorsqu'il démissionne de ses fonctions.
« Borniche est un policier exceptionnel qui a mené et réussi seul les
affaires criminelles les plus retentissantes de l'après-guerre. Policier
racé. On peut lui confier les enquêtes les plus difficiles », dit de lui
le directeur des services de Police Judiciaire, partageant les appré-
ciations formulées par le commissaire Chenevier.
Roger Borniche est l'auteur de : Flic Story, René la Canne, Le
Gang *parus à la Librairie Arthème Fayard, et* Le Play-Boy, L'Indic,
L'Archange, Le Ricain, Le Gringo *et* Le Maltais *parus chez*
Grasset.
Outre ses activités d'écrivain, Roger Borniche a collaboré à différen-
tes revues, entre autres : Historia, Le Crapouillot, Encyclopédie
du Crime, *etc.*

Champs de pavots en Turquie, laboratoires clandestins d'héroïne
en Sicile, vedettes rapides écumant la Méditerranée, pistoleros
au Mexique : l'inspecteur Borniche découvre que son ennemi
« le Ricain » – surnommé « le Gringo » depuis son installation
en Amérique centrale – a encore étendu son empire au sein de la
Mafia.
La disproportion des forces paraît écrasante. Le Gringo dispose
des ressources infinies de l'*Onorata Società* pour monter, aux
quatre coins du globe, les plus spectaculaires opérations criminelles. L'inspecteur Borniche, chasseur solitaire, a pour seule
arme sa connaissance des bonnes vieilles méthodes policières
françaises.
Des ruelles de Tanger aux bas-fonds de Mexico, des quartiers
chauds de Paris aux déserts du Mexique, l'inspecteur Borniche
livre le duel le plus difficile de sa carrière.

ŒUVRES DE ROGER BORNICHE

ROGER BORNICHE

Le Gringo

BERNARD GRASSET

Il est possible que des personnes actuellement vivantes soient confondues, à tort, avec des personnes du récit en raison d'une similitude dans les positions qu'elles ont occupées. Ces ressemblances sont pure coïncidence et ne sauraient, en aucun cas, engager la responsabilité de l'auteur.

En outre, pour préserver la vie privée et la réputation de personnages qui ont été emportés dans le tourbillon de l'affaire du *Gringo* ou qui, depuis, ont changé d'existence, j'ai modifié les noms de quelques-uns d'entre eux et de quelques lieux.

R. B.

PREMIÈRE PARTIE

LE TONNEAU DE POUDRE

de carrière et le trafiquant international vont traiter cette nuit, sur le piton rocheux de la ville d'Afyon, diminutif d'Afyonkarahisar, le château noir de l'opium. Ghourian versera à Abdin, pour prix de son silence, un bakchich de cent mille livres. Une goutte d'eau pour le trafiquant arménien. Une fortune pour le commissaire turc.

Le policier ignore la reconnaissance. Il déteste le financier, court et gras, caricature de son emploi, le cheveu huileux, le regard fuyant derrière ses fines lunettes cerclées d'or. Tout est or, chez le gros Arménien, du fume-cigarette aux incisives, de l'énorme gourmette du poignet au chronographe suisse, aux possibilités innombrables. Il l'a menée rondement, sa fortune, Samy, à partir de pas grand-chose. Ses parents géraient la modeste épicerie orientale du Vieux-Port de Marseille, avant la Seconde Guerre mondiale, à deux pas de l'hôtel de ville. Après de solides études au lycée Thiers, leur rejeton est venu se fixer en Turquie, où ses connaissances de français, d'anglais et d'espagnol lui ont ouvert les portes de l'import-export.

Très vite, il a choisi le négoce le plus lucratif du pays : l'opium. Négoce occulte, dont il est devenu, assez rapidement, l'homme clé. Il possède une flottille de bateaux mouillés dans le port de Yenikapi, au bas du cours Mustapha-Kemal à Istanbul, où le siège de sa compagnie, officiellement consacrée à des transports honnêtes, offre au passant son nom, en gigantesques lettres dorées. Enseigne que l'on retrouve sur le fronton de ses succursales, à Izmir, Beyrouth, Naples et Marseille. D'aucuns méprisent sa lâcheté servile, d'autres son hypocrisie, mais tous respectent sa fortune, qui ne cesse de faire boule de neige. De plus, il faut bien convenir que Ghourian est un homme de parole. Il paie cash et ne revient jamais sur ce qu'il a promis. Il jouit d'un prestige inégalable auprès des cultivateurs de la région, qui produisent les quatre cinquièmes de ce fameux opium qui fait de la Turquie le plus important producteur mondial, après l'Inde. Aucun autre trafiquant n'a réussi à le détrôner. Lui seul bénéficie de la confiance des paysans, ces êtres paisibles qui, si fortement attachés aux vertus familiales, produisent innocemment, pour le monde entier, le poison laiteux, la sève blanche qu'ils récoltent, et qui rapporte plus que toute autre culture.

Samy Ghourian a dû prendre quelques précautions lorsque Interpol a mis son nez dans le commerce de l'opium, à la demande des autorités américaines, furieuses de voir une partie croissante de leur jeunesse intoxiquée par ce dangereux négoce. Le budget du *Narcotics Bureau* s'est enflé de sommes considérables, destinées à payer les informateurs. Plusieurs agents spéciaux sont venus enquêter en Turquie, où ils ont installé leur antenne. La loi turque, qui a réduit la production des cultivateurs, punit de prison les contrebandiers. Et, conséquence inévitable d'une répression, les jaloux se sont mis à moucharder comme à plaisir. Les paysans, désormais méfiants, n'ont plus livré leur marchandise qu'à des acheteurs sûrs.

Les sbires de Ghourian chargent l'opium dans des camionnettes, toujours la nuit, et ne quittent Afyon qu'au petit matin pour toucher le port d'Antalya. Ils les déchargent au fond d'une crique étroite, encaissée entre des rochers géants. De là, les bateaux gagnent la haute mer, en direction de Castellammare del Golfo, mini-port sicilien du golfe de Palerme, fief sacro-saint du grand chef de la Mafia, Don Genco Russo.

Le commissaire Mustapha Abdin a tout de suite été informé du trafic qui croissait et embellissait dans sa circonscription. Cela n'a été qu'un jeu d'établir les méthodes de travail des contrebandiers. Mais que faire ? Dilemme en vérité, pour le long flic osseux à la veille de la retraite, soucieux de s'assurer des vieux jours confortables en compagnie de la vicieuse Sophie Rayak, dont les yeux de chat ne manquent jamais de fouiller les vitrines des joailliers les plus chers d'Ankara.

Aussi le commissaire Abdin a-t-il choisi de fermer les siens. Il a fourni à Ghourian-le-corrupteur l'itinéraire des rondes de police. C'est lui aussi qui a suggéré de se servir des convois funèbres et de remplacer le corps du défunt par une cargaison d'opium au ras du cercueil.

Mais il n'y est pas allé de main morte, le redoutable commissaire aux cheveux gris. Il a fixé un tarif, tout simplement démentiel ! Le gros Ghourian n'a guère apprécié ses prix. Il a tempêté au téléphone, vociféré, menacé. Qu'importe, il a dû finir par céder. Comment faire autrement ? C'eût été le trafic arrêté, la marchandise saisie, avec un beau procès en prime.

— D'accord pour cent mille livres, a maugréé Ghourian, apparemment calmé. J'espère que ça n'ira pas plus loin.

Le commissaire Abdin a ricané, quelques secondes, puis a toussé pour s'éclaircir la voix :

— Cent mille aujourd'hui, cent mille la semaine prochaine et deux cent mille trois jours avant mon départ définitif. C'est à prendre ou à laisser, cher monsieur Ghourian. Sinon...

Les aiguilles de la montre d'acier se sont rejointes. Il est minuit. Les phares de l'imposante voiture noire ont surgi derrière la jeep. La Buick aux chromes étincelants s'immobilise à quelques mètres de Mustapha Abdin, qui jubile. Samy a tenu parole. Abdin distingue son corps obèse derrière le volant. Seul... seul avec les belles liasses de billets.

Le commissaire ressent la trouble jouissance du joueur de poker. Les cent premiers milliers de livres sont là, dans ce monstre noir insolent... Cent mille livres, en bonnes vieilles coupures comme il l'a exigé, sorties tout droit des inépuisables coffres de Ghourian. Le prudent Abdin n'aura qu'à les glisser dans le sac de pommes de terre vide, plié à l'arrière de la jeep. Et à regagner tranquillement sa villa pour l'enfouir dans le trou cimenté qu'il a aménagé au fond de sa cave.

Avant de descendre de voiture, Mustapha le méfiant inspecte les environs. Personne. Il n'entend que l'inlassable concert des grillons. De son perchoir, il a bien contrôlé les lacets de la route. Seuls les phares de la Buick ont révélé les tournants. Il s'avance vers la grosse américaine, son sac de jute à la main. La portière s'ouvre. Son long corps se glisse, telle une anguille, sur la banquette. La porte semble se refermer seule, par son propre poids.

— Vous m'avez bien tout apporté? s'inquiète-t-il d'une voix glaciale sans autre forme de préambule.

Ghourian incline la tête.

— Tout. J'ai même doublé la somme. Je ne pourrai pas venir la semaine prochaine. Mais vous êtes vraiment cher, vous savez! Mes associés...

Il ne manque pas de culot, ce porc d'Arménien, avec ses cheveux qui puent le beurre rance. Toujours à pleurer misère, quand il gagne des milliards à ravitailler ses amis de la Mafia.

— Envoyez, ordonne le commissaire, la main tendue. Je souhaite pour vous et pour eux que le compte y soit.

Seul lui a répondu le soupir désolé de Samy Ghourian, qui s'est retourné, à regret, vers la banquette arrière. L'Arménien a soulevé une couverture. Et soudain, le sourire de Mustapha Abdin s'est figé. Il ouvre la bouche pour crier mais le cri reste prisonnier de sa gorge. Il sent le froid de la mort gagner son ventre. Un athlète, un félin, s'est déplié comme un diable surgi d'une boîte. Le diable tient à la main un fil de cuivre qui s'enroule subitement autour du maigre cou d'Abdin.

En vain, le policier tente-t-il de desserrer le métal, étau et scie à la fois, qui lui coupe le souffle, brûle ses poumons, fait sottement jaillir sa langue hors de sa bouche. Son instinct de conservation lui dicte de dégainer fébrilement le colt qu'il dissimule sous l'aisselle. Il espère avoir réussi et une joie sauvage atténue sa douleur. Cela ne dure qu'un éclair. Ses yeux exorbités ne peuvent pas voir le sourire sardonique, presque grimaçant, du Sicilien musclé qui serre, serre de plus en plus fort. Abdin n'essaie même plus de se débattre, tant chaque mouvement accroît l'implacable brûlure. Il étouffe. Ses ongles griffent le cuir de la banquette, tandis que les petits yeux de Ghourian, derrière les lunettes, suivent, narquois, les convulsions des doigts qui s'ouvrent et se referment.

La poigne de l'inconnu arrache au corps agité le dernier souffle de vie. Ghourian, de jouissance, passe la langue sur ses lèvres grasses : il ne peut le supporter, ce flic prétentieux, quinquagénaire, vénal, qui s'achemine vers le paradis d'Allah, les yeux blancs dans la face violacée, policier corrompu dont les membres détendus retombent inertes, alors que son urine souille le cuir fauve de la banquette. Rocco Messina, un bon moment, maintient son étreinte. Il a cru déceler un réflexe de défense. Mais Mustapha Abdin, la terreur des paysans qui subissaient ses caprices et ses exigences, a bien cessé d'exister. Rocco regarde Samy, s'extirpe avec aisance de la voiture :

— Vous voulez m'aider ?

Quelques instants plus tard, le pantin disloqué est allongé sur le sol rocailleux, la tête appuyée sur la roue avant de la jeep. Rocco s'empare du colt qu'il glisse dans sa ceinture. Il entrebâille la chemise du cadavre et sort de sa poche un couteau à lame triangulaire. Samy a déjà eu vent des méthodes traditionnelles de la Mafia.

16

Mais c'est avec une expression horrifiée qu'il assiste à la scène de mutilation. Rocco creuse la chair avec dextérité, prélève d'un coup sec le nombril de Mustapha Abdin. Il le maintient sur la pointe de la lame, le dépose dans la main gauche du policier. Dans la main droite, il glisse ensuite une pièce de dix *kurus,* referme les doigts. Il essuie la lame ensanglantée sur un pan de chemise et se tourne vers Ghourian qui l'observe avec stupéfaction, la main sur les lèvres, comme s'il avait le mal de mer.

— Chez moi, en Sicile, dit-il, on ne parle pas. En se taisant, on sauve peut-être une vie, la sienne. Le commissaire a reçu la flétrissure des mouchards et des maîtres chanteurs. Maintenant, partons. Nous avons de la route à avaler.

INTERPOL ANKARA À INTERPOL ROME-PARIS-WASHINGTON — STOP — COMMISSAIRE MUSTAPHA ABDIN ASSASSINÉ AU COURS ENQUÊTE SUR IMPORTANT TRAFIC DROGUE RÉGION AFYON — STOP — PRIÈRE TOUS SERVICES POLICE RECUEILLANT INFORMATION PRÉVENIR AUTORITÉS COMPÉTENTES — STOP — AUCUN SOUPÇON BIEN QU'INVESTIGATIONS EN COURS CONDUIRAIENT VERS MILIEUX TRAFIQUANTS ITALO-AMERICAINS PALERME — STOP — PRIÈRE AVISER PAR RADIO INTERPOL ANKARA. FIN.

2

— Vous croyez qu'on va s'en sortir ?

Le matelot fait valser sa chique d'une joue à l'autre. Ses petits yeux bridés, enfouis sous la visière de la casquette, s'attardent un instant sur la crispation de mes mâchoires, puis se vrillent aux miens. Il expédie vers l'écume, dans le sens du vent, un long jet de salive jaunâtre.

— Pourquoi donc qu'on s'en sortirait pas ?

Pourquoi pas, en effet. Nous avons franchi plus de la moitié des vingt-six kilomètres qui séparent le continent de l'île d'Yeu et l'*Amiral-de-Joinville,* ballotté et ruisselant, continue à se jouer des creux et des reliefs de l'océan agité.

— Avec mon rafiot, prophétise le marin, je défie n'importe quel triangle des Bermudes.

Pas moi ! Mes doigts s'incrustent au bastingage. Tel un ascenseur en chute libre, l'ancien dragueur de mines dégringole au fond d'un gouffre tourbillonnaire. Le ciel s'obscurcit. Une muraille glauque nous encercle. Des vagues démesurées submergent le pont, escaladent la passerelle de commandement.

C'est la fin. Comme tant de marins, comme tant de capitaines, qui sont partis, joyeux, etc., je vais périr en mer, noyé au champ d'honneur des flics en mission extraordinaire. Depuis ce matin, les événements se sont succédé. Ils défilent dans ma tête à vitesse vertigineuse. Au mugissement des vagues et au grincement des poulies rouillées vient s'ajouter le tintamarre du téléphone, là-bas, dans mon minuscule logement de Montmartre, au pied de la Butte.

— Vous êtes là, mon petit Borniche ?

Je reste sans voix. Jamais mon patron ne m'a parlé sur un ton aussi amical. Un instant, je me demande s'il ne se trompe pas de destinataire. Pas de doute, il a dit Borniche, et Borniche, jusqu'à preuve du contraire, c'est moi.

Ma main droite se crampone à l'appareil, tandis que la gauche fourrage dans mes cheveux tout hérissés de ce réveil prématuré. Les canaris que Marlyse et moi avons dénichés, la veille, quai de la Mégisserie, battent des ailes, terrorisés. Le ton se fait plus doucereux encore quand le Gros baragouine une vague excuse :

— Je suis désolé de vous réveiller, vraiment désolé.

Je lève les yeux vers la pendule-baromètre en sarment de vigne accrochée au-dessus de la table rognon en faux Louis XVI qui meuble notre entrée. Elle marque sept heures. J'ai largement le temps d'ingurgiter la mixture de Marlyse entre deux coups de rasoir, de me glisser sous la douche et de filer au bureau après le nettoyage méticuleux de la cage de nos pensionnaires qui ont associé leur vie à la nôtre.

— Vous ne me réveillez pas, patron, j'étais déjà debout...

— Tant mieux, tant mieux. J'ai essayé de vous joindre hier soir, sans succès. J'ai pensé que vous étiez parti faire la nouba.

Il en a de bonnes, le commissaire Vieuchêne, le généralissime de l'armada policière du Groupe Spécial de Répression du Banditisme de la Sûreté nationale, le bouddha gominé dont Hidoine, Poiret et moi sommes les esclaves à vie. Oui, il exagère ! A dix-neuf heures, pas une seconde de plus, j'avais discrètement quitté le cinquième étage de la rue des Saussaies, fief de la direction des services de Police judiciaire. Le métro m'avait propulsé jusqu'au Châtelet où m'attendait ma blonde, ma vaporeuse, mon adorable Marlyse. Pour une fois, nous avions cheminé au long des quais, en amoureux, la main dans la main. Notre humeur tendrement bucolique s'était tout naturellement accordée au spectacle d'un couple de serins, clairs et vifs comme deux boules de lumière, qui chantaient devant un groupe de badauds ravis. Nous avions interrompu leur concert. En plus de la cage de bambou, le marchand, reconnaissant, nous avait offert des graines et un os de seiche. Comme les canaris, nous nous étions attendris en parfait duo devant la cage accrochée au plafond de notre mansarde qui domine un Paris de toits enchevêtrés de cheminées.

— En tout cas, ce matin, ne vous pressez pas. Si vous êtes en retard au bureau, cela n'a aucune importance.

Je n'en reviens pas. Qu'est-ce qui a pu ainsi transformer mon vénérable chef de groupe, si intransigeant d'habitude sur mes heures d'arrivée au service, même lorsque j'ai passé la nuit en planque, devant une porte cochère, par quinze degrés au-dessous de zéro ? On me l'a changé !

Marlyse, qui s'est approchée, colle le second écouteur à son oreille, pendant qu'il enchaîne :

— Je crois que c'est votre chemin, Saint-Lazare, n'est-ce pas ? Ça me ferait plaisir de vous retrouver dans dix minutes au Terminus.

Il a raccroché. Je n'ai plus le temps de flâner. J'attaque mon rasage à toute vitesse, j'ajuste ma cravate et ma veste dans l'escalier, tandis que Marlyse, nymphe ébouriffée, vrille l'index sur sa tempe :

— Il est malade, ton Vieuchêne. Tu te rends compte, te donner rendez-vous dans un bistrot à sept heures du matin !

— N'oublie pas de changer l'eau des cănaris, dis-je en dérapant sur le palier du troisième.

Au pas de course, je dévale la rue d'Amsterdam. Un *Parisien libéré* plié sur la table, ses lunettes d'écaille posées dessus, la mine soucieuse, Vieuchêne sirote son café-crème. Mon souffle court et mon teint cramoisi lui inspirent de douces paroles :

— Je vous avais pourtant recommandé de ne pas vous dépêcher, Borniche. Vous n'êtes pas raisonnable. Café noir ou crème ?

— Thé-citron, si vous voulez bien, patron.

Le pouce retourné vers le sol, il fait signe au garçon qui s'est approché. Il persévère dans l'amabilité, le Gros. Décontenancé, je lui décerne un vague sourire. Je n'y comprends rien. Je me laisse choir sur la banquette de moleskine verte, en face de lui. Entre deux inspirations, je trouve la justification de mes dix minutes de retard :

— J'ai été obligé d'aller chez mon boucher. Une de ces queues, ce matin, je ne sais pas ce qui se passe.

Il ne répond pas. Sans doute ne croit-il pas un traître mot de ce que j'avance. A-t-il seulement entendu ? Peut-être que non, tant il semble obnubilé par son sujet :

— J'ai quelque chose d'important à vous dire, Borniche. Nous avons eu souvent des mots, tous les deux. Si, si, ne niez pas. J'ai été injuste envers vous, je le reconnais. De votre côté, vous n'êtes pas facile non plus ! Vous n'êtes pas un très bon exemple pour vos collègues avec votre esprit d'indépendance, et le manque de pondération qui vous caractérise. Sans parler de votre inexactitude légendaire !

Mes yeux et mes tympans se sont mobilisés. Le Gros ne m'a tout de même pas fait venir à l'aube, au Terminus, démarche inaccoutumée, pour m'énumérer la kyrielle de défauts qu'il m'octroie généreusement et que je trouve, pour ma part, mal fondés.

Indifférent à mon bouillonnement intérieur, il absorbe une gorgée de café, repose sa tasse, poursuit à mi-voix :

— Il m'arrive un pépin, Borniche. Des jaloux essaient de me glisser une peau de banane sous les pattes. Mais s'ils s'imaginent que je vais les laisser faire !

Je le regarde, les yeux ronds, frappé d'une légitime stupéfaction que la glace me réfléchit, juste en face. Comment ! Notre champion olympique des coups tordus aurait-il trouvé son maître dans sa spécialité ? Le garçon aux pieds plats pose devant moi une tasse et une soucoupe où gît une rondelle de citron.

— Je...

— Ne cherchez pas à comprendre, Borniche. Lisez.

Vieuchêne tire de sa poche une enveloppe jaune, à en-tête de la direction générale de la Sûreté nationale, frappée du cachet noir du cabinet du directeur. Il en extirpe une feuille, également à en-tête, la déplie, me la tend. Je parcours, plus que je ne lis, des phrases qui me semblent insensées, du genre : « Il a, par conséquent, été établi que l'intéressé entretient des relations équivoques avec le malfaiteur Rebolio et qu'il a sollicité à de nombreuses reprises du Parquet général le sursis régulier à l'emprisonnement de ce repris de justice. Les indications concordantes se révélant exactes, il y a intérêt, pour le bon renom de la Sûreté nationale, à traduire le commissaire Vieuchêne devant le conseil de discipline. »

Je fronce le sourcil, tandis qu'un soupir traverse la massive carcasse du Gros. Il replie la lettre, la glisse dans l'enveloppe.

— Vous comprenez, maintenant ? dit-il, sarcastique. La voilà la fraternité policière ! Que les journalistes s'emparent de ça et ma carrière est foutue. Vous l'avez connu, vous, Rebolio ?

Vaguement. Je l'ai aperçu une fois ou deux en compagnie de Vieuchêne, dans un bar-ménagerie qu'il possède à Montmartre, du côté de Barbès. Un léopard accueille le client, à moitié rassuré. Un énorme boa somnole sur le comptoir, le frère de celui qui se dresse, mais empaillé, dans le bureau du Gros, entre la bibliothèque vide et la fenêtre à guillotine. Tous les deux mois, Vieuchêne me déléguait auprès du Parquet général pour y quérir une autorisation de séjour au nom de cet indic personnel qui, à en croire l'I.G.S.[1], n'a rien d'un véritable informateur. Le pachyderme Poiret m'avait succédé dans cette démarche insolite. Comment était-on arrivé à suspecter l'honorabilité de mon patron au point de le dénoncer à la police des polices qui avait ouvert une enquête ?

— Voilà pourquoi il me faut un crâne, Borniche ! ponctue le Gros. Et pas n'importe lequel. Quelque chose qui sorte de l'ordinaire. Je le balancerai dans les gencives de ces embusqués du conseil. Me Floriot qui assure ma défense leur démontrera, à ces salopards, qu'on ne fait pas de la police avec des enfants de chœur. Non mais, vous vous rendez compte ! Me faire ça, à moi, au moment où je me préparais à franchir un échelon !

Le Gros se tait. Je glisse la rondelle de citron dans ma tasse, la fais tournoyer, pensif, avec le dos de la cuiller. A mesure que le silence se prolonge, je sens mon inquiétude qui grandit. Il a raison, Vieuchêne, les envieux, les aigris sont légion dans la police. Mais de là à faire de pareilles vacheries ! L'ennui, c'est que les beaux crânes ne courent pas les rues. Les Pierrot le Fou, les Girier, les Danos, les Buisson et autres Malaggione ont, depuis longtemps, chuté au palmarès de la truanderie. Il ne reste sur le marché que des voyous sans envergure ou des caïds intouchables, en raison des appuis dont ils bénéficient dans les ministères, les seigneurs du milieu corse, Antoine Girola ou Jo Benutti.

— Je ne vois plus beaucoup de têtes d'affiche, dis-je

---

1. Inspection générale des services.

pensif. Il y a bien Marcantoni, mais il est en liberté provisoire pour le hold-up de la rue d'Anjou.

Le Gros se plie, hargneux, au-dessus de la table :

— Et le Ricain, qu'est-ce que vous en faites, Borniche ? Et la Mafia, qui vient encore de frapper en Turquie ?

Je sursaute. Je n'y pensais plus à Rocco Messina, le jeune loup de l'Organisation, la coqueluche des femmes du monde et du demi-monde, que j'avais pourchassé aux États-Unis et localisé sur la Côte d'Azur, au nez de nos concurrents de la Préfecture de police, le Ricain qui, l'an passé, avait fait un superbe bras d'honneur aux gardiens de la prison de Fresnes après une hospitalisation fantaisiste [1]. Personne, depuis, n'en a plus jamais entendu parler.

Je crois déceler une étincelle dans le regard du Gros.

— Si on pouvait mettre la main sur le Gringo, ce serait formidable, affirme-t-il. Plus de conseil de discipline. En tout cas, l'acquittement à coup sûr.

J'ébauche un geste de surprise :

— Quel gringo, patron ?

— Messina ! C'est comme ça que la Mafia l'a baptisé depuis ses séjours au Mexique. Tous les matins, le préfet de Police adresse au ministre un rapport sur l'activité de sa P.J. J'ai réussi à m'en faire communiquer les doubles. Je sais donc que Messina a une planque au Mexique, et qu'il vient de temps à autre en France régler quelques affaires. L'inspecteur Vérot de la 3e brigade territoriale espère le cravater à Paris. Il a de la suite dans les idées, lui, au moins.

Je subis le reproche sans ciller. Depuis l'évasion de Fresnes, des mois ont passé. J'ai piétiné lamentablement dans mon enquête. Liliane Cerisole, la maîtresse de Rocco Messina, s'est volatilisée en même temps que le Ricain. Avec Hidoine, j'ai passé des jours et des jours

---

1. Voir *le Ricain*.

à chercher qui avait pu les héberger. Assis l'un en face de l'autre, à une table, nous avions dressé une liste d'adresses que nous avions piquées dans les dossiers et nous nous les partagions. Puis, nous partions chacun de notre côté interroger les concierges. C'était un travail déprimant et épuisant. Qui n'aboutissait à rien. Le soir, pendant que Marlyse préparait le dîner, je trempais mes pieds gonflés dans une cuvette et je me torturais la cervelle. Sans succès. Le couple s'était évanoui.

Je bredouille :

— Comment voulez-vous que je retrouve des fantômes, patron ?

Mon absence d'enthousiasme paraît déconcerter mon honorable chef dont le front se plisse :

— J'ai pensé à une chose, Borniche. A Fresnes, Messina partageait la cellule d'Alfred Maurasse qui est sorti de taule il n'y a pas si longtemps. J'ai lu son dossier. Il est triquard à l'île d'Yeu. C'est mortel, l'île d'Yeu, pour un type habitué à la grande vie. Supposez un instant qu'il soit resté en contact avec le Gringo. Vous voyez ce que je veux dire ?

Je vois. Et je fais mon mea-culpa par la même occasion. J'ai négligé, au cours de mes recherches, la piste Maurasse. Heureusement, je ne suis pas le seul. La P.P. non plus ne s'y est pas intéressée.

— C'est un dur, Fredo la Moralité, dis-je, doublé d'un Breton. Donc une tête de bois, ça m'étonnerait qu'il jacasse.

Vieuchêne affiche son optimisme en commandant un nouveau café. Une grimace étire un peu plus ses yeux de magot chinois :

— Si vous partez battu, ce n'est même pas la peine de faire le voyage, Borniche, dit-il. Moi, je ne pense pas du tout comme vous. J'ai retrouvé dans son dossier des lettres qu'il vous adressait dans le temps. Il vous a à la bonne. Et puis, je vais vous dire une chose : je ne connais pas beaucoup de truands qui seraient capables de résister à l'appel de l'argent et à la suppression de leur interdiction de séjour. Lorsque vous lui parlerez d'une prime de cinq cent mille francs, à votre Fredo, et à la possibilité que je lui offre de séjourner à Paris, vous verrez qu'il deviendra coopératif ! Vous avez un train à dix heures pour Nantes, le temps de passer prendre une chemise ; vous louez une bagnole, vous foncez sur Fromentine, en Vendée, et de là à l'île d'Yeu. Vous connaissez ?

— Bien sûr, dis-je en admirant intérieurement le stoïcisme avec lequel le Gros sait encaisser les coups durs. C'est là qu'il y a le maréchal Pétain...

Vieuchêne fait signe au garçon.

— Ce n'est pas Pétain que je vous envoie voir, dit-il tout en recomptant la monnaie. D'abord, il est mort. Vous avez rendez-vous avec Fredo à vingt-deux heures précises, au dolmen de Gâtines, à deux pas du cimetière. Tâchez de ne pas le rater. Ça se voit de loin, ces machins-là. Il vous attendra, habillé en marin.

Je fais un effort méritoire pour rassembler mes idées qui flottent encore dans la brume du petit jour.

— Pourquoi en marin ? dis-je.

Vieuchêne hausse les épaules :

— Est-ce que je sais, moi ? Peut-être que c'est la mode, là-bas. Un marin, cela suffit, il ne doit pas y en avoir des tas planqués à dix heures du soir derrière un dolmen isolé dans la nature. C'est drôle comme vous posez parfois des questions idiotes, mon pauvre Borniche.

Il a repris toute son assurance, se lève, pousse la table.

— Je ne vous retiens pas davantage. Discrétion absolue, surtout. Prenez un faux nom, s'il le faut, et tenez-moi au courant. Ce Fredo, pour moi, c'est un tonneau de poudre. S'agit pas qu'il me fasse sauter.

Je ne suis pas mort encore, mais je suis métamorphosé en éponge saturée. Mes cheveux dégoulinent sur le col de ma gabardine. Une poigne de lavandière ne parviendrait pas à tordre les jambes de mon pantalon. Je crispe de plus en plus mes doigts glacés sur la rampe protectrice. Le matelot rigolard ne rigole plus du tout. Il se cramponne, comme moi, au bastingage. Sa chique en oublie de circuler d'une joue à l'autre et sa mimique de Popeye vendéen est de moins en moins rassurante.

Une nouvelle masse de mer m'assomme à demi. Je reste hébété, sans force, la face meurtrie.

— On vient de passer la bouée de Mayence. Y en a plus pour longtemps !

Le marin chiqueur m'a tapoté l'épaule. Il a retrouvé sa quiétude, lui. Le meuglement continu d'une corne de brume me parvient. Un feu vert, puis un rouge dessinent de larges halos dans le brouillard. Nous longeons une jetée. Terre ! Enfin, nous accostons sous les regards compatissants des badauds agglutinés sur le quai. Piètre Christophe Colomb, j'aborde la passerelle d'une démarche chaloupée. Un douanier, la trogne enluminée sous le képi avachi, s'avance. Il va me demander si je n'ai rien à déclarer, c'est sûr ! Pas du tout. Il s'étonne simplement que nous soyons toujours en vie.

Port-Joinville me rassure, après les acrobaties du vaisseau fantôme, mais le beuglement obsédant de la bouée et le vacarme du ressac me poursuivent jusqu'au premier refuge que je découvre : une maison vieillotte de deux étages, au fronton de laquelle je lis « *Hôtel Camaret* ». Je pousse la porte vitrée. La salle du café est vide. Ou presque. Une fille rougeaude, les coudes sur le comptoir, le menton calé entre les paumes des mains, ne daigne même pas bouger la tête, quand le courant d'air claque la porte derrière moi. En bout de pièce, dans un coin, deux vieux loups de mer rêvent, la pipe à la bouche, devant leur fillette de muscadet. Une torpeur

27

soudaine m'envahit. Tout ici pue la vétusté, l'ennui, la désolation.

Je fais un effort pour me secouer :

— Auriez-vous une chambre pour la nuit ? Avec vue sur la mer et salle de bains ?

Les yeux absents de la serveuse se décident à se poser sur moi. Elle secoue ses tresses décolorées.

— Pour la mer, énonce-t-elle d'une voix grave, ça peut aller, ici il y a que ça ! Pour la salle de bains, c'est pas pareil. La douche, elle est sur le palier !

Les épaules se soulèvent, la bouche s'arrondit dans la figure bovine :

— ... Je vous la donne, la 7, au premier ?

J'approuve de la tête. Sa main aux ongles douteux décroche la clef du tableau numéroté, aussi constellé de chiures de mouches que la glace dont le tain s'est depuis longtemps écaillé. Je remplis avec conscience la fiche de police qu'elle me tend. J'inscris une fausse identité : Richebon, anagramme de mon nom. Le Gros ne pourra pas dire que je n'ai pas respecté le secret. Je monte.

La porte à peine ouverte, je retrouve la bourrasque de la traversée. La fenêtre, mal fermée, a cédé sous la poussée du vent. Le napperon de papier du guéridon est aspiré dans un tourbillon qui l'expédie sous l'armoire. Une cuvette et son broc ébréché trônent sur une table. Calé entre les pieds, un seau hygiénique tente de dissimuler son émail moribond. « Qu'importe, semble me dire le Christ cloué sur le mur, qu'une touffe de buis jauni couronne, ici ce n'est pas cher ! » Il me comprend, lui, au moins ! Il sait que ce n'est pas avec les frais que le Gros m'octroie chichement à chaque fin de mois que je peux faire le difficile ! Les palaces ne sont pas faits pour les flics, tout le monde le sait.

Y en a-t-il seulement un à Port-Joinville ?

3

Rocco Messina éteint la radio. Cette interminable mélopée commençait à lui taper sur les nerfs. Le silence revenu, il s'étire, dans sa luxueuse chambre de la villa « Les Sables d'Or » à Tanger. Il est satisfait de sentir son corps souple, athlétique, apaisé par une nuit d'amour et de sommeil prolongé. Il se lève, écarte les doubles rideaux. Le soleil filtre à travers les branches d'orangers, s'amusant des arabesques du tapis marocain qu'il éclaire et dont il semble suivre les contours. Rocco ouvre la fenêtre, respire largement l'air doux, parfumé. Il fait jouer ses muscles. Quand il se sent dans une telle forme, c'est toujours une belle journée qui s'annonce. Il ferme les yeux avec la béatitude du félin qui se détend, puis les rouvre sur l'amphithéâtre de collines qui domine le détroit de Gibraltar. En toile de fond, une brume légère nimbe le fameux rocher.

— Tu as bien dormi, chéri ?

Rocco se retourne, souriant déjà à l'image qui ravit son cœur de mâle : les longs cheveux noirs épars sur l'oreiller, les yeux bleus pailletés d'or, qui le contemplent.

— Très bien et il fait un temps magnifique, dit-il. Ça me rappelle Palerme.

Il revient vers le lit. Liliane suit chacun de ses mouvements. Elle admire le visage régulier à la mâchoire volontaire, les larges épaules, le corps svelte et musclé. Elle se sent toute drôle, un mélange de tendresse et de désir. Rocco cueille sa montre sur la table de nuit, la secoue, la repose.

— C'est bien la première fois que j'oublie de la remonter, dit-il. Il doit être au moins onze heures.

Il se penche vers Liliane, qui caresse la chevelure brune ébouriffée, l'embrasse en lui mordillant le coin des lèvres. Elle gémit doucement. Il s'écarte un peu, la regarde :

— Heureuse ?

— Quand tu es là, oui. Je me suis fait un sang d'encre, pendant ton absence.

Les yeux de Rocco ont changé soudain. Une lueur inquiétante, presque cruelle, les assombrit :

— Ça ne sert à rien, dit-il sèchement. Tu as épousé l'aventure, il faut en accepter les risques. Rappelle-toi ce que nous a dit la fatma du Socco : quand Allah a prédestiné quelqu'un à mourir quelque part, il crée dans le cœur de cet homme le besoin de s'y rendre. *Mektoub.* Tout est écrit.

Liliane frémit. Tout est écrit, bien sûr, elle ne le sait que trop ! Elle sait surtout que son destin est désormais lié à celui de Rocco, le Sicilien qui a pris tant d'importance au sein de l'*Onorata Società*[1], le mafioso qui est revenu hier d'une mystérieuse mission à Istanbul.

Rocco Messina, l'homme que les polices françaises et américaines recherchent pour vols, détournement d'avion, agressions à main armée et évasion de la prison de Fresnes. Rocco, l'homme de confiance de Don Genco Russo, le nouveau *Capu,* et de son bras droit, Luciano le chanceux, Lucky le veinard, le chef d'orchestre de *Cosa Nostra*[2], la filière américaine de la Mafia.

1. *Honorable Société* ou Mafia.
2. Notre cause.

Mektoub ! C'est ce que répétait à Liliane son père, le vieux repasseur de couteaux de Spaccanapoli, l'un des quartiers les plus miséreux de Naples. Enfin, il disait la même chose, à sa manière : « Qui doit se casser le cou trouve un escalier dans les ténèbres. » L'escalier, Liliane, elle, l'a grimpé dans la lumière. Elle avait à peine seize ans qu'un mécène, séduit par son corps sculptural, avait voulu faire d'elle une esthéticienne en renom. Il l'avait inscrite à un cours bien connu de la via Veneto, à Rome, spécialisé dans les soins de beauté et le maquillage. Mais un soir qu'elle étudiait ses battements de cils dans une glace du bar de l'hôtel Bernini, en attendant son protecteur, le destin avait frappé à sa porte. Il avait l'aspect débonnaire de Pépé Massiac, le vieil empereur des boîtes parisiennes de la rive gauche. Balayé sans remords, le mécène romain, au profit du portefeuille plus convaincant du sexagénaire Massiac[1] !

Pépé, ravi de sa découverte, avait bien fait les choses. Il avait installé la belle enfant dans un appartement cossu, rue Lekain, dans le 16e arrondissement. Liliane s'était retrouvée couverte de fourrures — la grande obsession de Massiac — et munie d'un solide compte bancaire — sa grande obsession à elle. Fourrures extravagantes, avec bijoux assortis. Son protecteur, brave homme, lui assurait une tranquillité totale, la laissant sortir et voyager à sa guise, même avant que le destin, toujours lui, n'expédie le vieux gentleman en prison à la suite d'une mauvaise affaire de titres volés à la banque du Mékong[2].

Le destin ou le mauvais génie de son associé, le rusé Francis la Langouste, l'antenne parisienne de la Mafia, cause des premiers ennuis, sur le territoire français, du beau Rocco, qu'elle avait retrouvé à Paris après l'avoir

1. Voir *le Ricain*.
2. Voir *l'Indic* et *l'Archange*.

connu à Rome. Il fallait à la Langouste la collaboration d'un spécialiste de l'escalade pour un cambriolage délicat. L'Organisation lui avait détaché, des Etats-Unis, Rocco, son meilleur élément. Las, l'affaire avait mal tourné. Non seulement le coffre était vide, mais la propriétaire de l'hôtel particulier et sa gouvernante avaient été découvertes, égorgées, au petit matin.

A Las Vegas que Rocco avait pu regagner in extremis, le détournement de l'appareil de la Regional Air Lines, porteur de la recette des casinos, le projetait au firmament de l'actualité. Pour peu de temps. J. E. Hoover, le chef suprême du F.B.I., prenait l'affaire en main. Il déclenchait une gigantesque chasse à l'homme qui trouvait son épilogue sur la Côte d'Azur où, finalement, Rocco tombait dans un piège monté à la française.

Arrêtée à Castellar dans le même temps que Rocco, et transférée à la prison de la Roquette à Paris, Liliane essayait de lire son sort dans les petits yeux gris du juge Boussingeaux, pétillants de malice :

— Si Messina continue à maintenir que vous êtes étrangère à ses méfaits, je signerai une ordonnance de non-lieu en votre faveur, mademoiselle Cerisole.

L'ultime confrontation avait eu lieu. Quand Liliane avait vu Rocco entrer, menottes aux poings, dans le cabinet du juge, elle avait compris qu'elle cessait définitivement d'être la poupée approvisionnée en fourrures, bijoux et chèques, d'un Pépé Massiac gâteux et bouclé encore pour un bon bout de temps ! C'était la première fois qu'elle revoyait Rocco depuis l'invasion de la baraque par les flics [1]. Elle a eu conscience, en une seconde, que sa vie basculait à jamais. Et quand Rocco, après l'avoir mise hors de cause, l'a embrassée avec la permission du juge, elle a enregistré, les yeux clos, son murmure :

— Tu quittes la rue Lekain et tu files chez Pierrot les

1. Voir *le Ricain*.

32

Cheveux-Blancs. Fil de Fer te donnera l'adresse. C'est un ami de Fredo.

Elle savait qui c'était, Fredo la Moralité. Un Breton qui partageait la cellule de Rocco à l'infirmerie de Fresnes. Petit, tout maigre, l'air de rien, mais plus malin qu'un singe. Qui savait faire parler ses compagnons de captivité. Les histoires des autres lui permettaient de s'accuser de délits qu'il n'avait pas commis, mais qui retardaient son transfert en maison centrale. Bien sûr, son palmarès s'allongeait, mais la confusion des peines lui donnait ainsi l'occasion de s'en tirer au meilleur compte.

Liliane avait confiance en Rocco. Elle avait raison. Il a tenu sa promesse. Il s'est évadé. Elle l'attendait à La Celle-Saint-Cloud, dans la chambre d'amis de Pierrot les Cheveux-Blancs, au deuxième étage sous le toit. Elle a cru défaillir de bonheur quand Rocco l'a serrée dans ses bras. Ils filaient le parfait amour, tandis que les patrouilles de police passaient la région parisienne au peigne fin. Peu à peu, les chasseurs se sont découragés. Une brève escale à Marseille, dans la propriété du roi du milieu méridional, Antoine Girola, et le couple se retrouvait à Tanger, port franc, paradis international ouvert à tous les trafics.

La villa « Les Sables d'Or », de sa position dominante, suit la course du soleil. Elle se loue cher, mais c'est l'une des propriétés d'où l'on jouit de la plus belle vue. Le riche agriculteur berbère qui l'a fait construire en a confié la location à une agence de la rue Vélasquez. Lui ne quitte pas Marrakech, où il règne sur la plus opulente plantation d'oliviers et d'orangers de la région.

L'agent immobilier a signé le bail au nom de Mme John Moore, avec un sourire d'autant plus large que M. Moore ne discutait aucune des conditions.

— Il n'y a qu'une ligne de téléphone. Mais si vous en voulez une deuxième...

— Ça suffira.

Le regard de Rocco s'est fixé quelques secondes sur le ruban rouge de la Victoria Cross, très ostensiblement porté par le jeune directeur.

— Je vois que nous pensons de la même façon, a ajouté Rocco. Je reçois assez peu de communications... Vous me comprenez ?

— C.I.A. ?

— Bah, a seulement murmuré Rocco, accompagnant sa réponse d'un regard entendu.

— Je vois. Je peux garder vos messages, si vous voyagez beaucoup.

— Beaucoup, en effet.

— Mon numéro peut vous servir d'écran. Enfin, si vous voulez. C'est le 181.01.

— Merci, dit Rocco, la main tendue. Je ne suis pas un ingrat.

Mektoub ! Tandis que Rocco chantonne dans la salle de bains, Liliane s'abandonne aux rayons du soleil qui la caressent sur le lit. Elle songe à cette délicieuse semaine de vacances qu'ils avaient passée avant le voyage éclair de son amant en Turquie. Sa main dans la poigne robuste de Rocco, elle a parcouru les rues de la médina. Alors qu'ils contemplaient, de la place de France, le port et la baie de Tanger, une vieille fatma s'est approchée et leur a débité on ne sait quoi. Rocco l'a repoussée sans rudesse. La casbah pullule de diseuses de bonne aventure et de mendiants. La vieille n'a pas insisté. Ils sont alors descendus vers le Grand Socco. La brise gonflait les voiles, sur la mer d'un bleu profond. Les marchands ambulants, abrités du soleil par leur immense chapeau de paille, s'étaient accroupis sur la chaussée pour éparpiller leurs étalages.

Liliane et Rocco, insouciants, jouaient les touristes. Et puis, dans la rue Es-Siaghîn, au milieu du tumulte de la concurrence acharnée que se livrent les bijoutiers et les marchands de souvenirs, la fatma a resurgi devant eux. Liliane l'a examinée un instant. Elle portait la *fouta* de coton blanc, de la région du djebel, rehaussée de couleurs. Elle tenait sur son bras gauche un bébé dont les grands yeux noirs dévoraient le visage.

— Ton destin, ton destin, répétait la vieille. Trois dirhams. Très important !

Rocco était moins patient que tout à l'heure. Il a accéléré le pas :

— Je le connais, mon destin. Laisse-nous tranquilles !

La vieille femme, inlassablement, s'obstinait :

— Deux dirhams.

Rocco l'a sèchement écartée, du coude. Peine perdue. Ils venaient à peine de s'attabler à la terrasse d'un vieux café espagnol du Petit Socco, l'étroite place entourée de vieux hôtels, que la fatma s'est une nouvelle fois postée devant eux :

— Un dirham seulement. Il faut que je te parle.

— Je le connais, mon destin. Je te l'ai dit ! *Sir*[1] !

— Non, moi, je le connais ! Tu es jeune, tu es beau. Il y a du sang autour de toi. Beaucoup de *moudjahedin*[2] qui te cherchent.

Rocco, soudain figé, le sourcil froncé, murmurait :

— Qu'est-ce que tu racontes ?

— Beaucoup de sang, *sidi,* beaucoup de gendarmes.

Rocco, sombre, se taisait. Liliane, en vain, lui pressait la main.

— Si je te donne cinq dirhams, dit-elle enfin à la femme, tu le protégeras, mon mari ?

1. Va-t'en.
2. Combattants de la loi.

La vieille a tendu la main, sans répondre. Liliane a déposé un billet dans la paume noire de crasse, traversée de lignes claires.

— *Barak allahou fik,* merci.

Et, de nouveau, elle s'est tournée vers Rocco, ne s'adressant qu'à lui :

— Écoute bien, *sidi*. Tu vas faire bientôt un voyage au pays de l'Islam. Tu n'aimes pas manier le *koumnia*[1]. Tu n'aimes pas ça, je le sais, mais tu le manieras. *Mektoub !* Ton poignard frappera le traître. Quand tu reviendras ici, tu retourneras loin, très loin, de l'autre côté de l'océan. Sois prudent !

Elle s'est interrompue pour changer le bébé de bras. Elle regarde Rocco bien en face, pensive, secouant la tête à plusieurs reprises :

— Les *moudjahedin* te feront aussi du mal demain.

Du coup, Rocco est sorti de sa sombre rêverie :

— Quels *moudjahedin ?* J'en ai tellement qui me cherchent.

La vieille a soulevé une épaule :

— Je ne sais pas. Je vois des gardes qui te poursuivent. Partout où tu vas, ils te talonnent. Mais tu es jeune, tu es beau, et tu triomphes !

Rocco l'a regardée avec une haine subite :

— Tu me l'as déjà dit. Allez, fous le camp.

La vieille a fait un pas en arrière :

— Tu n'es pas gentil. Comme la dame a payé, je te donne quand même mon *sâlam*. Que le salut soit aussi sur vous, madame. *Mektoub !* Sois sur tes gardes, *sidi !*

— Tu vas foutre le camp, bon Dieu ?

La journée était gâchée.

— Rentrons, a dit simplement Liliane, soucieuse.

1. Poignard.

36

Au moment où ils pénétraient dans le salon, le téléphone sonnait. C'était Don Genco.

Liliane, tout en allumant une cigarette, écoutait Rocco parler au *Capu* en patois sicilien, incompréhensible au non-initié. Elle se demandait, admirative et inquiète, combien Rocco parlait de langues, avec une telle facilité. Italien, bien sûr. Français, espagnol, anglais et sicilien. Elle s'est sentie impressionnée tout à coup, elle qui n'avait fréquenté que très épisodiquement l'école du quartier.

Rocco raccrochait, l'air sûr de lui, désinvolte :

— Je pars pour la Turquie. Samy Ghourian a besoin d'un coup de main.

— Longtemps ?

— Non. Histoire de remettre des fonds à un intermédiaire.

Liliane n'a rien osé dire. Ce voyage lui semblait bizarre. Elle ne pouvait s'empêcher d'entendre la prédiction de la fatma, cet après-midi même : « Tu vas faire bientôt un voyage au pays de l'Islam. Ton poignard frappera le traître. Tu reviendras ici pour partir très loin. »

Le lendemain matin, Rocco s'envolait pour Istanbul. Il était revenu sans faire de commentaires sur son voyage.

Et elle le retrouvait, sortant de la salle de bains, heureux et détendu, plus beau que jamais. Son absence n'avait été, pour elle, qu'un mauvais moment de solitude inquiète.

— Prépare-toi, chérie. Je t'emmène déjeuner au Venezia chez Manouche. A moins que tu ne préfères la Grenouille rue Rembrandt ?

Liliane se jette hors du lit, splendide dans sa nudité.

— J'aime mieux Manouche, dit-elle en gagnant à son tour la salle de bains. Au moins, elle me fait rire !

— Moi aussi, dit Rocco. D'ailleurs, il faut que je vois Jo Benutti, ça tombe bien.

4

— Ben voyons, ça se visite pas, un dolmen !

Je m'en doute. Un dolmen n'est pas un monument creux avec escalier intérieur comme l'Arc de Triomphe ou la colonne Vendôme. Pour faire bonne mesure, la serveuse de l'hôtel Camaret ajoute :

— Ça se regarde seulement. Mais pas à dix heures du soir ! Par contre, il y a le vieux château à explorer, demain, si le cœur vous en dit.

Je referme sur moi la porte vitrée. Dehors, le vent souffle en rafales. Je frissonne. Je manque d'éternuer devant le bâtiment de la douane. Ce n'est pas le moment de me faire repérer. Mes pieds sont glacés. Je baigne dans l'humidité et cette sensation rend l'obscurité plus sinistre encore. Je dépasse le cimetière. Je sursaute quand l'horloge de l'église m'assène les dix coups de vingt-deux heures, égrenés dans un silence d'outre-tombe.

Je n'ai aucune difficulté à découvrir le dolmen. Je fais maintenant corps avec un des piliers. Mes yeux et mes oreilles épient la campagne. Partout, le calme oppressant. C'est tout juste si je devine, à une distance que la nuit rend imprécise, une fenêtre à peine éclairée, lumière jaune qui vacille entre les branches des pommiers. Les gens qui sont au chaud sous cette lampe seraient surpris de savoir combien les feux follets paraissent inquiétants dans le noir.

Je ne rêve pas. Je perçois soudain des crissements de chaîne. Pas le cliquetis des films de fantôme, non, le bon vieux gémissement du vélo qui s'essouffle. Des voix accompagnent ce bruit. Je me soude un peu plus au granit millénaire. Deux gendarmes cyclistes passent à quelques mètres de ma cachette, pédalant avec une conviction qui honore la maréchaussée. Pourvue que l'envie de pisser sur le pilier du dolmen ne les prenne pas au dernier moment. J'aurais bonne mine !

A voir les gardiens de l'ordre redoubler ainsi d'ardeur sur les pédales, je doute que l'écurie soit encore loin. Leurs feux rouges s'évanouissent au détour de la route. Ils n'ont pas senti, en tout cas, l'impact des deux paires d'yeux qui les mitraillent à bout portant.

Deux paires, je dis bien, car un inconnu s'est faufilé près de moi. Je ne l'ai pas vu ni entendu arriver ! J'ai beau être aguerri depuis que j'exerce ce drôle de métier de flic, j'ai beau m'attendre à tout, j'avoue que l'apparition subite du marin dans la lande vendéenne m'a décroché quelque peu l'estomac.

Je devine la main tendue plus que je ne la vois. Elle est froide, calleuse. Elle broie la mienne tandis que s'élève une voix rauque, assourdie :

— Je pensais jamais vous voir dans un coin pareil, inspecteur. Moi, avec ma bon Dieu de trique, je peux même pas bouger une oreille ! C'est pas marrant, dame non !

La trique, c'est l'interdiction de séjour, une sorte d'assignation à résidence que le code a prévu pour que les récidivistes soient soumis, dès leur libération, à une surveillance policière continue. Ainsi, à défaut d'une autorisation spéciale, mon matelot-truand ne peut se déplacer hors de son île sans risquer une interpellation policière avec, pour conséquence, une peine de trois mois à un an de prison, au bas mot.

Mes yeux se sont accoutumés à l'obscurité. Il bruine. J'étudie le visage en lame de couteau, aux pommettes saillantes, à la bouche mince et nerveuse. Les curieuses intonations de la voix me projettent dix années en arrière, au temps de mes débuts à la 1re brigade régionale de Police judiciaire. C'est loin déjà, si loin !

— Content de te voir, Fredo.

— Moi aussi, dit Maurasse, sur la défensive. Mais si vous débarquez dans ce bled pourri, c'est bien pour quelque chose, dame, monsieur Borniche ? On va pas jouer aux petits soldats entre nous !

— Tu as raison, Fredo, c'est bien pour quelque chose.

Fredo la Moralité fait partie de ces recrues du banditisme issu de la Libération. En compagnie de Jo Attia et de camionneurs dévoués à la pègre, il avait déménagé, de nuit, une usine de peausseries de la région de Fougères. Butin : quatre millions de francs 1946. Le temps pour l'industriel de reconstituer ses stocks et les locaux étaient de nouveau dévalisés. Fredo avait récidivé trois jours plus tard en vidant de son matériel l'entrepôt des P.T.T. d'Issy-les-Moulineaux avant de piller, toujours avec la même technique et la même équipe, une fabrique de bas nylon à Molliens, Oise. A l'époque, les vols aux faux policiers et les cambriolages se succédaient. Cette accélération narguait une police que l'épuration avait singulièrement clairsemée.

Il ne m'avait pas fallu longtemps pour comprendre que si je désirais faire carrière chez les flics, il me fallait rassembler les renseignements, même les plus anodins, sur les malfaiteurs dont l'activité défrayait la chronique. Les gangsters sont des hommes comme les autres. Ils aiment les femmes, la table, le jeu, le sport. J'avais commencé par enregistrer leurs habitudes, leurs fréquentations, leurs passions, que ce soit pour des marques de cigarettes, d'apéritifs ou de voitures. Je m'étais

40

aussi évertué à tisser une toile dans laquelle les mouches, peu à peu, venaient s'empêtrer. J'avais constitué un groupe d'indics, ces petits pions de l'ombre, furtifs et efficaces, sans lesquels on ne fait pas tomber les « beaux crânes ».

Fredo la Moralité, qui prêchait la prudence avant toute action d'envergure, d'où son sobriquet, avait été une de leurs victimes. Les magistrats avaient apprécié ses capacités et sa réputation à leur juste valeur. Ils l'avaient expédié pour le compte derrière les murailles d'une maison centrale de force, malgré ses protestations d'innocence.

J'ai toujours eu horreur de la violence. Aussi, avais-je été correct avec Fredo. Du fond de sa cellule, il m'avait écrit plusieurs fois pour me souhaiter la bonne année, mon anniversaire, ou me remercier, disait-il, de ma profonde humanité. Puis l'univers carcéral l'avait englouti.

— Je n'aurais jamais eu l'idée de te filer rendez-vous derrière un dolmen, dis-je, le premier moment d'étonnement passé. Surtout à une heure pareille.

L'ébauche d'un sourire retrousse les lèvres minces de Fredo :

— Dame, faut être prudent, monsieur Borniche. C'est l'a.b.c. du métier. Vous devriez savoir ça, vous ! D'après ce que je vois de temps en temps dans le canard, vos affaires ont l'air de pas mal marcher, hein ?

Mes épaules se soulèvent dans un geste de semi-satisfaction.

— Si on veut. Les tiennes ?

Il marmonne :

— Calmes, très calmes ! Qu'est-ce que vous voulez que je foute de mes dix doigts dans un patelin pareil ? Ils ont même pas un coffre-fort !

— Il faut en partir, Fredo...

— Et comment ? Je voudrais bien vous y voir, vous !
Soupir.

— Je t'en apporte le moyen. Les levées d'interdiction de séjour dépendent du ministre de l'Intérieur. Et l'Intérieur, c'est nous !

Les épaules de Fredo se soulèvent :

— Je sais. Seulement, pour y avoir droit, faut jouer les indics. Et on se retrouve vite fait avec une balle dans le chignon et les bras en croix, dans un caniveau.

— Mais non, dis-je d'un ton que j'espère persuasif. Ce sont des idées à toi, ça. Le garçon qui t'a fait emballer mène toujours sa vie tranquille de père de famille, et pourtant, il en a fait dégringoler quelques-uns ! Le tout est de savoir être discret.

Les yeux de Maurasse s'écarquillent, ses mains s'agitent.

— Parlez-en de votre discrétion ! s'énerve-t-il. Si votre taulier ne m'avait pas balancé votre nom, comment je te l'aurais envoyé se faire foutre, celui-là.

J'ai du mal à réprimer une grimace. Il en ferait une tête, le Gros, s'il s'entendait ainsi injurier ! C'est pour le coup que son complet Bodygraph, trop étroitement coupé par son apprenti tailleur de fils, en éclaterait de rage, aux emmanchures.

— Explique-toi...

— Ben c'est simple ! Ce con a téléphoné à l'Escale, sur le port, en plein apéro. « Allô ? Ici le commissaire Vieuchêne de la Sûreté. Est-ce que Maurasse est là ? Vous savez, Fredo, l'interdit de séjour. » Ça faisait chouette dans le tableau, je vous jure !

Un frisson désagréable me parcourt l'échine. Fredo n'a pas l'air satisfait. Je réalise que j'ai un sérieux courant à remonter. S'il ne me raconte pas d'histoires, l'affaire du conseil de discipline semble avoir fait déraper quelque peu la diplomatie habituelle du Gros. Pourtant, ce n'est pas dans son habitude. A longueur d'année il nous rabâche, entre autres, sa fameuse formule : « Bon cavalier monte à toute main », ce qui, traduit en langage policier, signifie qu'un flic adroit doit toujours tenir ses indics et savoir beaucoup récolter en lâchant le moins possible.

— Tu n'exagérerais pas un peu, par hasard ?

— Dame non, parole d'homme !

Il se tait, dans un geste ultime de protestation. J'en profite pour remettre de l'ordre dans mon plan d'attaque légèrement dérouté. Maurasse est mon seul et unique atout. Il faut donc le ménager. Un seul moyen : charger le Gros.

— C'est vrai qu'en ce moment il n'est pas dans son état normal, dis-je, hypocrite, après un court silence. L'affaire du Gringo le tracasse. Le ministre n'arrête pas de lui tomber dessus. Et sur moi, par répercussion.

— Et alors, vitupère Fredo, vous croyez que c'est une raison valable pour me faire porter le chapeau à moi ? Je n'en ai rien à faire de vos salades. Encore heureux qu'ici il n'y ait que des caves. Vous vous rendez compte ce que ça donnerait dans un bar d'hommes, à Paris ?

Il promène ses doigts noueux sur des joues mal rasées, reste muet quelques secondes avant de reprendre :

— Vous ne m'avez toujours pas dit ce que vous étiez venu glaner ici ?

— Te proposer une affaire. Connaissant nos relations, le patron a préféré m'envoyer moi plutôt qu'un autre.

Je m'empresse d'ajouter sur un ton empreint de conviction :

— Une affaire rentable, bien entendu.

Les lèvres de Fredo s'agitent discrètement, bien que sa figure osseuse reste au garde-à-vous. Je constate, non sans plaisir, que, malgré son ressentiment passager, je suis en train de trouver un terrain d'entente. Le Gros n'avait pas tort, ce matin : les truands sont sensibles à l'argent. La preuve !

— C'est quoi, votre affaire rentable ?

— Je te l'ai dit. Le Gringo !

Malgré le surnom outrageusement appuyé, Fredo la Moralité ne bronche pas. Je le laisse mariner. Je me méfie toujours des vieux chevaux de retour qui ont l'habitude des interrogatoires. Je sors de ma poche une plaquette de chewing-gum, déplie le papier argenté, porte la tablette à ma bouche.

Enfin, il se décide :

— C'est quoi ça, au juste ?

Son menton s'avance démesurément. Preuve d'ignorance ? Dans ce cas, envolés mes espoirs, finie l'affaire Messina avec, pour conséquence, la comparution du Gros devant ses pairs et ma propre disparition, quelque part dans les profondeurs d'un poste-frontière, à collationner les fiches de police.

— Comme si tu ne le savais pas !

Les sourcils de Maurasse se rapprochent, signe d'une intense macération cérébrale. Ça prend du temps et ça ne vient pas.

— Alors, franchement, dame non.

Il m'énerve, Fredo, avec ses exclamations saugrenues, son visage veule, beau mélange de vice et de fourberie. Une tête de dévoyé que les années de prison ont buriné. Il faut qu'il cède.

— Je te mets sur la voie. Un Gringo, c'est un Américain qui vit au Mexique. Si tu ne piges pas avec ça !

J'observe. Je guette sa réaction. J'attends le trouble, la gêne, la langue qui humidifie les lèvres sèches, la glotte qui monte et qui descend, prémices de l'aveu. Rien. Il balance seulement son faciès de faux jeton de droite à gauche et de gauche à droite. On lui donnerait l'hostie sans confession. Il est fort, l'animal. Il m'exaspère :

— Le Ricain, quoi ! Rocco Messina. Tu te fous de ma gueule ?

44

Ce n'est pas mon langage habituel mais je suis à bout. Il faut crever l'abcès. Je n'ai plus rien à perdre. Le Gringo, c'est l'assassin présumé des vieilles cousines du sous-secrétaire d'État à la Marine. Si on l'arrête, le Gros pourra compter sur le témoignage ministériel au conseil de discipline. Il me l'a dit avant de me quitter, sur le seuil du Terminus, en m'étreignant les mains.

Maurasse se redresse d'un bloc, comme s'il avait reçu une décharge de chevrotines dans les lombaires :

— Ben merde, alors ! s'exclame-t-il, vibrant d'émotion. Il se fait appeler le Gringo maintenant ? Parole, je le savais pas. Qu'est-ce qu'il devient ?

— Tu renverses les rôles, Fredo.

— Je vous assure, monsieur Borniche... On était ensemble en cage, d'accord, mais depuis Fresnes, on ne s'est jamais revus, dame non. Je crois même pas que Pierrot les Cheveux-Blancs ait de ses nouvelles. Quand je lui ai téléphoné la semaine dernière, pour qu'il m'envoie un peu d'oseille, il ne m'a rien dit.

— Qui est-ce Pierrot les Cheveux-Blancs ?

C'est parti. Plus vite que je ne le voulais. La nervosité me gagne, me fait faire des blagues. Je voudrais rattraper le coup, mais c'est trop tard.

— Rien, dit Fredo, avec un geste d'agacement. Un ami à moi. Donc, comme ça, le Ricain c'est le Gringo ?

— Oui. Il vit au Mexique à ce qu'il paraît. C'est pour ça que l'affaire que je viens te proposer est rentable. Je le fais piquer là-bas et ni vu, ni connu. J'ai mon crâne et toi, tu touches un bon paquet de fric.

La pluie recommence à caresser le feuillage. Le ululement d'une chouette déchire le silence. Il ne manquait plus à ce noir décor saturé d'humidité que cette dernière note lugubre.

Fredo met les mains dans les poches de son caban, puis soupire :

— S'il est au Mexique, qu'est-ce que vous voulez que je foute ?

— Vous avez des amis communs, tous les deux. Contacte-les. Avec la prime que je te verserai, tu as une chance de pouvoir quitter ce trou à huîtres. Ce serait con de la laisser passer !

Maurasse se tait. Sous son crâne de truand, une tempête se déchaîne. Je le devine, je le vois. J'en profite pour faire jaillir de ma bouche un petit ballon caoutchouteux que je réengloutis, d'un coup de langue. Cela me donne un air désinvolte. Pourtant, je suis anxieux.

— Combien ? demande Fredo, à brûle-pourpoint.

Le pseudo-marin, mais vrai truand, est avant tout un homme d'affaires. Le tiroir-caisse bien huilé est en train de s'ouvrir dans sa tête.

— Combien quoi ?

— Dame, si je me mouille, il faut pas que ce soit pour des clopinettes. Surtout que c'est un brave type, le Ricain. Ça m'emmerde ce que vous me demandez là.

Il compte sur ses doigts en silence, reprend :

— Vous avez filé une brique et demie au mec qui vous a fait piquer Buisson [1], plus six à l'indic des bijoux de la Bégum. J'estime que j'en vaux bien trois. Vous voyez, je suis correct : je coupe la poire en deux.

Trois millions ! Jamais le Gros n'acceptera, c'est sûr. Où les prendrait-il, ces trois millions ? Ça représente, au bas mot, plus de deux années de mon salaire. Deux années et demie, même. Pour Buisson, la Banque de Champigny avait donné un million à la boîte et la compagnie d'assurances des Lloyds a financé l'affaire de la Bégum… Il est doué, Maurasse, beaucoup plus retors que je ne le pensais. Une façon détournée de nous refuser son aide. Engloutis mes espoirs et ceux du Gros. A ce tarif-là, nous sommes perdants ! J'enrage. Pourtant, c'est avec un air de patience angélique que je demande :

— Payables comment, les trois briques ?

1. Voir *Flic Story*.

46

Je le regarde bien en face. Ses yeux s'agrandissent.

— Deux au départ, pour que je puisse prendre les contacts nécessaires, la troisième à l'arrivée. Avec, en plus, mes frais de séjour. Ça coûte cher, Paris, dame oui !

J'essaie, tant bien que mal, de minimiser les dépenses :

— J'ai ce qu'il faut pour t'héberger. Une garçonnière dans le 8ᵉ, près de l'Étoile.

Un rictus déforme sa joue gauche :

— Façon de m'avoir sous la main, hein ?

Je soulève les épaules en un geste de dénégation.

— Mais non. J'ai confiance en toi, Fredo.

— Et pour mon casier judiciaire ? Parce que je voudrais bien trouver du boulot, moi. J'en ai assez de ne rien foutre, à cause de ce bon Dieu de papier qui me ferme toutes les portes.

De ce côté, il n'a pas tort. Quel espoir le condamné peut-il avoir de reprendre une place dans un monde qui tend à le rejeter, non à l'accueillir ? Le perpétuel boulet du casier judiciaire lui traîne à la patte.

— Je ferai le nécessaire. Je te file l'autorisation provisoire dès que tu arrives à Paris, en même temps que le fric. Tu me téléphoneras de la gare. On se donnera rendez-vous.

J'ai réalisé, vite, que deux millions pourraient finalement se trouver assez facilement. Le Gringo en vaut la peine. Le commissaire Benhamou, le spécialiste de la répression des devises, en a toujours trois ou quatre dans son coffre, fournis par le ministère des Finances. Maurasse s'absorbe dans ses pensées, se détache du dolmen, fait trois aller et retour devant le pilier, la tête basse, cherchant à fuir ses scrupules. Je sens que le sort du Gros au conseil de discipline se joue à cet instant, dans la campagne mouillée et noire. Il arrête son va-et-vient, se plante devant moi.

— Je suis sûr que, dans le fond, vous pensez que c'est

dégueulasse, dit-il, mais celui qui m'a balancé l'a été avant moi. Voilà : après sa cavale, Messina est allé se planquer chez un ami corse. Ça, dame oui ! Il y est resté avec sa nana, le temps que les recherches se tassent. Puis, il a gagné Marseille et le Maroc. Le Mexique, je savais pas. Il s'est lancé dans la drogue. Faites gaffe à vos osselets, il a une sacrée équipe derrière lui. La Mafia, c'est pas de la rigolade.

J'essaie de retenir la main râpeuse qu'il me tend. Il m'en a trop dit et pas assez.

— Deux minutes, Fredo, tu n'es pas si pressé. Comment il s'appelle ton ami corse ?

— Préparez les deux briques et le papelard pour quand j'arrive et laissez-moi faire... J'ai pas envie que votre taulier vienne encore faire des embrouilles. Ça suffit comme ça. S'il y avait contrordre, vous m'appelez vous-même à l'Escale. C'est le 28.

Il s'est dégagé. Le ululement de la chouette met un point final à notre conversation dans cet étrange décor. L'ombre du chemin engloutit Fredo. Je demeure collé au dolmen, pensif et impatient. Il faut faire vite. Empêcher surtout Maurasse d'aller faire de la surenchère auprès d'un autre service. On aurait bonne mine si la Préfecture de police nous soufflait le Gringo. De quoi faire exploser le tonneau de poudre.

Et le Gros par la même occasion. Quelle drôle d'idée, aussi, que d'entretenir des « indics personnels » !

5

John Edgar Hoover plisse son masque de bouledogue. Les paupières lourdes se soulèvent de part et
d'autre du nez cassé. Le directeur adjoint Clyde A. Tolson ressent, une fois de plus, le choc du regard du chef
du F.B.I. « Hoover est une pile surpuissante », dit
souvent Tolson. Et il sait de quoi il parle. Les deux
hommes se connaissent depuis longtemps. Ce sont de
vieux complices, et même de vieux amis. Tous deux
célibataires endurcis, ils partagent la même maîtresse :
le *Federal Bureau of Investigations,* cette redoutable
police aux perfectionnements multiples qu'ils ont créée.
Arbre gigantesque qui plonge ses racines dans chacun
des États de la confédération, et dont les ramifications,
discrètes mais efficaces antennes, atteignent la plupart
des grandes capitales du monde.

— Voyez-vous, Clyde, dit J. E. Hoover en reposant
le télégramme d'Interpol sur son bureau, ça ne m'étonnerait pas qu'il y ait du Lucky Luciano et du Rocco
Messina, là-dessous. Le schéma est simple : le policier
turc découvre un trafic de drogue. La Mafia lui règle son
compte selon ses méthodes traditionnelles, fil de fer et
poignard. Elle lui inflige même la flétrissure de la pièce
de monnaie et du nombril découpé.

Hoover se tait, comme s'il réfléchissait à ses dernières
paroles. Tolson respecte son silence. Car s'il est vrai que

J. E. Hoover ressemble à un bouledogue, c'est un bouledogue sacrément efficace. Voilà trente ans qu'il collectionne les succès, à la tête du *Bureau.* Il a vu se succéder les présidents, qui l'admirent, le détestent ou le craignent, parce que ses pouvoirs sont immenses, englobant à la fois la lutte contre le crime, le contre-espionnage, la police politique, le contrôle économique et financier, et aussi la surveillance du personnel des administrations fédérales.

En fait, J. E. Hoover est la puissance occulte des États-Unis. Il règne sur une armée de *G-men,* imperméables aux influences financières, alors que la corruption gangrène les polices locales. Ces incorruptibles sont avant tout des scientifiques — quoique leur réputation d'excellents tireurs toutes armes ne soit plus à faire.

Un adversaire de choix, Luciano, pour J. E. Hoover. En 1936, il le fait condamner à la plus forte peine jamais prononcée par un jury américain. Lucky n'en continue pas moins à diriger le syndicat du crime depuis le pénitencier fédéral de Dannemora, à la frontière canadienne. Expulsé après sa libération anticipée, il organise en Italie un réseau destiné à approvisionner les États-Unis en drogue. Le *Narcotics Bureau* n'arrive pas à découvrir les voies maritimes et aériennes qu'il utilise. Hoover délègue en Italie ses meilleurs agents. Peine perdue : Lucky défie le pouvoir du F.B.I. Arbitre incontesté de *Cosa Nostra,* la filière américaine de la Mafia, il a eu l'intelligence de se placer sous l'aile protectrice du chef suprême de l'Organisation, le *Capu,* qui, de sa ferme fortifiée en Sicile, règne sur les *mafiosi* du monde entier. Mais le bouledogue américain n'a pas l'intention de lâcher sa proie. Apprend-il que Lucky s'est installé à Cuba pour se rapprocher des côtes américaines ? Il somme Batista, le dictateur, de l'expulser. Batista ne peut rien refuser au chef du F.B.I. Luciano doit renoncer à sa base de La Havane.

Hoover n'a plus qu'à intervenir énergiquement auprès des autorités italiennes pour que l'on confisque son passeport à Luciano, et qu'on l'assigne à résidence à Naples. Ce qui ne l'empêche pas — les rapports des agents d'Hoover sont formels — de multiplier ses déplacements en Italie et de renforcer son état-major en se liant avec Rocco Messina, l'étoile montante de l'*Onorata Società,* que la justice française a sottement laissé s'échapper [1].

— Et maintenant, ajoute Hoover à l'intention de Clyde A. Tolson, ils sont deux, avec ce Messina de malheur. Il ne va pas tarder à devenir pire que Lucky, celui-là !

— Il en prend le chemin, acquiesce Tolson.

Hoover repousse son fauteuil, contourne la table d'acajou que domine le drapeau américain dressé dans un coin de la pièce.

Il arpente, de ses courtes jambes, le vaste bureau lambrissé de bois sombre. Puis, il se poste à l'embrasure d'une fenêtre, les bras derrière le dos, doigts solidement croisés. Cinq étages plus bas, Pennsylvania Avenue résonne du vacarme des marteaux piqueurs : on creuse, de l'autre côté du bâtiment du département de la Justice, les fondations du nouveau siège du F.B.I., aux dimensions imposantes.

— J'ai eu le *Narcotics Bureau,* dit Tolson. Istanbul ne leur a pas communiqué grand-chose. J'ai même l'impression qu'ils sont en plein cirage.

Hoover se retourne, hausse les épaules. Ses yeux rusés ne sont plus qu'une fente où brillent l'intelligence et la force :

— C'est fatal, dit-il. Ils ne sont pas équipés comme nous. Eh bien, nous allons les aider, nous mobiliser

1. Voir *le Ricain.*

51

contre Luciano et Messina. Prévenez Baker, Mossaduk, Posino et Forrio. Qu'ils se préparent. Ils s'envolent demain pour l'Europe. Baker jouera les touristes. Il adore ça et il parle le français. Mossaduk visitera la Turquie, son berceau de famille. Posino et Forrio seront chez eux, entre Naples et Palerme. Conférence à quinze heures précises. Je leur expliquerai leur mission. Il faut à tout prix démanteler le réseau de drogue de cette fripouille de Luciano, le ridiculiser pour le compte. Mais je veux aussi qu'ils me capturent le Messina, où qu'il soit, hors du territoire italien, et qu'ils me le ramènent ici. J'en ai assez de le voir surgir et disparaître aux quatre coins du globe.

La Lancia fonce sur le corso Vittorio Emmanuele. Un coup d'œil dans le rétroviseur rassure le chauffeur : l'Alfa Romeo des *pisciotti,* les gardes du corps du *Capu,* a bien rempli son rôle. Elle a magistralement coincé dans la via Mazzini la Fiat 1100 de couleur noire, qui porte la plaque minéralogique à grenade rouge des carabiniers de la police de Palerme. Tout a fonctionné comme prévu. Le chauffeur jette au passage un œil averti sur la sculpturale Liliane, brune aux yeux bleus, si jeune et si pulpeuse, dont Rocco Messina caresse les épaules avec une attention amoureuse.

Rocco a le cœur en fête. D'abord, Liliane frémit sous la pression de ses doigts, et cela lui promet les plaisirs dont il est friand. Et puis, il est heureux de retrouver Palerme sous le soleil. C'est un souvenir de naguère, c'est un moment de détente qu'il savoure avec un rare bonheur. Mais comment se fait-il que les carabiniers, mystérieusement prévenus, aient été présents à leur arrivée à l'aéroport ? Ils avaient assisté tranquillement, aux premières loges, au débarquement de Rocco, facilement repérable à ses lunettes noires et à son élégant costume beige.

52

Le chauffeur a l'habitude de venir à l'aéroport de Punta Raisi chercher les invités de marque de la Mafia. Le scénario est bien rodé. Il a démarré assez lentement pour laisser à l'Alfa des *pisciotti* le temps de s'interposer entre sa voiture et la Fiat des flics. Les trois voitures ont ainsi roulé en cortège jusqu'aux faubourgs de Palerme. Les carabiniers ne cherchaient nullement à se cacher. Tout ce qu'ils voulaient savoir, c'était où allaient Messina et sa compagne.

La promenade de routine policière devait connaître son incident de parcours à la hauteur de la via Carini. La Lancia a brutalement accéléré, avant de tourner à droite dans la via Mazzini. L'Alfa des gardes du corps a ralenti, au contraire, malgré les coups de klaxon furieux de la troisième voiture. Via Mazzini, le klaxon continuait à retentir en vain. L'Alfa s'est immobilisée tout à fait. Son conducteur mimait les gestes désespérés de l'homme qui tombe en panne et qui n'y peut rien. La rue était trop étroite pour doubler. Les carabiniers avaient perdu la piste.

Une fois de plus, Rocco appréciait l'organisation de l'*Onorata Società*.

La Lancia continue sur le corso Vittorio Emmanuele. Elle fonce au long des vestiges romains de la villa Bonnano, bordée de palmiers et de platanes. Rocco, sensible à ce décor champêtre, se demande ce qui va se passer, tout à l'heure, chez Don Genco Russo, le nouveau chef suprême.

C'est avant-hier que Don Genco, en termes secrets, a convoqué Rocco, pour affaire urgente et exceptionnelle. Il était précisé, dans le message, qu'il s'agissait de *cinniri*, c'est-à-dire de drogue, dans le parler tout à fait spécial des initiés siciliens. Genre d'opération qui passionne tout spécialement le Gringo.

Messina, dont la vie aventureuse n'a pas émoussé les

facultés d'enthousiasme, est tout heureux à l'idée de rencontrer Don Genco qui a succédé à Don Calo Vizzini, l'ancien berger analphabète devenu milliardaire. Don Calo s'est éteint après avoir régné près de vingt ans sur la Mafia universelle. Toute sa vie il a su garder son pouvoir sur les deux branches rivales de l'Organisation : la vieille Mafia traditionnelle des moustachus, attachés à la terre natale, et la nouvelle, *Cosa Nostra,* expatriée en Amérique du Nord.

Le vieux chef a été porté en terre un jour de grand soleil, en juillet. Les pleureuses vociféraient leur désespoir dans les rues de Villalba, le village-forteresse du défunt. Toutes les familles siciliennes, tous les *pisciotti,* tous les chefs de groupe, tous les compatriotes de Manhattan, de Brooklyn, de Miami ou de Las Vegas, se demandaient avec angoisse qui allait croiser l'index sur le majeur au-dessus du cercueil exposé dans la cathédrale, et, avant de faire le signe de croix, prononcer la phrase sacramentelle : « Je jure sur Dieu et sur toi de guider la Famille pour le bien. »

Cet homme-là, ce fut Genco Russo, d'Agrigente. Un ancien berger, comme Don Calo Vizzini. Et, comme lui naguère, un habitué des prisons siciliennes. Il était devenu son bras droit. Le passage se faisait tout naturellement. Il connaissait, depuis la veille, le testament du défunt, ouvert devant les notables de la région. Personne n'en pouvait remettre les termes en question, tant explicites étaient les laconiques dernières volontés du *Capu :* « Par Jésus et à l'heure de ma mort, pour la Famille : Giuseppe Genco Russo. »

Aucune contestation n'était possible. Aussi n'y en eut-il pas. Personne n'a mis les mains en croix sur sa tête pour protester. Personne n'a présenté le coude en avant, comme une mise en garde, pour signifier que l'élu était un traître à la grande Famille. Tous sont venus, un à un, s'agenouiller devant Genco et poser leurs lèvres sur son poignet droit, en prononçant la phrase traditionnelle : « *Baccio i mani.* »

Le lendemain, jour des obsèques, la pègre du monde entier célébrait l'avènement du nouveau *Capu*. On rappelait ses soixante années passées au service du crime. Le choix avait été excellent. Le nouvel empereur était rusé et courageux. Il ne parlait pas. Toutes qualités requises du chef de l'*Onorata Società*.

Devenu un personnage officiel de haut rang, il lui fallait prendre possession de son pouvoir politique. Aussi a-t-il franchi le seuil de la bâtisse à un étage, proche de l'église : le siège de la Démocratie chrétienne. Dès qu'il est apparu sur la terrasse du bâtiment, une longue ovation est montée vers lui.

Lucky Luciano avait été le premier à le féliciter.

Le chauffeur freine en souplesse, en jetant un dernier coup d'œil au rétroviseur. Il se gare juste devant l'entrée de l'Albergo Sole. Déjà, le portier s'est précipité. Rocco est à peine sorti de la voiture que l'homme à la casquette se plie en deux :

— Le *Capu* vous attend, dit-il.

Le Gringo esquisse un sourire. L'air bienveillant et protecteur, il tapote l'épaule du portier, ordonne :

— Conduis madame à son appartement.

Et, refusant d'un geste qu'on l'accompagne, il traverse à grands pas le hall de l'un des meilleurs hôtels de Palerme. Le chasseur qui l'attend au bas de l'ascenseur n'a pas le geste de dévotion du portier *mafioso*. Son inclinaison est toute professionnelle. L'ascenseur s'arrête au second étage. Le Gringo foule l'épaisse moquette du couloir.

Les deux *mafiosi* qui montent une garde vigilante devant la porte capitonnée, la main dans la poche de leur veston, restent impassibles à son approche. Pas un muscle de leur visage ne bouge. Rocco passe devant eux comme s'ils n'existaient pas. De son poing fermé, il frappe au panneau. Deux coups espacés, suivis de trois autres. Le *mafioso* qui ouvre la porte est tout aussi impassible que les deux autres. Et pas plus que les deux autres, Rocco ne semble le voir. D'un geste, le *Capu* l'invite à s'approcher. Le Gringo ne peut que s'étonner de la ressemblance de ce robuste sexagénaire avec feu Don Calo : même silhouette trapue, même moustache poivre et sel, même acuité du regard, même pantalon de velours tenu par de larges bretelles.

Le Don écrase son cigare toscan dans l'énorme cendrier de cristal. Rocco met un genou à terre, pose ses lèvres sur le poignet de Don Genco :

— *Baccio i mani.*

Le *Capu* le relève, lui donne l'accolade : un baiser pour l'estime, un pour la justice, un pour le respect, un pour la famille, le dernier enfin pour l'Organisation.

Puis, il sourit. Abandonnant le patois régional, il proclame à voix haute, en italien, avec une solennité teintée de bonhomie :

— J'aime te voir, fils. Merci d'être venu.

D'un mouvement du menton, il désigne au Gringo un fauteuil de velours brodé. Lui-même s'installe dans un canapé profond, allume un nouveau cigare. Le mur, derrière lui, est recouvert d'un planisphère géant, multicolore, dont le store baissé atténue les teintes.

Le Don reprend à voix plus basse, comme pour accorder sa tonalité à la pénombre qui règne dans la vaste chambre où les meubles et les tentures distillent un calme trompeur :

— Oui, je suis content que tu sois là...

Il exhale une bouffée de son cigare à l'odeur puissante — « une odeur de fauve », songe Rocco, subjugué, quoiqu'il en ait vu bien d'autres, par le regard dur et profond du *Capu,* qui poursuit, après un court silence :

— Fils, il faut que tu trouves de nouvelles filières pour que la drogue parvienne aux États-Unis.

Le Gringo se cale dans son fauteuil, croise les jambes, affecte un air quelque peu dubitatif et désinvolte, comme chaque fois qu'on lui confie une mission qui paraît impossible. Il choisit paisiblement un cigare, l'allume, en savoure une copieuse bouffée avant de le pointer vers Don Genco et d'énoncer :

— J'ai ce qu'il faut. A l'arrivée, au Mexique, tout est au point. De ce côté-ci de la mare aux harengs, il me reste à régler quelques détails avec nos amis Girola à Marseille et Benutti à Tanger.

— Bien, très bien, approuve le *Capu*.

Il se lève, s'approche du planisphère, pose sa patte velue sur une tache bleue.

— Autre chose, fils, distille-t-il de sa voix sèche. N'oublie pas que notre opération *cinniri* suppose que nous contrôlions la Méditerranée tout entière. Et dis-toi aussi que, tant que je serai le chef, tu resteras chargé de l'ensemble des opérations spéciales de l'*Onorata Società*.

Rocco en frémit de satisfaction.

6

Paris défile, maisons, piétons, voitures et chiens,
autour de la plate-forme du 73. Les coudes sur la
rambarde, je me dis qu'il n'y a rien de plus beau que la
ville vue d'une estrade d'autobus, quand le vent frais
vous fouette le visage au sortir de mon cagibi sur-
chauffé. En lisant l'autre semaine le rapport de la Cour
des comptes, qui prêchait l'économie et dénonçait les
abus, je me suis demandé pourquoi l'administration
gaspillait à ce point les calories, alors que le service de
gestion n'a pas manqué de nous sermonner parce que
nous utilisions trop de trombones et pas assez d'agrafes,
qui coûtent, paraît-il, beaucoup moins cher. Je pense à
l'asphyxie des bureaux en humant l'air de Paris comme
on ingurgite l'air du large. Mon océan à moi, c'est la
place de la Concorde, ce sont les quais de la Seine au
long des grandes allées des Tuileries. L'horloge géante
de la gare d'Orsay indique dix-sept heures trente-cinq.
Je suis en avance. Il n'y a pas un quart d'heure que j'ai
franchi le porche de la rue des Saussaies, écrasé d'un pas
rapide les feuilles jaunies de l'allée Marigny. L'autobus
ne s'est pas fait attendre, devant le Grand Palais. Ma
carte de priorité à la main, j'ai enjambé le marchepied
et tiré sur la sonnette à la place du receveur, occupé au
fond du véhicule. J'aime assez m'approprier les autobus. Ce sont de petits royaumes sur roues dans lesquels

je me sens chez moi. J'en changerai à la station Châtelet, et le 21 me déposera à l'angle Saint-Michel, Saint-Germain. Cinq minutes d'un bon pas de boulevardier, pour gagner la place de l'Odéon.

Je suis d'humeur joyeuse, comme lorsque tout semble marcher au mieux. J'ai dans mon portefeuille, pliée en quatre, l'autorisation de séjour que le directeur de la réglementation intérieure a signée, d'urgence, en faveur de Maurasse Alfred. J'en ai fait personnellement la demande et je suis allé la porter au « bureau des interdits », au second étage.

— Borniche, m'a dit le Gros, avec l'affaire Rebolio que j'ai sur le dos, je préfère que vous vous en occupiez.

Naturellement ! Mais j'ai mieux. Le responsable financier de la direction m'a débloqué, contre décharge, la somme de cinq cent mille francs, suffisante, selon le Gros, pour venir à bout de la moralité de Fredo. Le reste, le marin-truand le percevra plus tard. Quand nous tiendrons le Gringo, je le ferai venir de nuit, à la Sûreté, en passant par la porte dérobée de la rue Cambacérès. Il franchira le couloir désert qui unit les deux immeubles et le comptable lui remettra son dû après vérification d'identité et signature. Reste à savoir si notre louable initiative sera appréciée comme il convient.

Le Gros a recompté les liasses, une à une. J'avais la sensation que ça lui arrachait le cœur. Il me les a tendues, à regret :

— Faites attention, Borniche. Ce Fredo c'est un tonneau de poudre, maniez-le avec prudence.

Ça pue le tabac et la sueur, dans le bureau de la brigade. Voilà une heure que Fredo, livide, les cheveux en désordre, subit un tir croisé de questions, au rythme d'une mitrailleuse parfaitement réglée. On lui a retiré les menottes, mais aussi ses lacets de chaussures. Même la ceinture de son pantalon qui dégringole en accordéon sur ses brodequins éculés, mais cirés avec soin.

Il est debout devant la table, hébété. On pourrait croire qu'il contemple le maigre contenu de ses poches, étalé sur le sous-main du chef de service : un mouchoir fatigué, un ticket de passage du service maritime départemental île d'Yeu-Fromentine, une clé rouillée, six pièces de monnaie et un ticket de consigne. Il est bien encadré, le malheureux amateur de dolmens ! Devant lui, l'inspecteur principal Vérot, de la 3ᵉ brigade territoriale. A sa gauche, un flic au front bas, le rictus aux lèvres, des mains d'étrangleur qui rappellent celles du boucher de Saint-Omer, enfermé avec Fredo à la centrale de Saint-Martin-de-Ré, qui égorgeait les vieilles dames pour boire leur sang. A sa droite, un autre flic, un nabot aux cheveux en brosse dont le cou décharné flotte dans une chemise à col dur.

La pièce est sombre, mal éclairée par l'unique fenêtre à barreaux. Un agent bâille, assis sur un tabouret, devant la porte, une mitraillette posée au travers des genoux.

Vérot aboie, sur le ton de l'impatience :

— Si tu as mis ta valise à la consigne de la gare, c'est que tu avais l'intention de repartir ! Et pas les mains vides, hein ? Avec le produit du casse que tu étais venu faire. Allez, accouche, Fredo.

Il a tout du taureau, Vérot, mais d'un taureau bigleux. Il louche si horriblement qu'on l'a surnommé Nonœil. Cela lui donne un air effrayant. Le reste de sa physionomie est tout aussi étrange. Ses cheveux bruns huilés, plaqués, évoquent un crâne nu qu'on aurait peint en noir. Un nez agressif, un menton en galoche et une paralysie de la mâchoire, du côté droit, qui ponctue l'élocution de curieux sifflements, forment le portrait le plus remarquable sans doute de toutes les brigades de la Préfecture de police.

Non, la nature ne l'a pas gâté, Nonœil, question

60

physique. Mais elle l'a doté, en compensation, d'une mémoire et d'un flair incomparables. Cela fait un bout de temps qu'il a fait ses preuves, tant à la section de voie publique, affectée à la surveillance de la rue et à la traque des voleurs à la tire, qu'à la brigade volante chargée de la chasse aux cambrioleurs. Et lorsque, en octobre 1949, le préfet de police a décidé de contrecarrer la montée inquiétante du banditisme, c'est Vérot qu'il a choisi pour diriger la brigade plus spécialement responsable du quartier des mauvais garçons.

D'ailleurs, il s'en moque, Vérot, de ses attributions territoriales. Fouineur incorrigible, il met son nez partout, de jour comme de nuit. Les protestations de ses collègues ne lui font ni chaud ni froid. Les réclamations s'accumulent sur le bureau du préfet. Rien n'y fait. On a besoin de lui. Impassible, Nonœil continue de glaner ses crânes. Il est une police à lui tout seul. Rien ne saurait le troubler dans sa tâche. Qu'on l'encense ou qu'on le critique, il répond invariablement :

— Je m'en bats l'œil.

L'infortuné Fredo Maurasse n'en mène pas large devant ce redoutable rempart de l'ordre qui le foudroie de son strabisme le plus convergent :

— Bon, conclut-il, puisque tu ne veux pas jacter, on reprendra ça demain. Tu vas passer la nuit au séchoir, et ce qui te tombera sur les endosses, je m'en bats l'œil ! Tant pis pour toi.

Fredo a tôt fait d'interpréter le geste vague de la main qui accompagne la fameuse formule. Il sait ce qui l'attend : une inculpation pour infraction à arrêté d'interdiction de séjour, le Dépôt, le petit Parquet, la Santé, et la comparution en correctionnelle dans les jours qui suivront. Ensuite, la révocation de sa libération conditionnelle, et en route pour la centrale !

Cinq années à se farcir !

Avec, en toile de fond, le mitard, cette cellule glacée et sans air du deuxième sous-sol, une couverture noire de crasse pour dormir, une boule de pain tous les quatre jours, et un litre d'eau !

Il lui serait pourtant facile de sortir de ce pétrin, d'expliquer qu'il est venu dans la capitale à la demande de la Sûreté, pour essayer de contacter le Gringo. Mais quelle bêtise, d'être parti sans un papier officiel, une convocation au moins, qui l'aurait mis à l'abri de l'interpellation par un autre service ! Lui, le naïf, il avait nettoyé son caban à l'essence minérale, fait reluire ses godillots usagés, et coiffé sa casquette de marin pour se rendre sur le continent.

Il s'est senti un peu perdu, quand le rapide s'est immobilisé gare Montparnasse. Il a regardé le grouillement de la foule sur le quai. Tout ce monde lui faisait peur. Mauvais souvenir, le quai de la gare. La dernière fois, il n'était pas un voyageur comme les autres. Il se trouvait entre deux gendarmes ; les longues chaînes pesaient à ses poignets. Il s'est tout de même décidé à descendre. Il est entré au Rendez-vous des Bretons, pour appeler la Sûreté. Il ne pouvait s'offrir mieux qu'un café. Pas grave. Borniche lui avait dit qu'il l'attendrait à partir de quatorze heures, à la brasserie Odéon, face au métro. Dès lors, il serait en possession du fameux papier grâce auquel il pourrait aller où il voudrait, sans risque, libre ! Et aussi des deux millions souhaités.

Il s'est acheminé à pied vers son rendez-vous. Il avait tout le temps. Rue de Rennes, il retrouvait avec un plaisir croissant des odeurs et des bruits qu'il croyait oubliés. Il cherchait en vain le paysage des commerçants d'autrefois. Ils avaient disparu. Les mains dans les poches, la casquette vissée sur le crâne, il a tourné rue du Vieux-Colombier. Là encore, les vitrines inconnues l'ont frappé au visage. L'effervescence de la rive gauche l'effrayait quelque peu. La grosse horloge de l'Odéon marquait midi et demi. Encore une heure et demie. Il a gagné la Seine. Il y avait du vent. On respirait mieux. Il s'est penché au-dessus du pont, pour voir couler le fleuve dont les remous grisâtres s'écrasaient sur les arches. Elle n'avait pas la couleur de la mer, cette brave Seine. Il était en train d'imaginer son parcours jusqu'à l'embouchure, quand il a senti une petite tape sur son épaule gauche.

— Tiens, Fredo ! Quelle bonne surprise ! On joue au touriste ?

Il a sursauté. Il a avalé sa salive, devant la face asymétrique surgie devant lui. Il n'avait pas besoin de connaître Vérot pour l'identifier tout de suite. C'est beau, la célébrité. Nonœil a vraiment l'instinct du chasseur.

— Ben, juste cinq minutes. Je vais voir un cousin qui est malade.

La réaction de Nonœil ne s'est pas fait attendre. Son sourire déformé a rejoint l'oreille droite.

— Je comprends, mon vieux. Il n'y a rien de pire que la maladie. C'est comme les flics. Dis donc, tu as une autorisation, je suppose ? Parce qu'entre nous, la maladie de ton cousin, je m'en bats l'œil ! Et pas qu'un peu.

Voilà comment Fredo s'est retrouvé dans une Citroën noire, calé contre le malabar à la poigne d'étrangleur. Tout le long du trajet, il s'est efforcé de déglutir pour rafraîchir sa gorge sèche. Il se demandait désespérément comment il allait sortir de ce mauvais pas.

Sacré piège ! S'il expliquait l'histoire Borniche, s'il disait pourquoi le flic de la Sûreté l'avait fait venir, il avouait du premier coup qu'il devenait un indic. Et si les flics ont des indics dans le milieu, le milieu a ses oreilles chez les flics, lui aussi ! Non, vraiment, ce serait très imprudent de reconnaître, comme ça, qu'on va en croquer avec la Sûreté, surtout que Nonœil ne l'aime pas, mais alors, pas du tout, sa concurrente !

Vérot baisse de nouveau son front de taureau de combat :

— Si tu ne veux pas jacter, dans le fond, je m'en bats l'œil. Tout à l'heure on ira à la consigne et on verra ce qu'il y a dans ta valoche. Si je trouve la plus petite pince-monseigneur, ça va être ta fête. Après, eh bien après... Mais j'y pense, tu es sans doute gêné... Tu voudrais peut-être me parler en tête à tête. C'est ça, non ?

Fredo se mord les lèvres. Il commence à lâcher pied. Il a rendez-vous avec Borniche, et ce rendez-vous, il ne faut pas le manquer. Il y a deux millions dans l'air. Après tout, pourquoi pas ? Bien sûr, après, ce ne sera pas drôle d'avoir deux polices sur les reins. Mais comment faire autrement pour se débarrasser de ce Nonœil qui le glace d'effroi ?

Fredo n'hésite plus. Il saisit la perche que lui tend Vérot. Il cligne de l'œil. La pièce se vide comme par enchantement.

— Assieds-toi, dit Nonœil, qu'on parle.

Il contourne son bureau, enfourche une chaise de bois blanc.

— Qu'est-ce que vous voulez que je fasse ? demande Fredo, déjà soulagé d'être assis.

L'insaisissable regard étincelle. Le sourire se tord :

— Comme si tu savais pas. Tu connais Jeannot Gras ?

Il connaît.

Depuis longtemps. D'ailleurs, qui ne le connaît, Jeannot ? C'est le correspondant parisien de la Mafia du Midi dont Antoine Girola est le chef de file. Il en a subi des passages à tabac ! Il n'a jamais parlé. Et sa tendre amie Louisette, qui tient le bar de la rue des Dames, à l'angle du passage Geffroy-Didelot, a toute sa confiance. La preuve, il a permis que son prénom soit calligraphié sur la porte du bar.

— Je le connaissais, dans le temps, dit Fredo. Ça fait un bail que je l'ai pas vu. Et pour cause.

Vérot change de position. La chaise craque, dans le silence.

— Je te propose un marché, dit-il. Dès demain, je t'accorde un condé provisoire, renouvelable tous les quinze jours. Ça te permettra de rester à Paris. Tu fréquentes chez Louisette. Je veux savoir ce qui se passe là-dedans.

Fredo soupire, hausse les épaules :

— Je ne peux pas. Ils vont se demander pourquoi je viens. Ils savent que je suis triquard.

— Justement, dit Nonœil, massif, paisible. Tu te mets dans la peau du triquard en situation irrégulière. Pour eux tu te planques des poulets, un point c'est tout.

— Vous avez raison. D'accord.

Fredo observe Vérot du coin de l'œil. La mayonnaise semble prise. Il ne s'en est pas mal sorti. Quoique avec ce fumier de Nonœil...

— Je vais te filer ma carte, dit Vérot. Si un poulet t'alpague, tu dis de me téléphoner tout de suite.

Sa main glisse dans le tiroir de la table, sort une boîte de cartes de visite.

— Je te mets mes deux numéros de fil. De jour et de nuit. Tu m'appelles en cas d'urgence.

Fredo est trop excité pour répondre. La peur lui tenaille le ventre. Que se passera-t-il si Borniche apprend son pacte avec Vérot ? Il boucle lentement sa ceinture, enfourne dans ses poches leur contenu qui traînait sur la table.

Nonœil louche sur la récupération, puis menace :

— N'oublie surtout pas que si tu me doubles tu as du mauvais sang à te faire.

Il passe le tampon buvard sur les numéros qu'il vient d'écrire sur la carte, la tend à Fredo, se lève, fait le tour de la table.

— Oui, soupire-t-il, il s'en passe des choses, chez Jeannot. Il paraît qu'il est en cheville avec Messina, le mec qui s'est barré de Fresnes. Alors, tu comprends,

Fredo, que tout le reste, je m'en bats l'œil. Et comment !

Châtelet. Je descends. Pas de 21 en vue. Je ne vais pas rester planté là. Je remonte le col de ma gabardine, j'attaque d'un pas décidé le pont au Change, j'enfile la rue Danton. La place de l'Odéon est à moi. J'ai bien expliqué à Fredo, au téléphone, qu'il devait se trouver à l'intérieur de la brasserie Odéon, dans la seconde salle, sous l'escalier de bois qui monte au premier. Je le vois déjà, patientant devant un demi, dans l'attente du petit pactole que je lui apporte. C'est le coin des amoureux, que je lui ai prescrit pour m'attendre. Dans cinq minutes, nous serons face à face. Ce sera sûrement moins lugubre que le dolmen de l'île d'Yeu...

Moins cinq à l'horloge de la place. Le temps de cueillir un *France-Soir* au kiosque, me voici devant la porte du bar. Quand je pense que le Gros dit toujours que je n'ai pas le sens de l'heure ! A vrai dire, aujourd'hui, c'est un miracle. M'y voici. Je me fraie un passage sur le trottoir saturé de midinettes et d'employés de bureau. Un coup d'œil en arrière, l'instinct professionnel, et j'entre.

Eh bien, non, je n'entre pas. De l'autre côté, sur le terre-plein, au pied de la statue de Danton au bras vengeur, une silhouette me saute à la face. Le choc ! C'est bien l'inspecteur Vérot, lui-même, caïd-athlète à la sombre mine, qui croit se cacher derrière le piédestal. Il louche sur la verrière de la brasserie. Puis sur la porte secondaire de la rue de l'Ancienne-Comédie. Qu'est-ce qu'il peut faire là, ce salopard ?

Il ne m'a pas repéré, Nonœil, mais ma belle humeur s'est envolée. Ça tourne, dans ma tête. Comment ai-je été assez stupide pour donner rendez-vous à Fredo dans ce lieu de va-et-vient, de passage, le hall de gare du boulevard à deux pas de l'antre de mes rivaux de la P.P. ! Je les entends déjà, les gémissements du Gros :

— Vous n'avez pas de jugeote, Borniche ! Quand je pense que vous allez filer un rancard à l'Odéon ! Pourquoi pas dans un bureau du Quai des Orfèvres, pendant que vous y étiez ?

J'exécute un mouvement tournant. Le boulevard Saint-Germain me ramène au passage clouté de la rue Danton. Je traverse. Je longe l'autre côté de l'avenue. Me voici maintenant derrière Nonœil, qui continue à se dévisser la tête. C'est bien ce que je pensais. Il ne m'a pas vu.

Ça peut durer longtemps, ce petit jeu. Vérot n'a pas bougé. Moi, non plus. Je reste tapi dans l'encoignure du cinéma Danton. Il doit trouver le temps long, Fredo, dans le coin des amoureux. Moi, je me morfonds. Comme Nonœil, qui ne doit pas être là pour rien, tel que je le connais.

Non, il n'est pas là pour rien. Et s'il était là pour Fredo ? S'il l'attendait, à l'affût, informé on ne sait comment, de la présence à Paris de notre tonneau de poudre !

Je tempère mon imagination. Nonoeil n'a pas envie de piquer Maurasse. Ce serait déjà fait. Il est en planque, avant de le filer pour voir où il va le mener. Un chien qui chasse, c'est sa spécialité !

Mais moi, il faut que je fasse sortir mon gibier de la brasserie. Trois taxis me font de l'œil, devant la station de métro. Je m'installe dans le premier G7 :

— Rue de Chateaubriand, aux Champs-Élysées. Avant, vous vous arrêtez devant la brasserie Odéon, au coin. J'ai un ami à prendre.

Le chauffeur baisse son drapeau, marmonne un vague : « Ça colle », et sa caisse rouge et noir se range devant le magasin de machines à écrire Duriez.

— Ici ?

— Ça va. Deux secondes.

J'entre dans la brasserie, côté bar. Les jeunes hurlu-berlus trépignent devant les flippers. Je passe devant le comptoir. Un virage à droite. Je tombe sur Fredo.

— Rapplique, dis-je, je suis en retard.

Je jette quelques pièces sur la table. Fredo se lève, ébahi. Je lui trouve une mine de cire. Il était plus attrayant derrière son dolmen !

— File-moi ta casquette et ton caban. Mets ma gabardine.

Il me dévisage, les yeux encore plus ronds. Pas le temps de lui expliquer. Il enfile mon imperméable, tel un automate.

— Par ici !

Nous traversons la salle. La statue de Danton est invisible du seuil. Nonœil aussi.

— Tu vois le bahut, là, devant. Tu grimpes...

Je le suis, caban et casquette sous le bras.

Le taxi démarre. En me retournant, je me réjouis de voir Vérot, qui continue à se désarticuler le cou derrière le piédestal.

Il a l'air soulagé que je l'ai récupéré, Fredo :

— Vous aviez promis de me loger, monsieur Borni-che. C'est que j'ai besoin de tranquillité pour commen-cer mes opérations. Dame oui !

Vingt minutes plus tard, la femme de chambre en jupe noire, sage petit tablier plissé blanc, nous introduit dans la chambre douillette de la Bonbonnière, la discrète maison de rendez-vous de la rue de Chateau-briand. Endroit béni des flics, où nous pouvons loger nos indics de passage. La patronne, Mlle Germaine, nous est tout dévouée. A cinquante-quatre ans, elle est toujours sur la brèche, œil vif et langue pointue. Elle vibre au récit des aventures policières que nous lui dispensons généreusement. Elle avait rêvé d'épouser un gendarme. Hélas, le rêve s'est évanoui quand le représentant de la maréchaussée a levé le pied, la veille de la publication des bans. Depuis la disparition de l'uniforme de sa vie, Germaine s'est murée dans le célibat. Mais, au lieu de garder rancune aux flics de tout poil, elle les cajole, leur rend service, comme elle le peut, au prix coûtant. Je crois bien que je suis son préféré.

Le palier du troisième n'est ni très long, ni très large. Il dessert quatre portes dont le capitonnage épais assure la discrétion nécessaire aux ébats qu'elles protègent. Un beau décor de film pour initiés. Rambarde en fer forgé, garnie de noir. Moquette grenat où s'étale un tapis à fleurs entrelacées. Sur le mur, une Vénus nue, rose bonbon, sortant de l'onde. Le tout baignant dans la lumière tamisée d'une lanterne vénitienne.

— C'est chouette, dit Fredo. Ça doit coûter chéro !

— Le tout, c'est que tu sois bien, dis-je. Mon patron m'a remis cinq cent mille francs pour tes premiers frais. Le reste suivra. Tu as un restaurant correct et pas trop cher tout à côté, rue Washington. Ne te fais pas trop voir quand même.

Fredo n'est pas dupe. Il empoche les liasses sans l'ébauche d'un remerciement. Son œil couve le téléphone gainé de velours grenat, sur la table de chevet.

— Pour vous joindre, c'est direct ou faut passer par le standard ?

— Tu demandes une ligne et tu fais ton numéro.

J'évite, bien entendu, de l'informer que Mlle Germaine adore écouter les conversations. Et nous les répercuter avec force détails. C'est son vice. Le nôtre est de l'inciter à persévérer dans sa curiosité.

Je quitte la Bonbonnière. Quand, d'instinct, je lève la tête vers le balcon du troisième étage, j'entrevois Fredo qui se recroqueville derrière le rideau. Je feins d'ignorer sa présence, passe sur le trottoir opposé, loin de sa vue. Il me tarde d'écouter les comptes rendus colorés de Mlle Germaine de ses communications téléphoniques.

En attendant — deux précautions valent mieux

7

La Mercedes franchit les grilles de la princière demeure de la via Tasso, au flanc du Romero, dégringolade de pins où se nichent les somptueuses propriétés. Jamais Rocco Messina n'a été confronté à une telle opulence. Il est l'un des espoirs de la Mafia, mais, comparé à Luciano, il fait figure d'homme pauvre. La magnificence du bâtiment, l'ordonnancement du parc à la flore riche et variée, l'extraordinaire panorama de la baie de Naples où le ciel et l'eau se confondent dans un camaïeu de rouge pailleté de minuscules voiles au retour des îles de Capri ou d'Ischia, l'impressionnent.

Il a revêtu pour voyager un costume de sport : veste de tweed beige et pantalon marron. Mais, dans sa Vuitton, se trouvent un fil-à-fil bleu marine à la dernière mode romaine et surtout ses bijoux préférés, les boutons de manchettes en or massif et l'élégante montre Cartier, qu'il arborera au dîner que lui offre Lucky Luciano.

— Repassez me prendre à onze heures, dit-il au chauffeur que la Mafia a mis à sa disposition, tandis qu'un domestique en livrée s'avance pour ouvrir la portière.

Il descend de voiture. Lucky vient au-devant de lui, les bras ouverts. Sur les marches du perron, la belle Igea Lissoni attend. Le Gringo sait qu'elle est perdue. A trente-six ans, au sommet de sa gloire de danseuse, la compagne de Luciano se meurt de leucémie. Et, ni sa célébrité, ni la fortune de son amant ne peuvent modifier l'ordre du destin. Déjà, elle évoque un personnage d'un autre monde avec ses cheveux épars sur un visage livide. Un énorme diamant, à la main droite, scintille de mille feux.

— Rocco !

— Lucky !

Les deux hommes s'étreignent, se tapent dans le dos. Puis Lucky présente son invité à Igea qui murmure d'une voix faible :

— Soyez le bienvenu.

Le Gringo s'incline, dépose un baiser sur la main offerte. Quand il se redresse, il a dans les oreilles la triomphale ovation qu'un public en délire avait faite, il y a huit ans à peine, à celle qui était encore la danseuse étoile du ballet de la Scala de Milan.

La main d'Igea caresse la tête de Roma, le lévrier favori, qui a posé son long museau clair sur les célèbres genoux. « Il est à l'image du décor », pense Rocco. Un cartel Louis XV, aux dorures épaisses, couronne la cheminée de marbre, égrenant le temps dans le silence feutré du salon. De chaque côté de la large baie, les rideaux de velours restituent une ambiance d'opéra chère à l'ancienne chorégraphe.

Une partition de *la Tosca* est ouverte sur le pupitre du Gaveau de concert, noir et luisant comme la limousine d'un monarque. Et c'est au-dessus du piano que deux tableaux, telles deux allégories, rappellent à Rocco Messina, en un raccourci saisissant, ce que devrait être la carrière de tout bon *mafioso*. Un demi-siècle sépare les deux images, dans leur cadre d'acajou. La première, triste et brune, montre un enfant au milieu d'une foule d'immigrants efflanqués qui portent leur misère dans un balluchon, grouillement de parias italiens au pied des gratte-ciel de Manhattan. L'autre image, en parfait contraste, éclate de couleurs : Lucky Luciano, au sommet de sa carrière, parade entre deux pur-sang dont il tient la bride et que chevauchent des jockeys vêtus de casaques rouge et or, ses couleurs ! Rocco Messina regarde, ébloui : chevelure grise, paupière tombante, œillet à la boutonnière, l'empereur de la drogue et de la prostitution sourit, dans l'éclat nacré de ses fausses dents. La courroie sombre des jumelles coupe la blancheur du foulard et plaque la pochette de soie, elle aussi rouge et or, brodée des fameuses initiales L.L. Le costume bleu marine aux fines rayures claires corrige, avec un soupçon d'austérité, l'exubérance des couleurs.

— Faisons le point, dit Luciano. Où en sommes-nous à Istanbul ?

Rocco esquisse un large sourire :

— La petite Rayak n'a pas pesé lourd devant les flics d'Ankara. Surtout lorsqu'ils ont découvert sous son lit un collier dont elle n'a pu justifier la provenance. Le nouveau chef de la police d'Afyon dit qu'elle a cité le nom de Samy Ghourian. Comme cette pourriture de Mustapha Abdin avait annoncé qu'il avait rendez-vous avec l'Arménien le soir du meurtre, au pied de la citadelle, Samy a préféré prendre quelque distance.

Lucky approuve de la tête.

— Il a bien fait, dit-il. La production dans tout ça ?

— L'adjoint de Ghourian, Abdullah, a la confiance des indigènes. Il connaît toutes les ficelles pour gagner Atalya, ou Kilis, à la frontière syrienne. Donc rien à craindre.

— Parfait, lâche Lucky.

Igea Lissoni feint de ne pas écouter l'étonnante conversation des deux *mafiosi*. Son regard mélancolique embrasse l'extraordinaire panorama de la baie. Les derniers feux du couchant empourprent la presqu'île de Sorrente, là-bas au loin derrière la masse pelée du

Vésuve. Un bourdonnement continu monte jusqu'à la via Tasso : le murmure assourdi de la ville. Elle a passionnément aimé ce lieu, naguère. Maintenant, elle n'a plus qu'un regard indifférent pour le quartier belvédère qui se vautre dans un luxe insolent et que gèrent des hommes d'affaires aux dents longues. Lucky et le Gringo font partie de ces requins sans scrupules.

Le maître d'hôtel indochinois courbe sa taille sur le seuil de la salle à manger.

— Madame est servie.

— Merci, Li Tan.

Lucky vide son verre, le pose sur la table, quitte le confortable fauteuil.

— La production reste donc solide, dit-il. Mais où en est l'acheminement vers le Mexique ?

— Je m'en suis occupé, tout est en ordre, répond le Gringo en se levant.

« Votre ami Sicilien sera là à quinze heures. » Le coup de fil bref, impératif, est parvenu à Antoine Girola dix minutes avant son départ pour le Château d'If, le bar luxueux que son frère Toussaint possède, près du Vieux-Port. A croire que l'Organisation suit leurs activités au radar. A quinze heures pile, Rocco Messina a franchi le porche de la résidence du chemin des Oliviers, souriant, décontracté, élégamment vêtu d'un fil-à-fil clair qui fait ressortir sa chevelure brune, ses yeux bleus et la sveltesse de son corps.

Aux yeux d'Antoine, le Gringo représente tout le pouvoir de la Mafia sicilienne, puisque c'est le nouveau *Capu* qui l'a dépêché auprès de lui.

— Dois-je dire à Toussaint de venir ? s'enquiert Antoine, en faisant asseoir son visiteur dans le salon aux meubles précieux.

Rocco secoue la tête, avec le demi-sourire quelque peu énigmatique, qui fait son charme et agace parfois :

— Non. Vous lui transmettrez ce que je vais vous dire, si jamais vous n'êtes pas en mesure de satisfaire vous-même ma demande.

Antoine, souriant à son tour, incline la tête, fixe sur Rocco un regard affable, intéressé.

— Whisky ?

Rocco lève la main, en un geste de refus. « Il a peur que je l'empoisonne, se dit Antoine. Tous les mêmes, ces types de la Mafia. Ils se méfient de leur ombre. » Un peu décontenancé, malgré tout, il s'efforce de rester impassible.

— Que puis-je faire pour vous ?

Le sourire de Rocco s'élargit :

— Rien de très compliqué. Me trouver, parmi vos amis, un exploitant agricole digne de confiance. Deux ou trois, si possible.

Antoine fronce le sourcil. Son cerveau, plus habitué à distiller la comptabilité de ses boîtes « montantes » qu'à s'intéresser aux produits de la terre, a du mal à enregistrer la demande. Et puis, le vouvoiement de Rocco le désarçonne. Il réfléchit. C'est bien la première fois qu'on lui demande ça ! A Calenzana, son village natal, d'où l'on domine de si haut la Méditerranée, il en connaît, des exploitants, des petits, spécialisés dans le vin et le miel. Mais les affaires sont les affaires, et le village, c'est le village. Ça ne lui dit rien du tout d'attirer sur ce gros bourg tranquille l'attention des *mafiosi* et, qui sait ? de la police. Il n'a pas que des amis. Les jaloux n'attendent qu'un faux pas, c'est bien connu.

Depuis qu'ils tiennent le haut du pavé à Marseille et sur la Côte, les Girola ont évité tous les pièges. Pas le moment de se faire remarquer. Bien sûr, sous l'Occupation, ils ont reçu des officiers allemands dans leurs boîtes. Mais n'était-ce pas pour répercuter aux Alliés les confidences que leurs serveuses recueillaient sur l'oreiller ? La preuve, c'est qu'à la Libération, leur conduite héroïque a été mise au grand jour. Ils avaient pris des risques, en transportant des armes destinées aux maquis, en hébergeant des parachutistes alliés. On a même décoré Toussaint du ruban rouge.

Antoine met un point d'honneur à ne pas paraître trop surpris de la demande de Rocco, aussi saugrenue que lui semble l'intrusion des exploitants agricoles dans l'univers de prostitution et de trafics des frères Girola.

— J'ai bien quelques relations du côté de Cavaillon, dit-il enfin. Tout dépend de ce qu'on veut leur faire faire.

— C'est simple, dit Rocco. Ce qui m'intéresse, c'est qu'ils exportent leurs produits vers l'Amérique, et qu'ils aient l'habitude de le faire depuis pas mal de temps... Vous comprenez ?

— Non, répond Antoine, le sourcil froncé.

Le Gringo réprime un geste d'humeur. Rien ne l'agace comme la lenteur d'esprit. Girola est sûrement un élément solide, discret, mais il ne brille pas par son intelligence. Son ami Jo Benutti, à Tanger, a compris depuis longtemps, lui. Et Don Genco tout aussi vite. Enfin, il faut avoir la patience d'éclairer Antoine, de le mettre sur la voie. Rocco s'y emploie avec le calme d'un maître d'école, sans cesser de sourire :

— C'est simple, répète-t-il. Il suffisait d'y penser. Depuis l'affaire du *Combinatie*[1], les bateaux sont très surveillés en Méditerranée. A tout moment, la douane peut intercepter nos transports d'oranges. Alors, si on les expédie de Sicile par wagons, vers la France, le tour est joué. Des maraîchers amis les reçoivent. Ils changent

---

1. Le 11 novembre 1950, la police avait arrêté seize contrebandiers dans une calanque près de Marseille, alors qu'ils venaient prendre livraison de 7 500 cartouches de cigarettes américaines débarquées du yacht *Combinatie*. Parmi eux, l'honorable Jo Benutti et... deux policiers niçois en congé spécial !

les emballages, collent leur étiquette dessus et les nouvelles caisses arrivent sans encombre à Veracruz ou à Tampico, au Mexique, où je les réceptionne.

Antoine Girola hoche la tête à plusieurs reprises. C'est un peu compliqué pour lui, mais il commence à réaliser :

— Dans le fond, c'est un vieux truc, dit-il. Jadis, Luciano fabriquait des dragées à Palerme. Une flottille de camions transportait la came à une vitesse record. Vous, c'est des oranges que vous voulez envoyer ?

— Des oranges ou des pommes, on verra... Le tout est que la marchandise arrive à destination sans ennui. Je me charge du reste. Il faut que notre correspondant ne bavarde pas... Et il ne regrettera pas la part que je lui verserai. Vous non plus.

Il s'en faut de peu que le cerveau d'Antoine n'émette un cliquetis de tiroir-caisse. Il réfléchit quelques secondes, avant d'objecter :

— Si ça ne vous ennuie pas, j'aimerais mieux que vous me la versiez à moi, la part. Je la lui remettrai.

Le sourire charmeur du Gringo s'élargit. Il le voit venir, Antoine. Sa ladrerie est proverbiale. Ce n'est pas par prudence qu'il veut encaisser la prime, c'est pour se servir un peu plus au passage. Il augmentera de lui-même sa part de bénéfice, voilà tout. Rocco s'en moque. Ce n'est pas son problème.

— Comme vous voudrez, dit-il. Maintenant, si vous avez deux ou trois hommes de confiance, cela n'en vaudra que mieux. Les bénéfices seront multipliés d'autant...

L'idée de l'exportation des oranges était venue subitement à Rocco dans un restaurant de Messine. Il voyait trôner, sur le buffet monumental de la salle à manger, une soucoupe pleine de fruits factices en cire durcie : banane, orange, pomme et raisin. Renseignements pris, ces fruits étaient fabriqués dans les faubourgs de Reggio di Calabria, à deux pas de la Sicile. Le temps d'une visite éclair à l'industriel sous le prétexte d'import-export, et il s'assurait une partie de la fabrication d'oranges factices qui, vides, pesaient à peu près cent quinze grammes, pour une circonférence invariable de vingt-quatre centimètres.

Ces normes, Rocco le savait, s'appliquaient aux oranges réelles destinées à l'exportation, selon les prescriptions du ministère du Commerce extérieur. Aussi est-ce avec un enthousiasme raisonné qu'il avait exposé son idée à Don Genco, lors de sa rencontre historique avec le nouveau chef de la Mafia :

— J'ai constaté que chaque orange factice comporte un petit renflement à la base, pour imiter les vraies. On perce un petit trou et on injecte l'héroïne à l'intérieur... Le calibrage réglementaire est de deux cent trente grammes environ. On peut donc glisser la moitié du poids en drogue.

Le Don, d'ordinaire prudent, avait paru satisfait.

— Combien met-on d'oranges dans un cageot, d'habitude ?

— Vingt kilos, a répondu Rocco. Si on remplace la moitié des vraies par les fausses, on peut passer dans chaque cageot jusqu'à dix kilos de came. Cependant, il faut faire attention. Sur cent cageots expédiés, on n'en mettra d'abord que cinq de faux. A moins qu'on ne répartisse les fausses oranges, au départ, dans chaque cageot. Il faut réfléchir au problème. En tout cas, je vois les choses comme ça : les laboratoires de Lucky fournissent la drogue, moi les fausses oranges. A Marseille, les Girola ont sûrement des producteurs agricoles dans leurs nombreuses relations.

Le Don n'a rien dit, mais l'expression de son visage interrogeait Rocco, le pressait de poursuivre :

— De Sicile, la came gagne la France par le train. Et

c'est de France que les oranges partent pour les Amériques.

— *Dio Benedica,* avait approuvé Don Genco. Mon fils, va tout de suite en parler à Lucky.

Déjà à Tanger, après la mission du Gringo à Istanbul, l'honorable administrateur de sociétés, Jo Benutti, tout dévoué à la cause, avait trouvé l'idée de Rocco excellente. Elle tombait d'autant mieux que le trafic des cigarettes n'était plus d'une rentabilité certaine. Et Jo Benutti devait assurer l'emploi de ses bateaux. Il possède, en effet, une flottille en règle, sous le couvert des autorités chérifiennes. Il bénéficie, en outre, de solides appuis dans le contre-espionnage français. Tout pour faire un fructueux négoce, à condition que le produit en vaille la peine.

Il lui plaisait, ce Gringo. Aussi lui a-t-il confié, à son tour, le plan qu'il avait conçu :

— Les nationalistes du F.L.N. reçoivent des armes soviétiques par des bateaux qui partent du Proche-Orient. Le matériel est débarqué dans des coins isolés de la côte algérienne. Mon idée, c'est de faire coup double en les signalant au service : d'abord, la douane me donne une prime de saisie sur la confiscation des armes et des bateaux. Ensuite, en échange du tuyau, je demande qu'on me laisse tranquille pour le commerce de mes cigarettes. J'ajoute ton idée à la mienne. Au lieu de transporter les cigarettes, on charge des cageots d'oranges de Sicile pour Tanger, et de là, on les expédie vers le Mexique.

En scrutant le visage d'Antoine, Rocco se dit que Jo Benutti a une toute autre envergure. Pas étonnant que les mauvaises langues, parlant d'Antoine, disent que lorsqu'il apparaît quelque part, on a l'impression de voir se déplacer un berger avec son troupeau de chèvres. Pour l'instant, le berger semble borné, mais attentif :

— Je vais voir, dit-il. Je connais un maraîcher à Cavaillon. Un peu truand sur les bords et discret. Son boulot, c'est les melons, mais je peux le décider.

Il se gratte la tête quelques secondes, avant d'ajouter :

— J'en connais deux autres. Un à Château-Renard et un à Cabannes. Vous avez besoin de la réponse quand ?

— Le plus tôt possible, dit Rocco. Je vous appellerai demain.

Le lendemain Girola donnait son accord : le Gringo disposait de deux filières pour acheminer la drogue vers le Mexique et, de là, vers la Louisiane et la Californie.

Il est plus de minuit. Luciano, qui a reconduit le Gringo jusqu'au perron de la villa, entre dans la chambre à coucher d'Igea. La lumière de la lampe de chevet filtrait sous la porte. La chemise de nuit et le fin déshabillé de soie sont déployés sur le lit. Du regard, il la cherche, la découvre debout près de la fenêtre, qui contemple l'immense arc de cercle de la baie noyé de pénombre. Des milliers de faisceaux blancs semblent s'être donné rendez-vous pour sillonner, au même moment, la via Partenope. Le phare du môle Martelli balaie la rade avec la régularité d'un métronome. Le néon des hôtels compose dans les eaux calmes du bassin une symphonie de vert, de bleu, de rouge.

— Tu veux que je te dise, *caro,* dit Igea sans se retourner, ce Rocco ne m'inspire pas confiance.

Lucky la regarde, intrigué. Igea ne manque pas d'intuition, certes, mais de là à douter de l'honnêteté du protégé de Don Genco !

— Qu'est-ce qui te fait dire cela ? demande-t-il, le sourcil froncé.

— *Non so.* Je ne sais pas. J'ai simplement remarqué que pas une fois, au cours du dîner, il n'a parlé police...

Elle continue à regarder la baie. Lucky s'approche,

l'enserre de ses bras, dépose un baiser sur le cou gracieux.

— *Non importa,* plaisante-t-il.

— Mais si, cela en a, de l'importance, dit-elle en se dégageant. J'ai bien écouté, tu sais. Il a cité ses filières vers le Mexique, mais il n'a pas dit un mot sur les agents du F.B.I. et des narcotiques. Or, tu sais mieux que personne qu'en matière de drogue, les Américains se sont implantés partout. Et qu'ils ont installé une antenne à Istanbul...

— Ils ne peuvent pas tout faire, *caro.*

— *Naturalmente,* ils ne peuvent pas tout faire, mais à l'heure actuelle, je suis sûre qu'ils sont en alerte. Il leur suffit de surveiller les bateaux de Samy pour voir la marchandise débarquer en Sicile, même si ce sont des barques de pêche qui la recueillent, au large. *Attenzione,* Lucky, souviens-toi de l'histoire des dragées. Que penseraient tes amis si les *carabinieri* les surprenaient en flagrant délit de remplissage des oranges ?

En silence, Luciano a gagné le bout de la pièce. Son regard révèle un sang-froid à toute épreuve. Il a parfaitement compris ce que laisse entendre Igea, mais il n'en laisse rien paraître. Si les policiers investissaient le laboratoire de Scopello, à deux lieues de Castellammare del Golfo, il y aurait de sérieux remous, évidemment.

Lucky hésite. Est-il décent, à pareille heure, de décrocher le téléphone et de solliciter, en termes voilés, l'avis de Don Genco ? Il devine déjà la réponse :

— Le Gringo est digne d'intérêt, tu le sais, mon fils ! Ne crois-tu pas qu'Igea abuse trop des médicaments ?

Pourtant, il n'arrive pas à retrouver la tranquillité, le grand Luciano. Il se rappelle sa fabrique de dragées, place San Francesco, à Palerme. La licence d'exportation avait été établie au véritable nom de Lucky, Salvatore Luciana. Depuis cinq ans, le commerce était florissant et les commandes affluaient de tous les pays d'Europe, et surtout d'Amérique. Mais, un soir, alors qu'ils prenaient tous deux le frais sur le balcon du Grande Albergo e delle Palme, s'intéressant à l'animation de la via Roma, Igea, la main dans la sienne, avait murmuré :

— Je ne sais pas pourquoi, mais j'ai le pressentiment qu'il va nous arriver quelque chose de désagréable du côté de l'usine.

Le lendemain, une photographie de la fabrique de dragées paraissait en première page du quotidien du parti socialiste, *l'Avanti*. Et, la nuit suivante, les machines étaient démontées et les confiseurs clandestins s'éclipsaient en secret. Il était temps.

Lucky, songeur, revient près d'Igea, attire sa tête contre sa poitrine, caresse doucement ses longs cheveux de sa main droite. Son pseudonyme de Lucky, qui signifie « veinard », il le porte depuis qu'il est sorti vivant d'un piège monté par les jeunes juifs de Staten Island, une île en face de Manhattan. Un miracle ! Pendu par un pied à un authentique pommier issu, Dieu sait comment, d'un pépin jadis lancé dans une fissure de ciment du trottoir, lardé de coups de rasoir, il avait refusé de dévoiler la cachette d'une cargaison de whisky.

Cela faisait plus d'une heure qu'on le travaillait au corps. Il n'avait plus d'ongles. Un œil définitivement clos, la poitrine calcinée par les brûlots des cigarillos, il se taisait toujours. Finalement, on l'a laissé pour mort. L'aube s'était levée sur l'Hudson. Au moment où le petit jour révélait le sinistre spectacle, la branche du pommier a craqué. L'œil valide du rescapé lui a dicté le chemin de Manhattan. Ainsi était né le surnom de Lucky, le chanceux, le veinard, qui remplaçait le prénom de Salvatore. Et, de ce jour, les voyous qui l'avaient torturé la veille avaient disparu de la circulation les uns après les autres, sans qu'on sache vraiment s'ils avaient eu le loisir de se confesser avant le grand saut. Depuis, le caïd n'avait cessé d'avoir l'âme chevillée au corps.

— N'aie pas peur, dit-il doucement à Igea. Aucune police au monde ne saurait venir à bout de Lucky Luciano. Viens dormir, mon amour.

8

— Vous avez le réflexe rapide, dit Mlle Germaine, admirative. Il n'a pas encore téléphoné.

L'apparition de Fredo derrière le rideau de sa chambre a réveillé ma curiosité de flic. J'ai rebroussé chemin. En tapinois, je me suis glissé dans le hall saturé de plantes vertes. J'ai poussé la porte du débarras qui sert de standard et de réserve de linge. La propriétaire de la Bonbonnière était déjà aux manettes.

Je m'appuie sur la housse d'une machine à coudre. Près d'un volumineux panier d'osier, une pile de draps attend le repassage. Un vasistas permet de surveiller les entrées des couples illégitimes que la femme de chambre en tablier blanc, à la jupe plissée noire très courte, conduit vers les étages supérieurs. Par un curieux hasard, je retrouve, à peu de chose près, les lieux que j'ai hantés, il y a six ans déjà, lorsque René la Canne et Pierrot le Fou [1] me mobilisaient et que la Bonbonnière n'était encore que le Madrigal.

Un voyant s'éclaire avec un faible déclic. Mon cœur cogne. Avant que j'aie esquissé un mouvement, Mlle Germaine me fait un clin d'œil, branche une fiche, actionne un levier.

— Il a demandé la ligne, dit-elle.

1. Voir *le Gang*.

Elle me passe un écouteur avec un gloussement de satisfaction. Pour mieux me concentrer, je ferme les yeux et je bloque ma respiration. Je reconnais la voix de Fredo.

— Je suis au café des Prêcheurs ?

Un brouhaha de conversations, des cliquetis de verres.

— J'écoute…

— Est-ce que Roussette est là ?

— Quittez pas…

J'enregistre le choc de l'appareil sur le comptoir puis des claquements de talons.

— Oui ?

— C'est Fredo.

— Sans blague ! Ça y est, t'es là, mon chou. Ce que je suis contente !

C'est l'allusion à une conversation précédente, Fredo a dû l'appeler de l'île d'Yeu. La belle voix de gorge poursuit dans mes oreilles :

— On se voit ce soir ? J'ai envie de toi, tu sais…

La joie des retrouvailles.

— D'accord, dit Fredo, peu loquace. Je suis aux Champs-Élysées. Cinq heures, métro George-V, ça te va ?

— O.K.

Fredo a raccroché. Je tends, rassuré, l'écouteur à Mlle Germaine. Quoi de plus naturel que Fredo contacte ses anciennes amies après ses longues années de prison ? Tant qu'il se pâmera entre les bras de Roussette, le marin au dolmen ne risque pas de me faire, à moi, un enfant dans le dos !

Roussette est l'une des plus pittoresques figures des michetonneuses de la rue Saint-Denis. En argot de métier, c'est une marcheuse. Cette fille superbe ne stationne pas. Elle se déplace en cercle, comme les lièvres, repassant toujours au même endroit. Son domaine s'étend de la rue des Innocents à la rue de la Grande-Truanderie. C'est une pouliche de classe dont la volumineuse poitrine jaillit d'un soutien-gorge, juste assez étroit pour appâter le client. Mais le plus spectaculaire est, sans conteste, la chevelure frisée, d'un roux flamboyant, qui fascine comme une enseigne lumineuse.

Roussette est une professionnelle qui sait s'adapter aux exigences du client. A dix-sept ans, elle avait appris, par un courtier d'assurances d'Aurillac, que le plaisir sexuel faisait partie de l'amour. L'assureur l'avait laissée tomber pour une marchande de marrons dont le mari était mort en déportation. A vingt-deux ans, dans un bal de mauvais garçons de la rue de Lappe, elle avait rencontré Fredo, le champion de la valse à l'envers. Il avait su lui parler. Trois jours plus tard, elle faisait son apprentissage de respectueuse sur les trottoirs de la rue Saint-Denis.

Fredo l'aime bien, sa Roussette. Trois ans de vie commune, ça crée des liens. Il la regardait toujours avec tendresse, promenant ses cheveux poil de carotte dans les Halles, perchée sur les talons aiguilles qui font saillir ses mollets. La loi Marthe Richard interdit le racolage. Roussette s'en moque de Marthe Richard. Non seulement, elle distribue ses œillades et ses mots tendres au client éventuel, mais elle injurie les récalcitrants, les menace du parapluie rouge et or qui lui sert de bâton de maréchal.

On la devine économe et prévoyante. Une fourmi qui engrange, pour les bons vieux jours de la retraite. Seul Dumol, l'agent de change de la rue Vivienne, connaît le montant du magot qu'il fait fructifier. Sa fierté, c'est de posséder une maison de campagne au pied de l'antique château d'Entraygues, villégiature estivale au confluent du Lot et de la Truyère. Car elle est auvergnate, Rose Malegrat. Du pur Cantal, très exactement. Chaque mois d'août, elle va respirer l'air du pays.

— Vous travaillez dur, ma pauvre Rose, lui dit souvent la bonne de l'abbé Chantrain. Ça fait peine de vous voir les yeux cernés comme ça. La couture, avec ces machines modernes, c'est plus un ouvrage de femme, comme autrefois...

Rose Malegrat était montée à Paris pour être couturière. Et, pour le village, elle l'est, alors que tout ce qu'elle sait faire, c'est tricoter en sautant les mailles. Heureusement que les ouailles de l'abbé Chantrain n'ont pas l'idée de venir rôder rue Saint-Denis, entre cinq heures du soir et cinq heures du matin...

Roussette et Fredo Maurasse émergent de l'ascenseur au cinquième étage d'un immeuble ancien dont l'entrée principale s'ouvre à deux pas de la place de l'Étoile. Un bouquet de roses dans les bras, un chapeau à aigrette planté sur sa tignasse rousse, Rose a eu du mal à s'engouffrer dans la cabine dont elle a violemment fait claquer la porte, suscitant les récriminations d'un concierge surgi de son sous-sol.

— Vous pouvez pas faire moins de bruit, non ? D'abord, chez qui que vous allez ?

— Dame, chez M. Gras, a répondu Fredo, impérial.

Devant la porte de chêne verni, il prend soin d'ajuster son caban et de redresser sa casquette avant d'actionner la sonnette. Comme s'il avait su que c'était une jeune et jolie femme de chambre qui allait leur ouvrir.

— Il ne s'emmerde pas, le père Gras, glisse-t-il à l'oreille de Roussette, dame non ! Tu parles d'une beauté ! File-lui ton bouquet et enlève ton galure. Ça fait toc, ici !

Le couple, intimidé, voit s'avancer Jeannot, vêtu d'un élégant costume gris à rayures, sur le seuil d'un salon aux larges baies, où cinq palmiers nains apportent une couleur exotique.

Jeannot Gras porte mal son nom. Aussi l'appelle-t-on

Fil de Fer. Ce personnage squelettique est réputé pour sa méfiance. La porte de son appartement cossu de l'Étoile s'ouvre bien rarement. Et pas pour n'importe qui, Fredo le sait. Il a eu le plaisir de constater que le représentant parisien de Girola ne l'avait pas oublié quand, se méfiant de la Bonbonnière de Borniche, il s'était glissé dans une cabine des Champs-Élysées.

— Ça me fait plaisir de t'entendre, Fredo, avait dit Fil de Fer. Justement, je pensais à toi. Je savais que t'étais sorti. Viens donc prendre un verre chez moi. Avec Roussette, bien entendu.

Les voilà face à face.

— Je suis content de te revoir, dit Fil de Fer. Ça fait un sacré bout de temps que tu étais au ballon.

— Dix piges, approuve Fredo, laconique. T'as eu du pot de passer à travers tout, toi. Dame oui !

Louisette, la compagne de Jeannot, fait une entrée remarquée dans une robe de soie bleue qui ne laisse rien ignorer des contours de son petit corps potelé. Elle veut faire très bon genre, avec ses cheveux artistement coiffés et l'alliance en brillants qui orne son annulaire. Elle tend sa joue tout en émettant, dans le vide, un bruit de baiser.

Tandis que les présentations s'achèvent et que dame Louisette entraîne Roussette dans la visite complète de l'appartement, Fredo s'assoit du bout des fesses sur le canapé de velours beige que lui désigne Jeannot. Tout ce luxe le met mal à l'aise. Il tourne sa casquette entre ses mains, accepte d'un sourire gêné le whisky que lui propose Fil de Fer.

— Je préférais te voir ici plutôt qu'au bar, dit ce dernier, on est plus tranquille pour causer. Triquard, bien sûr ?

— Dame ! soupire Fredo. Cinq ans... Et à peu près raide. Juste cinq cent mille balles pour voir venir... Un casse vite fait à La Rochelle. Si tu as quelque chose à me proposer, je suis ton homme. Du sérieux, bien sûr. Pas n'importe quel turbin, dame non !

Jeannot a sorti des verres de cristal d'un coffret de palissandre. Fredo regarde couler le Long John ambré. « Ça pue vraiment le fric, ici, se répète-t-il. Et moi, pendant ce temps-là, j'étais aux durs ! »

Il trempe ses lèvres dans le whisky, murmure, ravi :

— C'est du chouette, celui-là, dame oui. Dis donc, tes affaires ont l'air de pas mal tourner.

Il lève le verre à la hauteur de ses yeux, comme pour contempler, à travers les facettes du cristal, les lourds rideaux doublés qui bordent les baies, les toiles de maîtres accrochées au mur recouvert de tissu, les divans moelleux aux coussins de velours clair, les lampes-bougeoirs en argent massif, sur les tables basses. Oui, tout reflète l'assurance bourgeoise, quelque peu dédaigneuse et solennelle, que confère la fortune.

Fredo porte le verre à ses lèvres, savoure une nouvelle gorgée de whisky.

— J'ai vachement besoin de me rebecqueter, dit-il, dame oui ! Peut-être que Pierrot les Cheveux-Blancs aura un travail pour moi. Ça va, lui ?

— Ça va, dit Jeannot. Il voyage pas mal.

Et alors ! Lui aussi, Fredo, aimerait voyager. Posséder une demeure aussi luxueuse que celle de Jeannot. Il faut de l'argent pour cela, beaucoup de millions. Et comme les deux femmes reviennent au salon, il se dit soudain que Roussette gâche le métier en restant plantée rue Saint-Denis alors que son corps de statue et sa chevelure cuivrée feraient des ravages dans les beaux quartiers. Manque de personnalité, peut-être. Ou de relations.

— Si je savais où toucher le Gringo, ça arrangerait bien mes affaires, dit-il. Quand on s'est quittés, il m'avait promis qu'il y aurait toujours une place pour moi dans son équipe.

— Justement, il y en a une, dit Jeannot. Seulement, c'est pas là. Si tu acceptes de t'expatrier.

Comme Roussette s'installe près de lui en faisant bouffer ses beaux cheveux roux, Fredo fait signe à Fil de Fer de parler d'autre chose, avec ce langage particulier qu'ont entre eux les truands : le bout de la langue pointe dans la joue, provoquant un renflement.

— Quelle piaule ! s'exclame Roussette. Si tu voyais le plumard, Fredo ! Tout en baldaquin. Ça en représente de l'oseille. Dis donc, Louisette, c'est quand même pas en vendant des canettes aux michetons de ton quartier que t'as pu t'offrir cette crèche ?

Jeannot Gras se lève, passe son bras sous celui de Fredo :

— Elle a raison, dit-il, viens voir.

Il entraîne Maurasse dans une chambre d'amis, tout au bout d'une longue galerie. Lorsqu'il est sûr que les deux femmes ne peuvent plus les entendre, il chuchote :

— Ça vaut le coup de travailler pour le Gringo. Reste à savoir si la came t'intéresse, c'est pas tellement ta spécialité.

— Au point où j'en suis, dit Fredo, il y a pas à renauder, dame non. Et puis l'un n'empêche pas l'autre. Où faut-il s'expatrier ?

— Dans une île.

Fredo a un brusque mouvement en arrière :

— Ah, non, s'exclame-t-il, j'en sors ! Les marins, les sabots, les huîtres, les bateaux, j'en ai ma claque, dame oui !

Une lueur amusée traverse le regard de Jeannot :

— Ce n'est pas pareil, dit-il. Le Gringo veut installer une antenne à Cuba. C'est pourri d'Américains. Il m'a fait dire qu'il cherchait quelqu'un de confiance, qui ne soit ni italien, ni corse, ni yankee. Maintenant, je te le répète, il faut que la came t'intéresse. A mon avis, c'est une bonne affaire.

Fredo réfléchit quelques secondes. L'idée de quitter

la France, d'échapper définitivement aux embûches policières, n'est pas pour lui déplaire.

— Tu peux même faire travailler Roussette là-bas, ajoute Jeannot. Foutue comme elle est, elle peut te rapporter une fortune. C'est le paradis des putes, des jeux et de la drogue. Le rêve, quoi. Avec ça, toujours du soleil. Ça te changerait de l'île d'Yeu !

Fredo, de nouveau, s'absorbe dans ses pensées. Ses relations avec le monde peuvent-elles changer ? N'est-il pas condamné pour toujours à être le prisonnier d'une société incompréhensive, l'esclave d'une administration implacable qui brandit l'épouvantail du casier judiciaire, de l'interdiction de séjour et de la délation ?

— Dame, je dois être fiché aux frontières comme triquard, se lamente-t-il. Comment je vais aller là-bas ?

— Un amusement, dit Jeannot. J'ai ce qu'il te faut comme papiers bidons, passeport et carte d'identité. Roussette, elle, n'en a pas besoin. Tu restes deux à trois jours ici, le temps que je les fasse correctement remplir et tamponner, je câble au Gringo et je te file deux briques pour tes premiers frais. Content, Fredo ?

Fredo ne sait où donner de la tête. Un flot de chaleur l'a envahi. Il a peur. Peur de Borniche et de ses propositions cauteleuses ! Peur de Nonoeil et de son garde du corps aux mains d'étrangleur ! Mais peur aussi du Gringo, de ses allures de fauve, de ses affaires de drogue et de Mafia !

9

Je n'ai eu aucun mal à identifier Pierrot les Cheveux-Blancs. Il faut dire que mon collègue, Roblin, le prestidigitateur du fichier de la Sûreté nationale, m'a été d'un grand secours.

Son domaine s'étale sur la quasi-totalité du sixième étage, juste au-dessus de mon bureau. Tout s'y trouve centralisé. Des millions de fiches sommeillent dans des cabriolets qui coulissent dans des casiers en forme de comptoirs, séparés par des allées. Chaque fiche comporte l'état civil de l'individu susceptible de faire l'objet d'une recherche, ainsi que le numéro de son dossier, qu'il soit administratif, individuel ou criminel. Les innocents sont notés au fichier central, à la suite d'une demande de carte d'identité, de passeport ou de permis de conduire. Ils côtoient des coupables sans le savoir, parce que la police estime, avec sagesse, qu'ils peuvent un jour le devenir et qu'il est préférable de tout savoir sur eux à l'avance.

Les renseignements qui les concernent sont groupés dans les dossiers administratifs, les D.A. La biographie des délinquants, leurs photos, leurs jugements, sont, en revanche, consignés dans les dossiers individuels, les D.I., tandis que leurs méfaits et ceux de leurs complices grossissent les dossiers criminels ou D.C. Les interdits de séjour, eux aussi, ont droit à une chemise particulière. De couleur verte, elle renferme la notification de la peine et le duplicata du carnet anthropométrique dont l'administration les honore avant leur sortie de prison. Ce sont les I.S.

Une centaine d'inspecteurs archivistes, en blouses grises, tiennent à jour cet important classement sous la férule de Roblin, un grand maigre à l'allure de lord anglais, de dix ans mon aîné. Roblin connaît la « maison » de fond en comble, ses rouages et ses clans, ses mystères et ses chausse-trappes. Lui non plus n'aime pas tellement qu'un fonctionnaire de la P.P., qui possède son propre fichier, vienne mettre le nez dans ses dossiers. En attendant l'ère du computer, que j'ai découvert aux États-Unis, il veille avec un soin jaloux sur ses pyramides de fiches classées alphabétiquement et phonétiquement et qui attendent, dans les casiers, l'éclair d'actualité qui les fera sortir de leur léthargie.

A peine rentré de la Bonbonnière, j'ai donc foncé chez Roblin. Ses doigts ont farfouillé dans toutes les fiches affectées aux surnoms. Des Cheveux-Blancs, il y en avait une bonne trentaine. Mais six seulement dans la région parisienne. Un seul à La Celle-Saint-Cloud. Je suis tombé sur un certain Pierre Mitrani. Son dossier m'a appris qu'il avait été inculpé pour vol, en compagnie de Maurasse. Le circuit était bouclé. Et ma journée, terminée.

Heureux, j'ai retrouvé Marlyse. J'ai bien dormi. Je me suis même offert une grasse matinée. Le lendemain j'étais dans le bureau du Gros.

— Une bonne nouvelle, patron...

Un grognement, un silence qui surprend, un long soupir, puis :

— Est-ce que vous allez vous foutre de moi longtemps ?

Au moment où j'allais expliquer que j'avais identifié l'homme chez qui le Gringo s'était peut-être caché après son évasion, le bouddha a rugi :

— Écoutez-moi, Borniche. Jusque-là, j'ai été patient avec vous. J'ai enduré tous vos caprices. Pour vous faire plaisir, je vous ai envoyé à l'île d'Yeu. Je suis même allé à m'endetter moralement de cinq cent mille francs envers l'administration et à vous faire obtenir une autorisation de séjour. Mais maintenant, vous dépassez les bornes. Votre Fredo de malheur a disparu de la Bonbonnière ! Vous appelez ça une bonne nouvelle, vous ?

Le sol s'est dérobé sous mes pieds. Fredo envolé, ce n'est pas possible ! Groggy, j'ai contemplé sans le voir le boa empaillé devant le bureau du Gros. Tel un automate, j'ai refermé la porte et regagné, la tête basse, le cagibi de deux mètres sur deux que l'administration met si généreusement à ma disposition.

Maurasse disparu avec l'autorisation de circuler et le fric de la Sûreté nationale, cette fois, pas de doute : le tonneau de poudre a explosé !

Le quartier des Halles est en pleine effervescence, en cette soirée d'automne. Ma brave petite Marlyse s'est jetée, la bouche outrageusement peinte et la jupe fendue jusqu'à mi-cuisses, dans le paradis, ou l'enfer, comme on veut, de la prostitution. J'ai une pensée émue pour elle. Je suis un peu furieux aussi, vaguement jaloux, quand je pense à tous ces mâles qui vont désirer ma tendre amie qui pousse la conscience professionnelle jusqu'à jouer la putain pour rendre service à son bon vieux compagnon de flic. Flic qui, lui, bat la semelle, le col du pardessus relevé, les mains dans les poches, cible de choix pour ce maudit vent qui balaie en rafales la rue Saint-Denis.

Je surveille, de loin, l'entrée du café des Prêcheurs, tandis que Hidoine, au volant de la fourgonnette que lui a prêtée son beau-frère (cette filature devient une affaire de famille !), nous attend à l'angle de la rue Rambuteau. J'espère avoir plus de chance que la veille. Quand j'ai demandé le feu vert à Vieuchêne, il a haussé les épaules tout en me jetant un regard compatissant :

— Vous n'êtes plus dans le coup, mon pauvre Borniche ! Je ne sais pas si c'est le Gringo qui vous porte malheur, mais je constate. Vous m'aviez habitué à mieux. Vous collez votre protégé Fredo à la Bonbonnière et il se volatilise ! Avec mon fric, encore ! Vous auriez dû faire carrière dans la prestidigitation. Vous ne croyez pas qu'il vous faudrait prendre quelques jours de repos ?

Effectivement.

Moi, la chose qui m'enrage, c'est que Fredo ait disparu aussi inopinément après avoir empoché le quart seulement de l'argent escompté. Qu'est-ce qui a pu se passer ? Je n'ai eu, heureusement, aucun mal à trouver le bar où il a appelé sa chère Roussette : le café des Prêcheurs est l'un des établissements les plus mal famés de la rue Saint-Denis. Un joli quartier.

Quartier ou pas quartier, « cherchez la femme » dit l'un des rares vieux adages qui ne figurent pas dans la panoplie du Gros. Alors, avec Marlyse et Hidoine, pour la troisième fois en trois jours, je cherche Roussette.

Le patron du café des Prêcheurs s'est mis à l'heure yankee depuis la Libération. Il a rasé sa confortable moustache, enfoui sa blouse noire au fond de son armoire et remisé dans son arrière-boutique l'increvable charrette à grandes roues, le véhicule grinçant et brinquebalant de sa fortune, porteur d'innombrables fagots et de tonnes de sacs de têtes-de-moineau. Avec l'argent miraculeusement gagné dans le marché noir, il est devenu un Monsieur. Il trône derrière son comptoir, en costume de ville et large cravate à fleurs, sous la rampe de néon qui donne à sa clientèle très spéciale des gueules d'outre-tombe.

Les habituées se juchent sur les hauts tabourets. La fatigue crispe leur visage au maquillage tapageur. La jupe fendue ne laisse rien ignorer de leur anatomie.

Elles viennent, entre deux passes, chercher la chaleur et le coup de fouet nécessaire de l'alcool. Dans le fond de la salle, où stagne une fumée à couper au couteau, les hommes jouent aux cartes en attendant de toucher leur comptée.

Quand Marlyse entre dans le bar avec sa jupe qui lui moule les fesses et s'entrouvre sur des bas noirs, elle chancelle sous les regards agressifs, admiratifs ou simplement étonnés. En quelques secondes, elle s'est faite à la situation avec un talent de comédienne chevronnée. Elle s'est assise devant le comptoir d'aluminium brillant, a sorti de son sac un paquet d'américaines, en a glissé une dans le long fume-cigarette plaqué or que j'ai retrouvé dans un carton à chaussures au milieu d'un fatras d'objets de rebut. Elle a mis tout son temps pour l'allumer à la flamme vacillante du Silver-Match en métal argenté qu'elle m'a offert au temps où j'ingurgitais mes deux paquets de poison par jour.

C'est alors que je l'ai abandonnée lâchement dans le royaume des putes et des macs, pour aller me poster dans l'encoignure d'une porte cochère. Mon plan est simple : dès que le café des Prêcheurs sera plein, à l'heure de la pause de ces dames, Marlyse essaiera d'identifier Roussette. Et lorsqu'elle partira, à pied ou en taxi, nous la prendrons en filature. Fredo Maurasse, son ancien amant, ce Fredo la Moralité qui a quitté le nid douillet de la Bonbonnière que je lui avais préparé, est sûrement chez elle.

La nuit est tombée depuis longtemps sur ce quartier des Halles qui n'était, autrefois, qu'un immense bazar.

On y vendait de tout. Du drap, des fourrures, des peignes, des chapeaux, des œufs, des fruits, de la viande. C'était le temps de la consommation. Au fil des ans, seuls les commerces d'alimentation ont gardé le territoire. On parle déjà de les transférer en banlieue, tant les rues deviennent, la nuit, un labyrinthe impraticable, encombré de camions, saturé de montagnes de fruits et de légumes, de pyramides de salaisons et de fromages.

Des grappes de prostituées remuent de la croupe en mesure, se contorsionnent, aguichant le chaland du sein, du sourire, de la fesse, du regard. Les hommes, futurs clients ou non, ne savent pas où donner de la tête, ou du reste. Certains rasent les murs avec des airs de maris en goguette, fautifs et mal à l'aise. D'autres se plantent là, émerveillés de voir autant de chair déballée, offerte.

Et moi, j'attends.

Voilà près de quarante minutes que Marlyse est entrée dans ce bistrot de malheur. Inquiet, je passe à pas rapides devant la vitrine. Je ne peux rien voir, à cause de la buée. Neuf heures, déjà ! Je reprends ma faction. Roussette aurait-elle disparu, elle aussi ?

Il faut en finir. La nuit ne peut pas s'éterniser ainsi. Je cherche désespérément une solution pour ne pas rester ici, à me geler, tandis que ma douce Marlyse doit faire face à la meute des mâles, dans ce bouge enfumé. Je cherche dans ma poche le bout de papier sur lequel j'ai inscrit le numéro de fil des Prêcheurs. J'entre dans le premier bar, demande un café et un jeton. Je descends au sous-sol, glisse la pièce dans la fente. Je prends une vraie voix de voyou, rauque, traînante :

— Elle est là, Roussette ?

J'entends dans l'écouteur la cacophonie des verres et du juke-box, en même temps que l'accent auvergnat du patron :

— Un moment...

La ligne bourdonne, le brouhaha s'amplifie, puis une voix féminine me glisse à l'oreille :

— Qui c'est à l'appareil ?

— Paulo.

— Elle est pas là, Roussette. Elle doit être au Pax.

Le Pax, c'est sûrement le Pax-Hôtel, dont la verticale enseigne s'allume par intervalles, projetant ses éclairs sur la façade de l'épicerie de gros, en face.

— J'en viens... Elle m'a déjà fait faux bond, hier.

— Ça...

Mon interlocutrice prend le temps de réfléchir intensément. Puis, je l'entends interpeller une consœur, dans le bar :

— Mado ! Elle travaille, aujourd'hui, Roussette ? Y a un mec qui la demande.

Le mec, c'est moi.

Je saisis un vague bredouillis, au loin. La voix reprend :

— Y a une copine qui me dit qu'elle l'a aperçue, tout à l'heure. Attends... la voilà justement qui rapplique. Toi alors, tu peux dire que t'as du pot !

J'ai l'impression que les palpitations de mon cœur se transmettent dans l'écouteur. Dès les premières paroles de Roussette, je raccroche. J'espère que Marlyse aura pu l'identifier. Sinon...

— Tu vois, c'est celle-là, en mauve, avec le sac Hermès à la main, le « Kelly ».

Elle s'y connaît, en types de sacs, Marlyse ! Quand je toucherai une prime (si j'attrape le Gringo), je lui en achèterai un. Peut-être pas chez Hermès. Ça doit coûter les yeux de la tête, dans ce genre de maison ! Hidoine m'a dit qu'il connaissait, à deux pas de chez lui, à Belleville, un artisan maroquinier qui fait aussi bien pour trois fois moins cher dans le simili-cuir. On n'en est pas encore là.

— Je vois, dis-je. Merci. Tu peux rentrer maintenant...

Un rapide baiser sur la bouche trop fardée pour la circonstance, et me voici sur les talons de la pulpeuse Roussette. Elle avance d'un pas rapide sur le boulevard Sébastopol. Elle a l'air pressé. Ça me donne de l'espoir. Elle sait où elle va. Il s'agit de ne pas la perdre.

Un coup d'œil derrière moi : les feux de la camionnette me rassurent. Hidoine a eu le réflexe rapide, quand il m'a vu partir. Une chance que Roussette n'ait pas pris le sens unique à rebrousse-poil !

Elle se fait copieusement injurier, en traversant le boulevard sans tenir compte de la circulation. Sa jupe se relève quand elle monte sur le trottoir d'en face. Les quolibets fusent. Elle s'en moque. Mais où va-t-elle si vite ?

Je reste à une trentaine de mètres derrière elle. Je dois avoir l'air d'un dragueur professionnel, les yeux fixés sur l'élégant tailleur mauve et les chaussures assorties, aux talons si hauts. Je ne vois plus Hidoine derrière moi. Le temps de m'arrêter quelques secondes pour chercher la camionnette des yeux et Roussette a disparu.

Je me précipite à l'angle de la rue Rambuteau, au moment où elle traverse la rue Quincampoix. Il n'y a qu'une station de métro de ce côté : Rambuteau, qui conduit à la porte des Lilas. Les rames partent de l'Hôtel de Ville. Elles sont assez espacées. Aussi dois-je faire attention de ne pas me faire repérer. Si seulement j'avais Hidoine avec moi pour assurer le relais ! D'habitude, c'est ainsi qu'on pratique. Je me mettrais au bout du wagon et lui à l'autre bout. Il descendrait deux ou trois stations plus loin, histoire de sauter dans le wagon précédent, ou le suivant. Puis il reviendrait me remplacer, tandis que je changerais de compartiment. Ainsi Roussette n'aurait-elle pas la possibilité de nous « photographier » ni l'un ni l'autre.

Non, elle ne va pas vers le métro Rambuteau, Roussette. Je n'y comprends rien. Voilà que le tailleur mauve remonte la rue Saint-Martin. A la hauteur du passage de l'Ancre, elle s'arrête soudain et se retourne. J'ai juste le temps de me glisser dans un couloir. Le reflet du fermoir du sac Hermès de Roussette luit dans la lumière d'un réverbère.

Je reste là, anxieux, sur le qui-vive. Son comportement m'intrigue. Qu'attend-elle ? Je risque la tête hors de ma cachette. Roussette prend racine sous son lampadaire.

Un automobiliste passe lentement, s'arrête à la hauteur du tailleur mauve. La glace de la portière s'abaisse. Je n'entends pas ce qu'il lui murmure, mais je le devine. Elle hausse les épaules, lui tourne le dos. Sorties de leur arpent de trottoir, les putains sont plus farouches que les bourgeoises.

Un rat surgit, à mes pieds, d'une poubelle qui pue. Il est énorme. Ma présence l'indiffère. Quel immense nid à rats, ces Halles ! Puisqu'on parle de les déménager, il faudra prévoir un transport pour les rongeurs. Ça m'étonnerait qu'ils acceptent de quitter les bonnes vieilles caves où ils pullulent depuis des siècles.

Je comprends de moins en moins le manège de Roussette. Elle se déplace d'un mètre, se refige à son point de stationnement. Pas de doute, elle attend quelqu'un. Si ce quelqu'un est en voiture, je suis refait. Je n'aurai qu'à prendre le numéro. C'est toujours le même problème, dans la police française. On a quelquefois des idées, mais on n'a pas de moyens. Le Gros a beau dire, en Amérique c'est autre chose ! Eux, ils ont les idées, les moyens et le fric ! Jamais un *Special Agent* ne jouerait au guignol tout seul dans une filature pareille. Roussette aurait à ses trousses une escouade organisée, équipée, rodée, le grand jeu quoi, avec changement de costume en cours de route.

Mais nous, les flics français ! Le Gros a beau être dans

la mélasse, because le conseil de discipline, quand j'ai parlé de voiture, il a failli s'étrangler :

— Ça ne va pas, Borniche ! Vous n'allez pas prendre une voiture de la boîte pour vous faire remarquer rue Saint-Denis ! Faites-vous-en prêter une ! La voiture de tout le monde, quelque chose qui passe inaperçu.

Ouais ? Et le résultat, le voilà. Plus trace d'Hidoine, sûrement coincé sur le boulevard, avec la fourgonnette du beau-frère en panne au milieu des cageots de légumes.

De nouveau, je pointe la tête. Mon cœur s'arrête. Un taxi rouge et noir arrive lentement de la rue Saint-Martin, stoppe à la hauteur du tailleur mauve. J'ai eu le temps d'apercevoir une ombre, à l'arrière. Un bon client, sans doute, un abonné, qui veut finir la nuit avec Roussette. Je me précipite pour relever le numéro du G.7 qui démarre. Demain, le chauffeur aura une convocation à son domicile, quand le service des cartes grises m'aura donné son adresse.

J'ai eu le temps de reconnaître le visage du passager, quand le véhicule est passé sous le réverbère : c'est tout simplement mon Fredo, ce Fredo qui n'a même pas eu la moralité de rester planqué à la Bonbonnière ! J'ai rentré la tête dans mon col, épaules relevées, dans l'attitude frileuse du promeneur attardé.

Salaud de Fredo ! Il me le paiera ! Demain, je le pique chez Roussette, et je la lui déchire sous le nez son autorisation de séjour ! Il va y retourner dans son île d'Yeu, je lui en fiche mon billet !

L'ancien officier de l'armée blanche déborde de bonne volonté. Son œil bleu s'arrondit pour faire le tour de ma personne.

— Je les ai conduits à Orly, monsieur l'inspecteur,

dit-il enfin. J'ai entendu parler de La Havane. Enfin, c'est ce que j'ai cru comprendre. Je n'écoute pas les conversations des clients, et puis ils parlaient doucement. Ce qui m'a étonné, c'est qu'ils n'avaient pas de valises avec eux. Pourtant, La Havane, c'est pas la porte à côté !

— Vous l'avez chargé où, l'homme ?

— Place de l'Étoile, à l'angle de l'avenue Victor-Hugo. J'étais en maraude.

Je sens la lassitude m'envahir. L'unique piste qui pouvait me mener au Gringo a été sectionnée.

Au sécateur !

DEUXIÈME PARTIE

L'ENQUÊTE

10

Tel le maréchal Rommel pendant la bataille du désert, Vieuchêne abaisse ses jumelles. Les ressorts de son siège protestent lorsqu'il se retourne vers le fond de la voiture :

— Vous dites au 40, sur la gauche ?

J'approuve d'un grognement. Les bois de La Celle-Saint-Cloud s'endorment, plongés dans la nuit. On est à peine à quelques kilomètres de la capitale et c'est la pleine campagne. Dénicher la villa de Pierre Mitrani, dit les Cheveux-Blancs, n'a été qu'un jeu. Dimanche dernier, je suis venu, avec Marlyse, reconnaître les lieux. De l'avenue, j'ai repéré le pavillon d'entre les deux guerres, aux colombages badigeonnés de chaux, blotti dans un jardin envahi d'herbes folles, derrière une grille métallique à claire-voie. Trois marches, sous un portique, mènent au rez-de-chaussée surélevé.

Notre numéro d'amoureux en balade est très au point. Ça nous amuse, Marlyse et moi, et c'est efficace. On ne se méfie pas d'un couple qui flâne, bras dessus, bras dessous. Nous nous sommes longuement embrassés devant le portail. Mon œil jouait au périscope au-dessus des cheveux de ma compagne. J'ai pu apercevoir un garage, au fond du jardin. Pas de chien, en tout cas. Il serait déjà venu nous causer. Et, ce qui est plus rassurant encore, j'ai découvert, sur la gauche de la propriété, un étroit passage flanqué d'un mur de briques facile à escalader.

Lorsque j'ai présenté au Gros le plan grossièrement dessiné, il a naturellement énoncé la conclusion que j'attendais :

— Il faut planquer là-bas, Borniche !

Cela allait de soi. La difficulté, c'est de planquer sans se faire repérer, dans ces lieux déserts.

Hidoine s'en est chargé, mais il est rentré bredouille de ses surveillances, trois jours durant. Mitrani est absent. Pas plus de Cheveux-Blancs que de livres dans la bibliothèque du Gros. Mme Mitrani va seule faire les courses à Vaucresson, à pied, quand les commerçants ne viennent pas lui livrer à domicile. Aucune visite, mais une sortie secondaire, au fond du jardin, dans une rue parallèle. Restait à attendre que la femme de Pierrot les Cheveux-Blancs s'absente assez longtemps pour qu'on puisse visiter sa maison.

Ce soir, la chance est enfin au rendez-vous.

— Ça y est, s'exclame le Gros, la lumière des voisins s'est éteinte. Monseigneur fait l'ouverture, et vous, Borniche, vous foncez !

Monseigneur n'a rien d'un ecclésiastique. C'est tout simplement Giglia, un mauvais garçon toulonnais qui zézaye et postillonne. Un ancien ouvrier serrurier dont les Renseignements généraux se sont acheté les bonnes grâces à l'issue de je ne sais quelle sombre histoire de recel. Dans son fief de Bry-sur-Marne, entre une pétanque et une partie de pêche au goujon, il assume ses fonctions d'ouvrier de serrures avec une maestria que lui envierait plus d'un spécialiste des coffres-forts. Jamais une bavure. Jamais le moindre incident. Jamais la moindre trace. Rien ne peut laisser supposer qu'un appartement a été contrôlé en l'absence de ses occupants. La cigarette au bec, Monseigneur attend, désinvolte, la fin des opérations. Il reboucle les portes avec une habileté tout aussi délicate. Il s'en va de son côté.

Les flics, du leur. Ni vu, ni connu. Les résultats de ces contrôles dépassent souvent les espérances. Les R.G. font leur rapport au ministre — les hommes au pouvoir aiment tant savoir ce que complotent leurs adversaires !

Est-ce pour entretenir l'habileté de son index que le roi de la pince est en train de se curer le nez ? C'est un de ses tics les plus anodins, dont le prolongement naturel est d'essuyer son doigt sur tout ce qui se présente. En l'occurrence, la banquette de notre voiture de service...

— Vous avez entendu, Borniche ? Qu'est-ce que vous attendez, nom de Dieu ?

Moteur, ça tourne ! Comme dans un film bien réglé, les portières arrière s'ouvrent avec un ensemble parfait. Quelques mouvements de gymnastique, histoire de m'échauffer les muscles, le temps de me dire que ce que je vais faire n'est pas joli, joli. Mais, comme dit le Gros, où il y a de la morale, il n'y a plus de police.

Ce que je vais faire chez Mitrani s'appelle, en droit, de la violation de domicile. Et, à vrai dire, je n'en suis plus à mon coup d'essai. A mon entrée dans la police, j'élevais encore des objections sur des méthodes aussi discutables que les écoutes téléphoniques et le viol de la correspondance. Mais la gangrène m'a vite atteint, moi aussi. Mon chef de groupe, transfuge de la gendarmerie, dont il avait gardé les leggins et les cheveux en brosse, affirmait sentencieusement : « Une enquête est une bobine de fil. Peu importe la façon d'en découvrir le bout. » Vieuchêne, avec son goût pour les maximes, devait prendre la relève : « Une bonne cause ne saurait craindre aucun juge. »

Je baigne donc dans la bonne cause. J'assiste au départ de Monseigneur, dans son uniforme de plombier modèle et le mégot à la lèvre. En bleu de chauffe, la casquette de cuir vissée sur son crâne dégarni, le sac à outils à l'épaule gauche, il s'enfonce dans l'avenue déserte et silencieuse.

Je le laisse prendre une bonne avance, puis je m'élance à mon tour. Je longe les villas endormies, sur le trottoir de gauche. Les arbres roux de l'automne bruissent au-dessus du faîte des murs qui cernent les maisons bourgeoises. Des feuilles mortes craquent sous mes pas. Je marche plus vite, jusqu'à l'écriteau qui m'indique l'avenue Lily.

Me voici devant la barrière de bois qui obstrue le passage du 42. Je me faufile entre les battants, juste au moment où un chien, dans le lointain, commence à hurler à la mort. Je rajuste mes gants lorsque j'atteins le point le plus propice à l'escalade : Monseigneur m'y a devancé. Le muret de briques n'est vraiment pas un obstacle. Déjà, il est derrière moi, et je suis un délinquant, d'après le code : « Tout fonctionnaire de l'ordre judiciaire qui se sera introduit dans le domicile d'un citoyen contre le gré de celui-ci sera puni d'un emprisonnement. » Ils sont drôles, les juristes. A ce régime-là, les trois quarts des flics seraient en taule. Et puis, il faut bien être réaliste : si je venais gentiment demander à Pierre Mitrani l'adresse du Gringo, je ne reverrais plus personne. Alors ?

Je reste sous le couvert des arbres, suivant le mur du jardin sur une dizaine de mètres. Je laisse à Monseigneur le temps d'opérer. D'où je suis, je distingue parfaitement chacun de ses mouvements. Il triture la serrure avec un de ses mystérieux outils. Il appuie sur le bec-de-cane, pour évaluer la résistance de la porte de service.

Il doit y avoir un verrou de sûreté : Monseigneur se baisse vers le sac posé à terre, en sort un cerceau garni d'une multitude de clés de toutes les tailles. Il taquine la serrure du haut. Une fois, deux fois... Cela semble plus compliqué que prévu.

Monseigneur a choisi d'attaquer l'adversaire par-derrière. Il s'escrime, en haut des trois marches qui desservent l'entrée de la cuisine, sous une verrière en forme d'éventail. Ses clés brillent sous la lune. Moi seul, heureusement, peux le voir.

Il a réussi !

En quelques enjambées, j'ai traversé la pelouse jusqu'au perron. J'ai poussé la porte. La cuisine baigne dans le noir le plus complet. Mais le parquet ciré d'un couloir luit faiblement dans le rayon de lune qui tombe d'une imposte. Une alignée de patins de feutre marquent la fin du carrelage de la cuisine. La maîtresse de maison est soigneuse. Serait-elle satisfaite de me voir placer les pieds bien au centre de ses patins, moins pour lui faire plaisir que pour ne pas laisser de traces ?

Je n'ai guère le temps de goûter le comique de la situation. Je maintiens mes doigts écartés devant ma lampe de poche pour en voiler le faisceau. Je patine dans une salle à manger aux meubles agressivement rustiques. Au-dessus d'un buffet, ma lampe découvre les fastes d'une chasse à courre, étalés au travers d'une tapisserie toute neuve. Je progresse jusqu'à un salon dont les sièges recouverts de housses prennent, dans l'ombre, des airs de catafalques. Rien à glaner par ici. Je regagne le hall. Je me déchausse.

J'abandonne mes patins de compétition. Je grimpe jusqu'au second étage, terminus, fin de l'escalier. C'est évidemment la chambre d'amis. Rocco Messina a dû séjourner là, et bien d'autres ! Bonne planque, cette villa de La Celle-Saint-Cloud, paisible villégiature bien bourgeoise. La pièce, mansardée, est chichement meublée. L'armoire est vide. Comme le tiroir de la coiffeuse. Je redescends un étage.

Je tâtonne quelques secondes, avant de me retrouver dans la chambre principale. Le lit est défait. Le téléphone est posé sur une table de nuit. Je sais, d'expérience, que c'est toujours près d'un téléphone que l'on trouve les meilleures indications. Mais là, le dessus en marbre est bien net. Il a de l'ordre, ce Pierre Mitrani. J'ouvre le tiroir supérieur du meuble. Pas d'agenda téléphonique. Pas même le moindre papier. Est-ce la faillite de ma petite aventure ?

Le portillon de la table ne m'offre que la panse bien blanche d'un vase de nuit retourné. Désabusé, je referme. Je sais d'avance que l'inspection des trois tiroirs de la commode n'aura pas plus de résultat. Non seulement il a de l'ordre, Mitrani, mais il est prudent. Il a emporté avec lui son précieux carnet. Ce qui n'est pourtant pas dans les habitudes des truands, qui peuvent toujours faire l'objet d'une vérification sur la voie publique. Mais je ne peux quand même pas visiter le pavillon de fond en comble ! Je n'en ai pas le temps. Je passe, sans conviction, ma main gantée au travers des piles de draps et de serviettes. Elle ne rencontre que le vide. J'aurais fait un médiocre cambrioleur.

Dépité, je n'ai plus qu'à m'éclipser. Elle n'aura pas duré longtemps, mon opération-pirate ! Je retrouve les patins du hall, récupère mes chaussures, glisse en canard jusqu'à la cuisine, remet mes palmes en place. Indifférent à mes tribulations, Monseigneur machouille son mégot devant la porte. Au moment où je vais lui dire de tout refermer, je sursaute : un détail... Mais oui ! Un pot de chambre, d'habitude, ça se tient debout, bien droit, posé sur le fond, et non renversé... Je remonte quatre à quatre, ouvre la porte de la table de nuit, soulève le vase. Dans le faisceau de ma torche scintillent un briquet en or et des boutons de manchette en brillants, posés sur une liasse de billets de mille francs. Mais ce qui m'intéresse, c'est le minuscule répertoire d'adresses au cuir bruni par l'usage.

Je m'en empare avec une délicieuse sensation de triomphe.

110

Debout contre le lit, la lampe serrée entre mes dents, je le feuillette, ce cher petit agenda. L'écriture est à son échelle, fine, serrée. Les noms sont si nombreux que je n'aurais jamais le temps de les déchiffrer tous. Et voici les surnoms, maintenant! Un véritable Gotha du Milieu!

A chaque page, à chaque ligne, un pseudonyme me saute à la face. Je suis bien tenté de l'emporter, ce carnet, pour le disséquer avec le temps, la patience et la tranquillité, le faire recopier, même, par Mme Lœil, la blonde secrétaire du Gros, à la gorge pigeonnante et aux dents de porcelaine... Impossible, hélas! Si Mitrani ne retrouve pas son mémento, il aura tôt fait de comprendre et de déclencher l'alerte générale.

Ce qu'il faudrait, bien sûr, c'est en photographier toutes les pages. Être équipé comme les R.G. ou le F.B.I., quoi... Un beau rêve. Je me sens tout moyenâgeux, devant ce calepin que je ne peux quand même pas apprendre par cœur en cinq minutes! Il y a tant et tant de notations... Surtout des chiffres, bien sûr, correspondant à des numéros de fil. Dans les *M,* des Marcantoni, Michelesi, Manouche, mais pas de Messina... Tiens, voici Maurasse, le 28 à Port-Joinville. Et les *G,* comme Gringo, peut-être? Girola, Girier, Gaeta, Germain, Ghourian... Gringo! Le voici, le Gringo. Je me fige! Gringo... 181.01, sans autre indication.

Je respire largement, pour débloquer mon plexus que l'émotion paralyse. Que signifie ce numéro à cinq chiffres? Je n'ai pas le temps de m'appesantir. Un léger sifflement me parvient. Monseigneur s'impatiente. Je suis de nouveau tenté de subtiliser le carnet. Mon regard se fixe sur la liste, enregistre le code, parcourt à rebours la liste des *G* et des *M*... Le déclic! Le 181.01 est aussi le chiffre qui correspond à Germain et à Manouche!

Le coup de sifflet plus sec, cette fois, est aussitôt suivi d'un appel de Giglia :

— Démerdez-vous ! Elle arrive !

Je remets le carnet sous le pot de chambre renversé, referme la petite porte du meuble de chevet, dévale l'escalier, retrouve chaussures et patins, slalome, en habitué, jusqu'à la cuisine, que je traverse. Mon cœur bat la breloque. Devant l'entrée principale, de l'autre côté du jardin, deux phares illuminent le portail. Mme Mitrani est revenue plus vite que prévu. Des coups à se faire piquer, ça.

Monseigneur a déjà remis les pennes dans leurs gâches. Le dos courbé, je file vers le jardin, mes chaussures à la main. Je me glisse le long du mur. La voilà, la peur du cambrioleur surpris en flagrant délit ! Je m'agrippe au faîte des briques. Un rétablissement et je me retrouve dans le passage, sain, sauf et libre. Je respire. A peine ai-je parcouru deux ou trois mètres qu'un objet lourd me frôle la tête : le sac à outils de Monseigneur s'écrase à mes pieds. Je l'ai échappé belle !

Encore un risque du métier !

De l'autre côté du mur, les phares de la voiture éclairent la voûte des arbres, jusqu'au fond du jardin. Le moteur s'arrête. Une portière claque. Une voix de femme s'élève, énergique, un peu vulgaire, avec un relent d'accent des faubourgs :

— Zut ! je me suis tordu le pied.

L'avenue Lily s'endort dans un calme nocturne et campagnard. Au loin, le chien aboie toujours interminablement. Je respire de toute la force de mes poumons d'homme libéré. Flegmatique, Monseigneur marche vers la voiture, sac sur l'épaule, mégot aux lèvres. Quand il me dépasse, il me glisse dans un murmure :

— C'est des coups à se faire poisser, vos trucs. Les R.G. sont plus costauds. Au moins, quand ils visitent, il y en a d'autres qui filochent les mecs et les interpellent, si besoin est.

112

Je le laisse prendre du champ. J'enfile mes souliers. Je ne risque pas d'oublier le numéro 181.01. Demain, je mettrais le téléphone de Mitrani à l'écoute. Puis, j'irai au service des P.T.T., rue de Grenelle. Les annuaires du monde entier y sont centralisés. Je demanderai aussi à Roblin de me sortir le dossier de la dame Germaine Germain, la Manouche, pour savoir ce qu'elle devient. C'est vrai, on ne la voit plus à Paris. Elle a disparu de la circulation depuis que François le Notaire, son amant, a été flingué dans son bar de la rue de Chambiges, à deux pas du commissariat. Ce qui est curieux, c'est que son numéro de téléphone est le même que celui du Gringo. Du travail en perspective.

Dans mon émotion de tomber sur Messina, j'ai oublié de relever le numéro de Gaeta, le tueur de la Mafia, dit Joe le Dingue, qui n'avait pas hésité à nous mitrailler à Castellar[1]. Ma visite a été trop rapide. Il a raison, Monseigneur, les R.G. sont certainement mieux outillés pour ce genre de travail. Ils doivent en posséder des tas d'appareils de photos miniatures, eux !

Les glaces de la voiture sont opaques de buée. Je récupère ma place. Le bras gauche sur le dosseret du siège, le Gros exulte :

— Ça a donné, hein, Borniche. Je m'en suis rendu compte à votre allure.

Pour titiller son goût des formules et lui faire oublier la disparition de Fredo, nous lui avons offert un dictionnaire de maximes, et c'est sentencieux qu'il m'assène :

— A voir marcher quelqu'un, on connaît sa pensée.

Je referme doucement la portière.

— J'ai relevé des numéros intéressants, dis-je, y compris celui de Maurasse.

— Bien, très bien, Borniche. A Paris ?

— A Paris et ailleurs, patron. Reste à trouver les

1. Voir *le Ricain*.

11

— Ça bouge beaucoup, commandant. Je ne me sens pas trop bien.

Le capitaine Amundsen sourit : non, il n'a pas l'air de se sentir bien, le tueur Ange Ferrata. Le Norvégien n'est nullement troublé par l'état de la mer. Ange lui avait fait une meilleure impression quand il avait embarqué dans les eaux calmes de la belle rade grecque d'Igoumenitsa, pour convoyer les trente sacs de cinquante kilos de morphine-base.

Il jouait au seigneur, Ferrata. C'est à peine s'il répondait aux saluts des marins en gagnant la cabine privilégiée qu'on lui avait réservée. C'est quand le *Mare-Nostrum* a contourné la côte nord-est de la Corse pour se glisser dans le détroit de Bonifacio qu'Ange, livide, a fait irruption dans le poste de commandement.

Amundsen laisse retomber ses jumelles sur sa poitrine :

— Nous allons danser un peu, dit-il, mais rassurez-vous, ça ne risque rien.

Un coup d'œil à bâbord, un à tribord, pour vérifier le bon fonctionnement des feux de position et il se penche sur le tube acoustique :

— En avant, toute.

La coque du bâtiment se met à vibrer à l'unisson des pistons des moteurs diesel. Mais, si infernal que soit le vacarme, il est couvert par le mugissement des vagues qui viennent s'écraser sur le pont. Le *Mare-Nostrum* tangue, roule, escalade des montagnes d'écume. Muet de terreur, Ferrata voit l'étrave se dresser contre les murs qui bouillonnent. Cramponné à la rambarde, les mâchoires serrées, il finit par articuler :

— Ça dure longtemps d'habitude ?

Sans se laisser troubler par la voix angoissée, le Norvégien hausse les épaules :

— Ça dépend. Cette nuit, c'est mal parti. Mais, comme ça, on est tranquilles. La douane ne sort jamais de ce temps-là.

Il la connaît, la passe, le vieux bourlingueur. Ce n'est pas la première fois que le courant et le violent mistral qui s'engouffrent entre la Sardaigne et la Corse essaient de drosser son bateau à la côte. C'est le moment de s'accrocher à la barre. C'est surtout le moment d'éviter l'île de Lavezzi, cet amas de rochers cernés d'écueils où s'est brisée la *Sémillante,* en plein midi. Comment ne pas y penser, quand on croise dans les parages ?

Le plafond est si bas qu'il touche la crête des vagues.

Le capitaine Amundsen se courbe à nouveau vers le tube acoustique. De sa voix calme, précise, il ordonne :

— Maintenez les machines avant toute !

Ça devient sérieux.

Le *Mare-Nostrum,* ivre de secousses, est ballotté d'une montagne de vagues à l'autre. La houle balaie rageusement les ponts, avant et arrière. La visibilité est nulle.

Amundsen consulte le compas de route, passe ses doigts effilés dans sa barbe blonde, reporte son regard sur la carte avec une grande concentration. Ange Ferrata l'observe, le front plissé. Soudain, une lueur traverse la vitre, disparaît aussitôt comme un éclair.

Ange a sursauté, anxieux :

— Vous avez vu ?

— Bien sûr, dit Amundsen. C'est le phare de Pertu-
sato, au cap sud de la Corse. On a passé le plus dur ! Ne
vous en faites pas, on s'en sortira !

La voix calme satisfait quelque peu le passager
inquiet. Il s'efforce de respirer plus fort, pour détendre
ses nerfs. Vraiment, il n'est pas fait pour cette mer
réputée pour ses colères subites, qui a déjà englouti tant
de bateaux de vacanciers. Constantin Parnès, son
patron, a bien failli y passer, un jour qu'il croisait au
large d'Ajaccio sur son yacht, aussi luxueux que celui de
son compatriote Onassis. Luxueux ou pas, il s'était
trouvé pris dans une tempête imprévisible, et il n'avait
eu que le temps de se mettre à l'abri dans le golfe de
Paro, près de Cargèse.

Un requin, ce Parnès. Le concurrent de Samy Ghourian, pour ne pas dire son rival. Les deux hommes se
détestent. Le Grec reproche à l'Arménien d'Istanbul de
vouloir monopoliser à son profit le commerce méditer-
ranéen de la drogue, en s'étant lié pieds et poings à la
Mafia.

Ghourian exporte de Turquie l'opium brut qu'il fait
transformer en morphine, puis en héroïne, dans les
officines secrètes de Lucky Luciano en Sicile. Parnès,
lui, considère que l'opium yougoslave est de meilleure
qualité que le turc. Il préfère le raffiner directement en
Yougoslavie. Ses sacs de morphine-base transitent à
travers les rudes massifs montagneux de Macédoine puis
s'acheminent vers le port d'Igoumenitsa, peu éloigné de
la botte italienne mais que les bateaux de Parnès sont
obligés de contourner s'ils ne veulent pas être arraison-
nés par les *mafiosi* de Don Genco. L'an passé, Luciano
a fait une dernière tentative de conciliation. Le paiement d'une dîme qu'il estimait raisonnable, à la Mafia,
aplanissait les difficultés. Parnès a refusé. Bien que
l'itinéraire emprunté soit plus long, il estime que ses
frais de navigation sont encore moins élevés que les

pourcentages réclamés indûment par l'*Onorata Società*. Il continue donc ses exportations vers la Corse où, sous la protection de Paolini, l'ennemi de Benutti, fonctionne un laboratoire clandestin de transformation.

Le rusé Parnès a su, en effet, profiter de la rivalité des deux chefs de clans, née de l'affaire du *Combinatie,* pour engager des hommes de main de Paolini, gâchettes tout aussi fines et tout aussi expertes que celles de Don Genco.

Des gâchettes qui, hélas, n'ont pas le pied marin.

L'infortuné Ange sent ses tripes se nouer. Il est près de quatre heures du matin. Les masses d'eau continuent d'exploser sur les ponts, dans la nuit noire. Malgré la puissance de ses diesels, le *Mare-Nostrum* n'avance qu'à vitesse réduite. Il se lève, roule, chahuté par les vagues qui le prennent de travers, pique dans les abîmes, s'ébroue à nouveau.

Ange a beau se cramponner à une barre de cuivre, le plancher se dérobe sous ses pieds. Il glisse sur le côté. Sur le sol, sa tête heurte une tige d'acier. Il porte la main à sa tempe, d'où coule un filet chaud, poisseux.

Le bateau commence à reprendre son équilibre quand un nouveau choc, plus violent que le premier, le pousse à se mettre en travers. Ange ne parvient pas à se relever. Amundsen a du mal, lui-même, à tenir la barre.

— On coule, commandant, faut lancer les fusées de détresse.

Le capitaine hausse les épaules. Le *Mare-Nostrum* en a vu d'autres. Envoyer les signaux ! Il ne manquerait plus que cela pour alerter les douaniers de Bonifacio qui seraient assez héroïques, eux, pour braver les intempéries et venir fouiller le bâtiment. Quelle prise et quelle prime ! C'est pour le coup qu'il serait content, l'armateur Parnès ! Et que le capitaine Amundsen se trouverait au chômage. Une fois doublé le cap de Feno, la mer sera plus calme à l'entrée du golfe de Ventilègne. Il connaît sa route, le Norvégien, depuis le temps qu'il croise au sud de la Corse. D'ici là, bien sûr, le *Mare-Nostrum* a encore quelques coups de grain à essuyer et Ange Ferrata, du souci à se faire.

Les ponts avant et arrière sont balayés par des vagues moussantes. Une longue houle soulève le bateau, le maintient suspendu sur une crête et le lâche, soudain, dans un creux. Brutalement, la porte du kiosque s'ouvre, claque sur le pilier du compas, et le vent, mêlé de pluie, gifle à toute volée Ange Ferrata qui commençait à se redresser.

La voix du guetteur nasille dans le haut-parleur :
— Navire à bâbord, commandant.

Le capitaine Amundsen, d'un geste sec, éteint ses feux de position.

Rocco Messina se sent dans une forme olympique. La puissante vedette blanche fonce à travers l'écume. Le Gringo n'éprouve aucune angoisse, au contraire. Ses forces sont décuplées par une joie animale. Dans une heure à peine, tout sera consommé. Don Genco pourra être fier de lui.

Des gerbes d'eau jaillissent de chaque côté de l'étrave. Rocco aime le rugissement des moteurs, la trajectoire que la barre, fermement tenue, maintient bien droite. Les côtes d'Espagne et des Baléares sont déjà loin derrière la vedette. Une belle bête, ce bateau. Un félin, comme Rocco lui-même. Son nom, *Phœnix,* sonne bien. Luciano a fait une bonne affaire, lorsqu'il l'a acheté aux surplus américains. Il ne dépense pas son argent pour rien, Lucky, et il fait les choses en grand seigneur. Sa flottille s'est augmentée récemment de deux sous-marins et de trois hydravions. Il se donne ainsi le moyen de tenir le pari de Don Genco : la Méditerranée sera le domaine exclusif du Syndicat, le centre des trafics entre le Proche-Orient et le Maroc, avant la lointaine exportation vers les États-Unis.

L'*Onorata Società* en a le monopole, de ce trafic. Aucune ingérence ne saurait être tolérée. L'anarchie a trop longtemps régné dans cette zone de la Méditerranée occidentale que les trafiquants ont baptisée « le boulevard des cigarettes ». Don Genco a décidé d'y mettre un terme. Désormais, pour participer au trafic maritime, il faudra être agréé par l'Organisation, moyennant une redevance. Faute de quoi...

La menace n'avait guère besoin d'être précisée. Aujourd'hui, Rocco est parti de Tanger pour la mettre à exécution.

12

— Fredo disparu avec l'argent de la Sûreté, vous me voyez expliquer ça au directeur, Borniche ?

Depuis que le tonneau de poudre a fait le saut, le Gros est explosif.

— Foutez-moi Mitrani aux bobines, a-t-il ordonné à notre retour de La Celle-Saint-Cloud. Il finira bien par refaire surface, ce salaud !

Les bobines, ce sont des cylindres de cire que l'on enfile sur les manchons d'acier d'un dictaphone enregistreur-reproducteur. Dès que l'abonné décroche son combiné, l'appareil se met à tourner. Une aiguille en forme de plume sergent-major grave les sillons.

C'est la police des communications radio-électriques de la direction de la Surveillance du territoire qui dérive secrètement, de nuit, les lignes à surveiller. Cela se fait à l'insu du personnel des P.T.T. lui-même. La P.C.R. a été inventée par Roger Wybot, l'énigmatique créateur de la D.S.T. Comme il nous aime bien, nous autres de la P.J., il nous autorise parfois à nous servir de son matériel, entreposé au sixième étage du vieil immeuble dont les fenêtres donnent sur la rue des Saussaies. Seulement, il faut montrer patte blanche, présenter une lettre libellée en termes sibyllins, contresignée par le directeur des services de la Police judiciaire. Sur la mienne, il est écrit : « Votre correspondant habituel vous prie de vous mettre en relation avec l'abonné Mitrani. L'écoute sera assurée par un fonctionnaire de la section du banditisme. »

Le sésame en poche, je traverse la glaciale cour carrée des Saussaies, qui sépare deux univers. L'escalier E dessert l'immeuble moderne de la Police judiciaire. De l'autre côté, c'est le bâtiment vétuste de la S.T. Qu'il fait froid sous le porche au bout duquel j'aperçois le mouvement des voitures dans la rue des Saussaies ! Sous la voûte, je sonne trois coups à la porte de gauche. Elle s'entrebâille :

— Borniche, pour la P.C.R.

L'huis se referme, dès que je suis passé, avec un claquement de mystère : clac-clac, à double tour. Un second gardien me salue. C'est lui qui surveille le palier conduisant aux cellules du sous-sol où marinent toujours quelques espions. Je lui serre la main, avant d'attaquer l'escalier au pas de gymnastique. Je préfère. L'ascenseur est souvent en panne. Et puis, malgré la sympathie qu'il nous porte, nous n'aimons pas tellement rencontrer le mystérieux Wybot, courtois, certes, mais distant. Ce jeune directeur au visage de roc inébranlable, au regard d'acier, toujours accompagné d'un berger allemand aux muscles impressionnants, qui le suit comme son ombre.

Au moment même où j'apparais au sixième étage, l'inspecteur Durand, cheveux frisés et blouse blanche, ouvre la porte. C'est le technicien de la P.C.R. Son nez se contracte d'embarras :

— Ah, Borniche. Tu veux une ligne, je parie ?

J'exhume de ma poche l'indispensable papier.

— Oui, dis-je. Pourquoi ?

Il me fait signe de le suivre dans son labyrinthe de fils, d'appareils de contrôle aux aiguilles en perpétuelle agitation, de dictaphones alignés sur des tablettes.

— Pour rien ! gémit-il. Il m'en faudrait au moins trois

fois plus ! Les R.G. me pompent presque tout. La politique, mon pauvre Borniche.

J'opine en silence. C'est vrai que les Renseignements généraux ont trouvé là le moyen idéal d'enregistrer les conversations qui intéressent les ministres. Durand lit ma demande, fronce le sourcil, réfléchit quelques secondes en passant en revue, de son œil de spécialiste, une batterie d'appareils.

Enfin, sa voix calme et réfléchie se décide :

— Je vais te donner le 7. Jegou attendra. Ça fait dix bobines que j'ai en réserve pour lui et il n'est jamais venu les écouter. Ça te va ?

— Merci, dis-je, tu me fais le branchement quand ?

— Cette nuit. C'est toi qui te colles aux écouteurs ou Hidoine ?

— Poiret. Je sais qu'il est con, mais avec Hidoine j'ai pas mal de vérifications à l'extérieur. De toute façon, on le surveillera.

La grimace de Durand me rappellerait, si besoin était, qu'il ne peut pas supporter Laurent Poiret. Les écoutes, pour Durand, c'est sa vie. Il en veut à Poiret d'être trop obtus pour épier les secrets du casque avec l'attention indispensable. Avec sa grosse tête, il n'arrive pas à se concentrer. Et, avec ses grosses fesses, il occupe deux places à lui tout seul. Non, le casque d'écoute cher à Durand ne va pas du tout à ce visage de porcelet à la soie blonde, au nez retroussé.

Moi, je l'aime bien, Poiret. Il est entré dans la police au titre des emplois réservés aux combattants de la France Libre. Il l'a bien méritée, la ribambelle de décorations qui gambade sur son revers. Ses collègues en plaisantent, mais c'est parce qu'ils n'en ont pas. Même Hidoine, mon équipier, se met de la partie : il prétend que le parachutiste Poiret a gagné ses médailles en arrivant le premier sur l'obstacle, grâce à son poids.

Bien sûr, Hidoine, ce n'est pas le même genre. Il est tout aussi dévoué que l'autre en a l'air, mais il a l'intelligence en plus, les traits délicats, des yeux gris très vifs. Il servait dans la cavalerie, avant l'Occupation. L'invasion de la zone libre l'a précipité dans la police. Il a gardé de son ancienne arme des jambes arquées, la culotte de whipcord et les bottes d'équitation. Eh oui, chaque matin, il débarque au bureau dans cette tenue originale, qu'il abandonne pour revêtir son costume de travail de couleur brique, trop ample pour lui. On a le même âge, le même goût du risque, le même mépris pour les lèche-bottes dont Vieuchêne s'entoure, avides d'avancement, de décoration, ou de bonnes notes de fin d'année. Il soupçonne bien Poiret d'être un peu mouchard sur les bords, mais il ne l'a pas encore pris sur le fait.

— Je te parie que c'est ce gros lard qui a balancé le Gros, affirme-t-il, depuis que le malheur s'est abattu sur la tête de notre chef vénéré.

Cette phrase a pour effet de lui faire projeter hors de sa bouche, en signe de dégoût, son dentier supérieur, poussé par une langue habile. Écœurante manie, pour laquelle je l'ai maintes fois sermonné.

— Une seconde, veux-tu?

Durand a disparu dans la pièce à côté. Mon regard se pose, comme attiré par un aimant, sur les dictaphones qui enregistrent en silence. C'est impressionnant, tous ces mystères muets qui s'enroulent devant mes yeux. Je contemple, avec une curiosité inassouvie, presque une angoisse, les trois collègues que je ne connais pas. Les paupières closes, pour mieux se recueillir, ils prennent en note, directement, ce qu'ils entendent dans le casque. Durand m'a appris que l'écoute peut se faire aussi simultanément au casque et à l'enregistreur, ou à l'enregistreur seulement, ce qui évite l'écoute pendant la nuit. Ensuite, on nous confie les bobines. Nous n'avons plus qu'à les déchiffrer.

124

Moi, comme les trois inconnus qui semblent en prière, je préfère l'écoute simultanée. Comme ça, si besoin est, on peut agir vite. Et cela permet de repasser une conversation autant de fois qu'on le désire, quand on n'en a pas très bien saisi les termes. Rien à voir avec ce qui se passe dans un central téléphonique : là, installé, le casque sur le crâne, devant la table de dérivation, au milieu d'un essaim de jolies filles et de surveillantes revêches, on n'a qu'à suivre le déroulement du papier sur le cylindre de l'engin préhistorique, qui ressemble à un baromètre-enregistreur.

Une plume trace les tirets lorsque le cadran revient à son point de départ. Leur nombre correspond à une table chiffrée qui permet de déceler rapidement les numéros. Rue des Saussaies, autre méthode. Nous comptabilisons les déclics dans les écouteurs, les alignons sur un feuillet, les reportons, aussitôt après, sur le cadran. Source d'ennuis : les zéros se confondent souvent avec les neuf. Et quand l'abonné est appelé de l'extérieur, impossibilité de repérer le numéro qui le demande. Un bourdonnement continu remplace les déclics intermittents.

Je me secoue. « Sus au Gringo ! » a clamé Vieuchêne. J'ajoute, excédé par la disparition de Fredo : « Haro sur Mitrani ! »

En attendant, je m'efface pour laisser passer Durand, qui surgit, un lourd dictaphone sur les avant-bras. Il me le tend :

— Tiens ! Pour te dépanner, j'ai récupéré celui-ci. Tu l'emportes. Comme ça, tu pourras dévider les enregistrements chez toi, sans être dérangé...

Il est malin, Durand. Je me doute bien que c'est lui qui ne veut pas être dérangé par la masse mastodontesque de Poiret, l'éléphant dans le magasin de l'acoustique.

Il me fait signe. Je le suis. On traverse une salle encombrée de pièces de radio, d'antennes démontées,

13

Le capitaine Nicchols ne varie pas d'un pouce la ligne
tracée au travers des vagues. Il sait qu'il lui faut attendre
le *Mare-Nostrum* à hauteur de la pointe de Ventilègne,
bordée de récifs. Il a calculé la vitesse du *Phœnix* sur
celle de son concurrent. Depuis un moment, il sonde
l'obscurité, cherchant à apercevoir les feux de position
du transporteur grec.

La mer est la passion du jeune loup blond aux yeux
bleus. Pendant la guerre, il a servi à bord du *British
Pride,* un cargo de ravitaillement anglais qui n'a échappé
que par miracle aux mines et aux *U. boot* allemands. Il a
ensuite gagné l'Amérique du Sud. Soupçonné de se
livrer à la contrebande d'armes pour le compte d'organi-
sations révolutionnaires, il s'est réfugié en Italie. Ses
incursions à Cuba lui avaient permis de connaître Lucky
Luciano et de lui faire apprécier ses talents de naviga-
teur. Aussi a-t-il été choisi pour commander la vedette
la plus rapide de la flotte *mafioso* basée à Tanger.

Nicchols laisse tomber les jumelles sur sa poitrine,
consulte la carte, relève la tête :

— Ils ne devraient plus tarder, dit-il. Nous sommes à
deux milles de la côte.

— Tant mieux, répond Rocco, debout près de lui.
L'inaction commençait à me peser.

Rien ne cause autant de joie sauvage au Gringo que les opérations spéciales que lui ont confiées Don Genco et Luciano. Il va pouvoir démontrer aux chefs de la Mafia combien est payante leur idée d'attaquer en pleine mer les bateaux récalcitrants. Quand la morphine-base yougoslave quittera le *Mare-Nostrum* pour les flancs du *Phœnix,* l'Organisation aura réalisé un sacré bénéfice. Benutti lui a confié cinq hommes de son équipe, des habitués des transports clandestins, résolus à tout.

— Les voilà, dit Nicchols, tribord avant.

Il réduit sa vitesse. Rocco jubile. Il aperçoit maintenant, par intervalles, les feux rouge et vert de sa proie qui jouent les ascenseurs sur les vagues. Il a massé ses faux douaniers dans la coursive de droite. Les rôles ont été distribués. Pendant qu'il foncera directement au poste de commandement, les autres neutraliseront l'équipage et visiteront les cabines et la soute.

— Ils nous ont vus, ajoute Nicchols. Ils ont éteint leurs feux.

— Tant mieux, dit Rocco. C'est la preuve de leur culpabilité. Ça va me servir.

Le jeune capitaine excelle dans les manœuvres. Son étrave pointée vers le *Mare-Nostrum,* il s'approche de la masse grise qui a, elle aussi, réduit sa vitesse. Sur le pont du *Phœnix,* les faux douaniers, silencieux, attendent le moment d'enjamber les bastingages, lorsque les coques seront bord à bord.

Trente mètres, vingt mètres, dix mètres.

— Allumez les projecteurs, dit Rocco.

Nicchols appuie sur un bouton du tableau de bord. Trois puissants faisceaux lumineux convergent vers le *Mare-Nostrum* tandis que la voix du Gringo, amplifiée par le haut-parleur, s'élève dans la nuit :

— Douane française. Pourquoi naviguez-vous sans signalisation ?

Instantanément, les feux rouge et vert réapparaissent, se mettent à sautiller sur les vagues. La silhouette du capitaine Amundsen se découpe sur la vitre de son kiosque. Il tente de se protéger des rayons aveuglants qui lui masquent la vedette.

— Stoppez vos machines, hurle Rocco. Et lancez les amarres. Contrôle.

Les diesels cognent, tournent irrégulièrement, s'étouffent. Dans un arrondi impeccable, le *Phœnix* se colle contre la coque du *Mare-Nostrum*. L'équipage du bateau grec, inquiet, jette les cordages malgré la houle qui fait danser les deux bâtiments. Les mains dans leurs ceinturons, les « douaniers » assistent aux manœuvres. Amundsen quitte son habitacle, vient à la rencontre des autorités.

Ange Ferrata nage en plein cauchemar. Après la tempête, la douane. Il s'est allongé, prudent, sur le sol de la passerelle, dès la première sommation. Il attend, le souffle court, la suite du contrôle.

Le calibre, pointé sur lui, lui montre que ce n'est pas le moment de plaisanter. Il se redresse péniblement, les bras à demi levés au-dessus de sa tête.

— Donne ton arme, ordonne le civil.

L'étrange accent l'étonne. Comme le surprend désagréablement l'attitude des douaniers qui, sur le pont, enchaînent l'un à l'autre les membres de l'équipage. Réflexion faite, ce ne sont pas des douaniers. Ce sont des pirates déguisés qui, à proximité de la côte corse, essaient de rééditer l'exploit du *Combinatie* ! S'ils s'imaginent pouvoir amener la cargaison toute cuite à leurs complices !

Ange plonge la main dans sa ceinture. C'est risqué, mais il est homme de parole. Sa mission est de protéger le convoi. Il va prendre le chef en otage et menacer de lui coller une balle dans la tête si ses sbires n'évacuent pas immédiatement le *Mare-Nostrum*. Des mitraillettes sont là, dans le coffre d'Amundsen, à portée de main. Des grenades, aussi...

C'est le moment. Ange, avec sa vélocité bien connue, sort son P.38 et le lève. Il n'a pas été assez rapide. Il n'a que le temps de pousser un soupir stupéfait quand une balle de gros calibre lui perce le front et que sa cervelle éclabousse la boiserie acajou du poste de commandement.

On ne joue pas au guignol avec Rocco Messina.

Le Gringo n'est pas près de l'oublier, ce transbordement au large des côtes de Corse, par une nuit de tempête. Ni les visages décomposés par la peur des hommes d'équipage du *Mare-Nostrum,* empilés dans les canots de sauvetage, pendant que leur bateau se consumait sur la mer. Il a mené son action de main de maître, d'un bout à l'autre. A la satisfaction du bon travail accompli, s'ajoute, maintenant, la joie de revoir le pays. Joie intense, indicible, lorsque, après une journée et une nuit de haute mer, les côtes de Sicile se dessinent à l'horizon. Le capitaine Nicchols lui a prêté ses Zeiss afin qu'il puisse discerner la couronne des collines et les roches qui dégringolent à pic dans l'eau aux reflets d'opale.

Le *Phœnix* a lancé ses cinq coups de fanal, signaux dont seuls les initiés de Castellammare peuvent saisir le sens. Des barques de pêche se sont aussitôt détachées de la côte, au large du cap San Vito. Des pêcheurs clandestins les occupent, les Gaetano, une famille indépendante de Palerme que Don Genco laisse exempte de tout péage, eu égard aux services rendus. Le transbordement se fait sans encombre.

Le Gringo frémit d'émotion, foulant le sol natal après une si longue traversée. Une barque silencieuse l'a déposé au sein de la nuit. Sur la terre ferme, les *pisciotti* de la « Mafia des Jardins » attendent, muets, devant leurs charrettes remplies d'agrumes. Les sacs de morphine sont enfouis sous les oranges et les citrons. La petite troupe prend le chemin de Scopello, gardée, à distance, par des *mafiosi* armés de *luparas,* ces redoutables fusils à canon scié. Rocco surveille l'opération. Il se sent dans une forme parfaite, comme s'il venait de se lever.

Autres figures silencieuses de la nuit, trois *soldati* attendent au pied d'un chemin escarpé, tenant leurs mules par la bride. Une fois de plus, le transbordement de la drogue est opéré en un temps record. Et tout de suite, dans ce paysage désertique, au milieu des éboulis de rochers, commence l'ascension vers le laboratoire clandestin, fief inexpugnable de Lucky Luciano.

14

A moi les petites postières !

Hélas, la peinture marron des murs du cagibi s'orne d'almanachs d'une époque révolue, et c'est un appariteur qui est le seul maître après Dieu des annuaires universels. A gauche, un guichet à guillotine. A droite, un œil-de-bœuf qui permet d'apercevoir un quadrilatère de toits grisâtres, bardés de châssis aux vitres badigeonnées. Quinze ans se sont écoulés depuis le dernier coup de pinceau de la défense passive, mais le blanc d'Espagne, jauni par le temps, évoque toujours la guerre. Une odeur de carton pourri émane de cet antre sans âge, imprègne mes cheveux et mes vêtements.

— Si vous n'avez pas l'indicatif, grogne l'occupant du réduit, comment voulez-vous que je vous trouve le pays ?

La Palice n'aurait pas dit mieux. Seulement, si je l'avais l'indicatif, tout serait simple et je ne serais pas ici. Je n'aurais pas besoin d'un professionnel des P.T.T. pour me permettre de savoir à quoi correspond le numéro de téléphone trouvé chez Mitrani.

J'ai dû exhiber ma plaque de police à l'huissier du rez-de-chaussée, soupçonneux et rébarbatif, prêter l'oreille à l'itinéraire postillonné, enfiler des dédales de corridors, escalader des escaliers tortueux, déserts et sinistres, aux murs maculés de salpêtre, retrouver d'autres couloirs poussiéreux avant de dénicher la salle des archives, barrée par la guitoune d'un rescapé de la France combattante, à l'œil de verre, amputé du bras gauche, une flopée de décorations au revers de sa blouse. Cyclope inquiétant, il a promené son œil unique sur ma plaque à nouveau sortie de ma poche. Son grognement de fauve mal réveillé a semé l'émoi parmi les pigeons assoupis sur le bord de la lucarne.

— C'est vrai, ce que je vous dis. Sans indicatif, qu'est-ce que vous voulez que je fasse ?

Il replie de sa main valide *le Journal des fonctionnaires,* le met de côté sur la table, se lève, de guingois. Une longue blouse grise bat ses mollets.

— Venez !

Avec une agilité dont je le croyais incapable, il se faufile dans l'ouverture de la porte de son antre. Je le suis dans le décor familier de bien des cauchemars, un couloir encombré de paquets recouverts de poussière, qui mène, au bout, tout au bout, à un spectacle de désolation. Une immense salle mansardée, dans le jour blafard des impostes, vomit des tonnes de papier amoncelées sur le parquet. Des montagnes croulantes d'annuaires aux pages écornées, aux couvertures salies, déchirées.

Le manchot est tellement habitué à ce fatras, que seul mon regard quelque peu stupéfait l'incite à tenter de justifier l'étonnant désordre :

— Avant, tout ça c'était sur les étagères. Qu'est-ce que vous voulez, ils ne rangent jamais rien !

« Ils », ce sont les hardis explorateurs qui se sont aventurés jusque-là, risquant, comme moi, une recherche dans ce capharnaüm. Le dernier pionnier a dû passer il y a longtemps déjà, si j'en juge par l'épaisseur de poussière inviolée. Il est évidemment impossible de découvrir quoi que ce soit là-dedans. Si Roblin, mon brave Roblin, parvenait jusqu'à ce gigantesque dépotoir, il en aurait une attaque, lui le modèle d'ordre, le maniaque de propreté !

Je masque mon dépit, tant bien que mal :

— Vous avez raison. Impossible de vérifier quoi que ce soit. Il faudrait des mois et des mois.

— Et du classement, soupire l'empereur du désordre. Remarquez, si vous avez du courage.

Du bout du pied, je retourne l'annuaire qui sert de base à l'une des vacillantes pyramides. Le carton laisse apercevoir « Grèce ». La page s'est ouverte à la lettre *F*. J'ai une émotion : serait-ce comme à la loterie nationale, dans ce lieu étrange ? Je découvre la ville de Florina. Hôtel Lygos, 28.322. Cinq chiffres. Un autre mouvement du pied, voici Athènes. Restaurant Galaxias, 720.30.11. Sept chiffres. Puis Delphes. Cinq chiffres aussi, mais disposés autrement : 82.318 pour l'hôtel Hermès.

Je ne m'en sortirai pas.

Chaque grande ville, chaque région, a des identifications différentes. Une idée me vient, pourtant, dans cette débâcle. Je me rappelle les paroles de Maurasse : « Le Gringo s'est planqué chez un Corse de La Celle-Saint-Cloud... Il a gagné Marseille et le Maroc. Le Mexique, je savais pas... » Il faut que je trouve un annuaire du Maroc, et un du Mexique, dans ce tas de vieilleries.

Le mutilé suit chacun de mes gestes, de son unique œil désabusé. Puis, il se lasse :

— Je vous laisse. On ferme à six heures. D'ici là, vous avez le temps.

J'ai ôté ma veste. Elle me tient compagnie, accrochée à un bouton de porte. J'ai remonté les manches de ma chemise. Tant pis, j'y suis, j'y reste. L'après-midi est bien entamé. Je n'aurais le temps de rien faire d'autre. Avant de disparaître, l'employé m'a charitablement fait

134

savoir que le savon et l'évier se trouvent dans les toilettes, à côté. J'en aurai besoin, car mes mains sont vite aussi sales que les monceaux de bottins que je soulève. Je perds conscience de l'effort et du temps. J'éternue. Je m'obstine. Ma ténacité est récompensée : le Mexique apparaît, vieux de trois ans. Je l'ouvre. Le fabuleux pays d'Amérique centrale s'offre à mon courage de conquistador. J'ai mal aux reins.

Déception. Mexico ne m'octroie que des numéros à sept chiffres, comme un vulgaire Paris, une quelconque Athènes. D'autres villes se dispersent au petit bonheur, entre quatre et cinq chiffres. Les indicatifs se multiplient. Mon courage vacille. Mon héroïsme faiblit. C'est trop fastidieux. Je me secoue. Il faut voir les choses en face. Je ne peux pas m'en sortir. Ces millions de chiffres tournent devant mes yeux. La voix de la raison me dit que le carnet de Mitrani comportait un code, sans doute inscrit sur une page d'apparence anodine. Mais, comment aurais-je pu l'éplucher à fond, pressé comme je l'étais ?

Si je retournais à La Celle-Saint-Cloud ?

Je chasse, comme une mouche, cette idée désespérée surgie de ce fatras de feuilles poussiéreuses. Il y a mieux à faire. Si je partais avec l'annuaire mexicain sous ma gabardine ? Je l'éplucherais tranquillement, à la maison. Un labeur de fourmi, sans doute. Mais le policier n'est-il pas le roi des fourmis ? Je ne puis voir ces cohortes d'insectes trotter dans tous les sens, pour quérir ou rapporter au logis leur ravitaillement, sans évoquer une des phrases que le Gros affectionne tout particulièrement : « Hâtez-vous toujours vers le dénouement. » Peut-être, mais, pour le moment, je ne l'aperçois pas à l'horizon, le dénouement. Pas plus que l'annuaire du Maroc, que je compte bien emprunter tout aussi subrepticement à l'administration des P.T.T.

Je replonge dans le tas.

Les atomes de poussière se multiplient. La pile

s'écroule. Je n'ai pas le geste auguste du semeur, quand je jette les bottins de part et d'autre. Plutôt le mouvement mécanique d'un paveur au milieu d'un tas de pierres.

Je la connais, cette voix qui surgit du tournoiement de pages et de poussière :

— J'ai rudement bien fait de ne pas ranger !

C'est l'employé. Le cyclope est de retour. Il me contemple comme une bête étrange. J'émerge, tout étourdi d'avoir bouleversé tant de pyramides. Serais-je un cataclysme, à moi tout seul ? Le rayon de soleil, lui, se joue de la poussière. Il n'est là que pour en souligner la profondeur. Moi, j'en ai plein les narines. Elles se refusent même à éternuer.

Et c'est l'instant du miracle. Encore un mot de Vieuchêne : « S'il y a miracle, qu'importe s'il vient du diable. »

Une exclusivité de numéros à cinq chiffres : Casablanca, Meknès, Rabat, Fez. Il n'y a pas à se tromper, le cinq est bon : trois chiffres, un point, deux chiffres. Mais ce bon Dieu d'indicatif de région, où est-il ? Je ne m'en sortirais pas. D'ailleurs, le borgne l'a déjà compris. Il a distraitement regagné sa guitoune. Il a choisi la fuite. Tant mieux. Je vais le kidnapper aussi, le bottin du Maroc. L'éplucher, bled par bled. Fourmi, fourmi… « La patience aplanit les montagnes », dit encore Vieuchêne, lorsqu'il nous réunit, chaque fin de semaine, pour entendre le compte rendu de notre activité.

Le mutilé, dans son cagibi, se voue à la lecture de son quotidien administratif. Je déboucle ma ceinture, la retire, l'enroule autour du Mexique et du Maroc, fixe la réunion des continents juste au-dessus de mes fesses, le plus haut possible. J'enfile ma veste. Ça fait une sacrée bosse, là-dessous. Mais il y aura la gabardine. Et quelques mètres seulement à franchir, en marche arrière, pour que le cyclope ne me voie pas.

Me voici devant sa niche. Il lit toujours. A travers le guichet, je tends une main rafraîchie par le savon des toilettes P.T.T., avec une vague odeur qui n'a rien de la fleur. Les annuaires me caressent le derrière. Si l'employé lève son œil du journal administratif, il va voir les continents s'agiter sous mon imperméable. Je ferais peut-être mieux de le mettre dans le coup, de lui dire : « Je vous rapporte tout ça demain matin. »

Trop tard. Je passe. Je dis, désinvolte :

— Bon. Ça vous ennuierait de m'accompagner jusqu'au couloir de sortie ? Tout à l'heure, je me suis complètement paumé en venant.

Bonne pâte, la victime de la guerre de 1939 ! Je l'aime bien, d'un coup, comme ça. Il me précède, même. Je n'en demandais pas tant. A l'angle d'un corridor, il me fait un signe d'adieu, d'une main lasse.

Je n'ai volé qu'une vieillerie de paperasses, dans l'antre de l'ombre des ombres. Dix minutes après avoir salué d'un mouvement de tête négligent l'huissier à la chaîne qui s'ennuie au bas de l'immeuble, je commence à déchiffrer l'annuaire du Maroc, au rythme de la circulation, dans l'autobus qui me ramène à la boîte.

Hélas ! On ne gagne pas à tous les coups. De mauvaises nouvelles m'y attendent : les bobines de Pierre Mitrani sont toujours aussi discrètes. Elles n'ont enregistré que des conversations anodines de sa femme avec des fournisseurs ou une dénommée Louisette qui tient un bistrot rue des Dames et habite un appartement vers l'Étoile.

— J'ai laissé tomber, dit Poiret. Elles n'ont parlé que de fil de fer. Elle veut sans doute refaire l'entourage de sa maison. Fil de fer par-ci, fil de fer par-là. Tu parles de conversations !

Le Gros a peut-être raison : le Gringo ne me porte

15

L'homme aux cheveux blancs n'a pas des goûts de luxe. Sa nature effacée s'accommode de la chambre qu'il occupe à l'hôtel Punta Nord-Est, le seul et modeste établissement de la bourgade de Castellammare del Golfo. Pour les propriétaires de l'hôtel, l'homme aux cheveux blancs est un amoureux des antiquités, un client modèle. Deux fois par mois, il descend dans leur auberge, à peu près vide en période hivernale. Il y reste cinq ou six jours. Il disparaît le matin dans les environs, ne rentre que le soir. Il connaît déjà tous les détails des thermes, du sanctuaire, du théâtre de Ségeste. Il passe des heures à examiner les entablements, les colonnades, les frontons. Parfois, il ramène une pierre qu'il pose sur sa table de nuit boiteuse, à côté d'une loupe, afin de l'étudier à loisir.

Est-ce pour compenser la fatigue due à ses pérégrinations que l'homme aux cheveux blancs ingurgite une aussi grande quantité de lait ? Il en boit un litre dès son retour à l'hôtel, en commande un autre au cours du repas, à la place du célèbre vin de Marsala, en emporte un autre pour la nuit. Le matin, au réveil, il en absorbe un litre encore. Mais, après tout, l'essentiel n'est-il pas qu'il paie royalement sa pension ?

Il n'est pas bavard, le *signor* Mitrani. *Buongiorno, buonasera* et c'est tout. Le seul moment où on peut l'entendre prononcer quelques mots, c'est le soir de son arrivée, quand le bus de Palerme le dépose devant l'hôtel. Il téléphone aussitôt à un ami, en France, juste pour lui dire : « *Ciao*. Tout va bien. Une bise à ma femme. » Et il appelle le même ami au moment de repartir. Elle ne doit pas être à la fête, la *signora* Mitrani, avec son savant et taciturne de mari ! Mais, après tout, ce sont leurs affaires...

De sa fenêtre, au-dessus de la porte d'entrée, Pierre Mitrani attend la Fiat 500 que l'hôtelier met à sa disposition. Il se distrait en contemplant le port. La seule curiosité en est le château aragonais qui projette sur la mer l'ombre de sa tour. Au loin, sur la gauche, la côte dessine un arc de cercle que termine le cap San Vito. A l'opposé, des avions décollent ou atterrissent. C'est Punta Raisi, l'aéroport de Palerme. Dans une semaine au plus, Mitrani s'envolera, une fois encore, de là pour Paris, via Rome, mission accomplie.

Lucky Luciano paie fort cher chaque déplacement du chimiste et Pierre Mitrani n'hésite jamais à quitter sa tranquille résidence de la région parisienne à l'appel de l'Organisation. Avec sérieux, il excelle à transformer la morphine-base en une héroïne pure, aussi fine que le talc pour bébé, vingt fois plus active que la morphine utilisée en médecine.

Mitrani les Mains-d'Or, alias Pierrot les Cheveux-Blancs, est même capable de produire cinquante kilos d'héroïne en cinq jours. Un record ! Il est le magicien d'un marché sur lequel il règne en maître. Il apporte toujours la même minutie maniaque à régler les différentes phases des travaux dans le laboratoire-nid d'aigle que Luciano a installé à proximité de Castellammare del Golfo.

Pourtant, si la vie des hommes s'inscrivait dans la ligne de leurs rêves de jeunesse, jamais Pierre Mitrani n'aurait dû s'écarter de la ligne droite. Il se voyait très bien en uniforme d'officier de marine. Il l'aurait élégamment porté : grand, svelte, l'œil vif, le sourire vainqueur. Hélas, à peine sorti de l'école des mousses, cette ambition allait tourner court, à cause de la drogue, passion contractée au cours de ses nombreux voyages en Extrême-Orient. Mais passion de fabricant, pas de consommateur, dans la lignée du fameux matelot-chimiste Rascassi [1].

Mitrani ne rêvait plus de la casquette d'officier, ni des galons superposés au fil des ans. Plongé dans la lecture d'ouvrages techniques, il assimilait peu à peu les recettes qui allaient faire sa fortune, se lançait dans la pratique. Il était devenu un technicien remarquable. La prudence lui recommandait de travailler avec un masque à gaz, pour filtrer les émanations dangereuses, toxiques pour le système nerveux et l'appareil respiratoire. Sa carrière s'annonçait longue si quelque caillou ne venait pas se glisser dans l'engrenage. Tel celui qui devait expédier Rascassi en prison, ce qui valait à Mitrani de prendre sa place au sein de l'organisation de Lucky Luciano. Vite, le caïd de la drogue reconnaissait que la compétence de Pierrot les Cheveux-Blancs, sa rapidité d'exécution, sa prudence et sa discrétion, surpassaient de loin celles du maître.

Oui, il irait loin, Pierre Mitrani !

La Fiat 500 gravit la route pierreuse qui s'élève vers le village de pêcheurs de Scopello. La mer, en contrebas, étincelle, limpide, autour des rochers déchiquetés.

Le distingué chimiste jette un coup d'œil dans son rétroviseur. Excès de précaution, car qui le suivait, sur ce chemin à peine carrossable ? Les amortisseurs gémissent sur les pierres inégales. Le pot d'échappement

1. Voir *le Ricain*.

racle. Mitrani doit ralentir encore. Devant lui, au bout du chemin, une vieille femme vêtue de noir tire un âne. Une frange de cheveux gris dépasse de son fichu. L'âne, insensible aux coups de bâton qu'elle lui octroie généreusement, résiste des quatre fers. Mitrani sourit, en entendant le chapelet d'injures en patois qui semblent porter à des kilomètres. En dépassant la vieille, il donne un léger coup de klaxon qui fait faire à l'âne un bond en avant. La vieille a manqué de lâcher la corde. Elle vitupère de plus belle, menaçant Mitrani de son gourdin noueux.

Mitrani klaxonne de nouveau en se frayant un passage au milieu de la troupe de moutons en liberté qui tentent de brouter les maigres pousses jaillies des pierres disjointes d'une murette préhistorique. Malgré sa faible vitesse, la Fiat les mitraille de graviers. A part la vieille, qui trottine maintenant derrière son âne, aucun être humain n'est en vue.

Une courbe en épingle à cheveux se présente. La Fiat la prend presque au pas, s'immobilise à l'entrée d'un sentier de chèvres, qui ressemble moins à un chemin qu'à un lit de torrent étroit. Mitrani rabat la visière de sa casquette de tennis au ras de la chevelure qui lui vaut son surnom de Pierrot les Cheveux-Blancs. Il referme à clé la portière.

Dans ce paysage lunaire, Mitrani évoque une silhouette sortie d'un guide de voyageur d'autrefois, avec la musette qui bat son flanc, les jumelles qui pendent à son cou, et la carte-guide de la région, qu'il tient à la main.

Quelques coups d'œil autour de lui le rassurent : il est bien seul. D'un pied ferme, il attaque le chemin accidenté.

A mesure qu'il s'élève entre les roches de la colline, Mitrani s'efforce de presser l'allure. Un énorme bloc qui semble avoir été posé là, au hasard, par la main d'un géant, masque un tournant. Il le contourne, inspecte de nouveau les environs. Le prudent chimiste est tout à fait rassuré. En bas, des criques sauvages, des plages minuscules perdues à l'écart des routes carrossables, se blottissent au fond des anses de la côte. Mitrani ne s'attarde pas sur le panorama. Il n'est pas là pour jouer au touriste.

Le chemin de chèvres monte toujours. Malgré sa forme physique, le grimpeur commence à s'essouffler. Il soupire d'aise en découvrant, au bout du sentier, la vieille bergerie dont le toit affleure l'arrondi de la colline. Il émet un sifflement discret, auquel répond aussitôt un cri modulé. Un homme tout de noir vêtu a surgi de derrière un rocher. Le *mafioso,* un fusil à canon scié sur l'avant-bras, lui fait signe d'avancer. Mitrani marque le pas puis, reconnu, il entre dans la bâtisse, dont la porte de bois se referme sur lui.

— Il y en a combien, cette fois-ci ?
— Cinquante kilos.

Mitrani n'a pas besoin de calculer : cinquante kilos de morphine-base doivent produire à peu près soixante kilos d'héroïne. Le matériel est en place. Le personnel aussi. Deux *mafiosi* peu causants, mais compétents. Lucky et Rocco savent choisir leur monde.

Tout en enfilant les gants de caoutchouc et la blouse blanche, ce qu'il appelle son déguisement de chirurgien, Mitrani regarde machinalement les appareils que Luciano met régulièrement à sa disposition. On les a transportés dans la bergerie à dos de mulet, une nuit, en grand secret. Les produits chimiques nécessaires à la transformation de la morphine sont stockés dans un appentis soigneusement asséché et isolé, attenant à la bergerie. En cas d'alerte, des hélicoptères surgiraient, et le matériel s'envolerait vers une destination inconnue. Mais peut-il seulement y avoir une alerte, dans le fief que le maître de la drogue contrôle depuis si long-temps ?

— *Pronto ?*

— *Pronto.*

Pierrot les Cheveux-Blancs ajuste le masque sur son visage, fait ouvrir les fenêtres pour créer un courant d'air.

Il dégage la morphine de son enveloppe étanche, la répartit dans quatre cuvettes émaillées, où il verse de l'acétone. Avec l'aide de ses assistants, il remue le mélange des quatre cuvettes à tour de rôle. Le but de l'opération est de purifier la morphine en éliminant les autres alcaloïdes de l'opium et les impuretés qui n'ont pas disparu au cours de la première manipulation. Le traitement initial, en effet, c'est-à-dire la transformation de l'opium en morphine-base, Mitrani l'a enseigné à ses aides. C'est facile. Et Pierre réserve son art pour les opérations de chimie pure, dont il faut régler les différentes phases avec minutie.

Il est douze heures. Tandis que ses aides filtrent la mixture, Pierre Mitrani sort sur le seuil de la bergerie. Il ôte son masque, respire largement pour se débarrasser de la forte odeur d'acétone dont il est imprégné. Un épervier dépasse le sommet de la colline, monte, comme une flèche, vers le ciel bleu. Mitrani fait quelques pas, s'assoit sur une pierre, pour réfléchir.

Luciano est efficace, certes, et ses hommes sont pleins de bonne volonté. Mais Mitrani commence à se deman-der s'il ne serait pas plus rentable de faire traiter l'opium en Turquie ou au Liban. Moins de frais de transport. De plus, il pourrait ainsi exiger une morphine-base de meilleure qualité, ce qui éviterait de perdre du temps en la purifiant de nouveau sur place. Ils viennent déjà de perdre trois heures en remuant le mélange ! Et il faut maintenant faire sécher la mixture !

Mitrani s'étire, se lève, fait le tour de la bergerie. Le ciel serein lui rend sa bonne humeur. Il récupère sa

144

musette, en tire un énorme sandwich dans lequel il mord à belles dents. Lorsqu'on travaille la morphine, il faut avoir l'estomac plein et boire de grandes quantités de lait. Ce qu'il fait, à même le goulot, toutes les trois ou quatre bouchées.

Il remet son masque, regagne la bergerie-laboratoire. Du doigt, il fait signe à ses compagnons de lui apporter les récipients d'anhydride acétique, un liquide incolore à l'odeur très forte. Il répartit deux kilos de morphine et quatre d'anhydride dans quatre énormes ballons de verre qu'il immerge dans des lessiveuses posées sur des réchauds à gaz butane. Chaque ballon est surmonté d'un serpentin, et comporte un thermomètre. Au-delà de 85° commencerait le risque d'explosion.

Les quatre réchauds sont allumés. Mitrani consulte sa montre. Six heures durant, il va surveiller la chauffe, avec le sérieux et l'attention constante du chirurgien qui fait une opération à cœur ouvert. Son visage ruisselle sous le masque. De temps en temps, ses sbires se précipitent au-dehors pour respirer à pleins poumons.

Les flammes diminuent, disparaissent. Les lessiveuses sont retirées des plaques. Mitrani met les ballons à refroidir. Demain, il fera laver chaque kilo d'héroïne impure dans une solution de noir animal qui lui donnera une blancheur étonnante. Puis, il la filtrera de nouveau et la fera sécher.

Pour que le produit soit parfait, la poudre blanche obtenue sera mélangée à l'acide tartrique qui supprime les ultimes impuretés, puis encore filtrée et séchée. Pierrot les Cheveux-Blancs peut être fier de son produit, le plus prisé du monde, sans la moindre trace d'alcaloïde ni de sel. Il arrive au chiffre exceptionnel de 98 % de pureté.

Mais, pour que l'héroïne soit injectable, il faut qu'elle soit soluble dans l'eau. Là encore, la science de Mitrani fait merveille : il fait dissoudre un kilo d'héroïne dans deux kilos d'acétone en ébullition, y ajoute une égale quantité d'alcool à 90° et d'acide muriatique. Quand l'héroïne refroidie s'est solidifiée en cristaux, il les écrase et les tamise.

C'est la grande expérience de Mitrani et l'équipement complet du laboratoire clandestin qui permettent de transformer cinquante kilos de morphine en cinq à six jours. Un travail harassant. Mais le compte que Mitrani possède à l'Union des banques suisses de Zug compense la fatigue et les risques. Il grossit chaque mois de trois millions de francs. Tous frais payés, ce n'est pas une mauvaise opération.

Comment, d'ailleurs, se faire surprendre, dans cette région solidement tenue par les fidèles de Don Genco et de Lucky Luciano ? Non, Pierrot les Cheveux-Blancs n'a rien à craindre, d'aucune police. Son avenir est assuré !

16

Grâce à Marlyse, le numéro d'appel 181.01 a levé son secret. Et puisque, selon l'une des formules préférées du Gros, pêchée dans son *Dictionnaire des sentences,* « où commence le mystère finit la justice », la justice va pouvoir enfin se mettre en marche.

Hier, après avoir planqué en vain toute la journée devant la villa de Pierrot les Cheveux-Blancs, j'ai retrouvé au bureau un Hidoine harassé, les yeux rouges, la bouche pâteuse d'avoir trop fumé. On n'y voyait plus rien, dans la pièce. Je naviguais dans une nappe d'un gris bleuté. Un tas de mégots débordait du cendrier subtilisé au Cambacérès, le restaurant d'à côté. La cendre s'était éparpillée sur la table. Les cadavres de deux paquets de gauloises froissés gisaient par terre, à côté de la corbeille.

Quand je suis entré, Hidoine a refermé d'un coup sec l'annuaire dans lequel il était plongé. Il s'est levé. Il a commencé à ôter son costume de travail, pour revêtir son équipement de cavalier-citadin.

— Alors ? dis-je, quelque peu interloqué par cette séance de strip-tease.

— Eh bien, alors, tes numéros m'emmerdent. Toi, pendant ce temps, tu te balades. Ça ne peut plus durer.

Juste au moment où, en équilibre sur un pied, il enfile

sa culotte de cheval sur son caleçon à fleurs stylisées, le Gros a passé son nez dans l'entrebâillement de la porte.

— On va s'offrir un apéro ? a-t-il proposé sans prendre garde à l'atmosphère enfumée et à l'étrangeté du spectacle.

Hidoine a poussé un grognement qui pouvait passer pour un acquiescement. Moi, j'ai décliné l'invitation :

— Merci, patron. Je suis dans mes recherches téléphoniques.

Présentable, sinon fringant, Hidoine a ramassé son *Figaro* plié, l'a glissé sous son bras, m'a tendu une main molle. Je me suis assis à sa place. J'ai vidé dans la corbeille la pyramide de mégots. Et je me suis réembarqué sur l'océan de l'annuaire marocain.

A huit heures, j'ai téléphoné à Marlyse pour l'avertir de mon retard. J'ai senti une vive désapprobation dans sa voix. Alors, j'ai décidé de poursuivre à la maison ma pêche aux abonnés. J'ai quitté la rue des Saussaies, le bottin du Maroc à la main.

Les usagers du métro, d'ordinaire blasés, indifférents à ce qui les entoure, si ce n'est aux jolies filles qu'on peut serrer de près, m'observent, étonnés. J'avoue qu'il y a de quoi. D'habitude, au fil des rames, les voyageurs se plongent dans la lecture d'un journal, d'un bouquin, font du tricot ou des mots croisés. Moi, l'index suivant chaque ligne en raison des trépidations du wagon, je décortique un annuaire. Ça peut surprendre ! D'ailleurs, au-dessus de moi, je capte le regard d'un couple, sans équivoque à mon sujet. Il y avait le poinçonneur du métro, il y a maintenant le dingue des P.T.T.

J'aborde l'escalier de notre dernier étage. C'est bien, la butte Montmartre, mais c'est haut. Les canaris se mettent à chanter quand j'ouvre la porte. Je sens la délicieuse odeur du poulet grillé et je réalise la déception de Marlyse, tout à l'heure, au téléphone. Elle renifle une autre odeur, elle, quand elle m'embrasse :

— Ce que tu empestes le tabac ! Tu te remets à fumer ?

— C'est Hidoine, dis-je.

J'explique la situation tout en dévorant la cuisse, mon morceau préféré. C'est fou ce que Marlyse réussit bien le poulet aux pruneaux grâce au four de la cuisinière que la prime de l'affaire Buisson m'a permis d'acquérir. Je deviens tout d'un coup magnanime. Si je réussissais l'affaire Messina, je lui offrirais un lave-vaisselle. J'en ai assez de la voir plonger ses jolies mains dans l'eau grasse.

La table débarrassée, je me remets à ma lecture. Et c'est là que la lumière jaillit, de la cuisine, par la douce voix de Marlyse.

— Je vais te donner mon avis, chéri. Un numéro à cinq chiffres, ça ne peut être attribué qu'à une ville.

Si c'est ce qu'elle veut m'apprendre, Marlyse, elle arrive un peu tard. Je n'ose pas la rabrouer tandis qu'elle s'approche de moi, un torchon autour de la taille. Elle poursuit, se parlant à elle-même :

— Si un village a, par exemple, cent habitants qui ont le téléphone, il n'y aura pas plus de cent numéros.

Va-t-elle continuer à enfiler des évidences ? Je ne peux m'empêcher de l'écouter, pourtant, tout en faisant semblant de feuilleter les pages.

— ... S'il y en a mille, il y aura mille numéros.

« Et ainsi de suite », ai-je envie de répliquer. Je me contente d'énoncer simplement :

— Tu es gentille, chérie, mais tu m'empêches de chercher !

— ... Et s'il y en a cent mille, il y aura cent mille numéros, donc cinq chiffres. Conclusion : tu dois ne t'intéresser qu'aux villes de plus de cent mille habitants.

— Non. Cent mille, chez moi, cela fait six chiffres, pas cinq. Et comme mon numéro, c'est le 181.01...

— C'est bien ce que je dis. Cela prouve qu'il y a entre cent mille et deux cent mille habitants au moins...

— Je ne comprends plus.

— C'est simple. En principe, et je pense que c'est le cas dans des pays comme le Maroc ou l'Algérie, il y a un téléphone pour six à dix habitants en moyenne. J'ai lu ça, il n'y a pas si longtemps, dans un article de *Science et Vie* sur le progrès technique dans le monde. Alors, 181.01, cinq chiffres multipliés par six, ça donne au moins cent quatre mille habitants. C'est par là qu'il faut chercher. Si tu multiplies par dix, tu en trouves cent quatre-vingt mille. Tu n'as qu'à prendre le dictionnaire, pour comparer la grandeur des villes !

Elle me regarde, hausse les épaules devant mon air ahuri :

— Tu en es où de tes vérifications ?

— A Safi.

— Bon.

Gracieux lutin zélé, elle cueille le *Petit Larousse* sur l'étagère du divan-cosy ; elle monologue :

— Tu ne dois avoir que quatre chiffres puisque c'est une ville de moins de cent mille habitants. Voilà ce que dit le dictionnaire : « Safi, ville du Maroc sur l'Atlantique, 81 100 habitants. » Donne-m'en une autre, au hasard, pour voir...

Je tourne les pages de l'annuaire en sens inverse, m'arrête au tout début :

— Agadir.

Aussitôt, Marlyse feuillette le *Larousse.*

— Afrique... Agadès... Agadir... port du Maroc méridional, sur l'Atlantique. Pêche à la langouste. 27 000 habitants. Tu dois donc avoir également quatre chiffres.

— Exact.

— Une autre !

Je l'aime bien, heureusement, Marlyse. Mais son air de professeur commence à m'agacer. Après tout, je suis

capable de faire mes déductions moi-même, non ?
Docile malgré tout, j'énonce :

— Rabat.

Ses longs doigts parcourent le clavier des pages à une vitesse vertigineuse :

— 227 000 habitants. Donc, tu dois avoir cinq chiffres.

— Oui.

— Cinq chiffres dont le premier, à mon avis, est un 2. Le voilà, ton code ! Dans les 100 000 habitants, ça doit commencer par un 1, dans les 200 000 par un 2, dans les 300 000 par un 3, et ainsi de suite. Encore que je me demande s'il y a beaucoup de villes de plus de 300 000 habitants au Maroc.

— Et Marrakech ?

Les doigts de la fée s'activent sur les pages du dictionnaire :

— Non : 250 000 ! Donc, le téléphone doit commencer par un 2.

— Tu as raison. Regarde Casablanca, pendant que tu y es.

— C'est la ville principale, donc beaucoup plus d'abonnés. Ça ne doit donc pas commencer avant le chiffre 2 ou 3, pour aller jusqu'à 5 ou 7.

Quelle logique, ma Marlyse !

Elle a raison sur toute la ligne. Il me faut une ville entre 100 000 et 200 000 habitants. Il n'en reste plus beaucoup.

— Fez, 230 000, les numéros à cinq chiffres commencent bien par un 2. Meknès, 200 000 tout rond, pareil.

— Et Tanger, tu as regardé ?

Pas encore, parce que Tanger, c'est le Maroc sans y être. Une ville franche, que le traité de Paris a dotée d'un statut spécial, qui la place sous l'autorité d'une commission internationale.

Je ne vais pas être mesquin, quand même ! Je ne vais pas en vouloir à Marlyse d'avoir prononcé le nom de

Tanger, que j'ai là, sous les yeux ! Tout à l'heure, je n'y étais pas arrivé, puisque j'étais à Safi. Je l'aurais sûrement trouvé sans elle ! Bon, assez de gamineries, ce n'est pas un jeu, et le fait est là : à Tanger, il y a bien des numéros à cinq chiffres et qui commencent par des 1.

Et le voici, le fameux 181.01 ! En fait, il ne me donne pas grand-chose. Il s'agit d'une agence d'affaires immobilières, d'assurances et de crédit, rue Vélasquez.

Fourmi, fourmi… Ce n'est plus un travail de fourmi ! Maintenant que j'ai le numéro, c'est une course d'échassiers !

Il faut d'abord que je sache pourquoi le 181.01 de cette agence à tout faire de la rue Vélasquez, à Tanger, sert à la fois à Manouche et au Gringo.

Pour Manouche, je peux aller voir chez la concierge de la rue de Chambiges, adresse de son ancien restaurant. Mais il peut y avoir des indiscrétions. Et le dossier que m'a montré Roblin n'indique que son domicile du 33, avenue Montaigne, où le même problème se pose. Le Gros répète, avec raison, que le plus sûr moyen de garder un secret est de le garder soi-même. Il n'admettrait jamais la moindre fuite, la moindre bavure de ce genre, surtout si près du but. Car je m'en approche, du but. J'ai une amorce de piste. Pas le moment de la laisser s'échapper.

Je tourne et retourne tout ça dans ma tête, tandis que je m'achemine vers le tribunal de commerce, relevant mon col dès que mord le vent frisquet, sur le pont. Au bout de la salle de recherches, le regard vide du jeune boutonneux affecté aux vérifications administratives plane au-dessus du comptoir de chêne vieillot. Je le réveille en lui fourrant sous le nez la feuille de recherche sur laquelle j'ai inscrit mon nom, en lettres capitales, et ma signature surchargée du cachet du service, bleu roi. C'est beau, un sceau d'administration, avec la République assise au milieu du cercle, un flambeau à la main et la tête couronnée de pics ! Ça en ouvre, des portes !

Le jeune employé imberbe et pustuleux a bien trituré ma fiche. Il sort de son antre, s'enfonce dans un couloir dédalien, pour réapparaître, quelques minutes plus tard, sur la passerelle métallique ceinturant l'immense salle de consultation dont des centaines de volumes reliés, hauts et épais, garnissent les étagères. Ce sont les documents d'immatriculation des commerçants, sociétés et exploitations personnelles. Si Germaine Germain, dite Manouche, est la gérante du restaurant de la rue de Chambiges, le fichier général va m'en fournir la preuve en révélant son numéro d'enregistrement. Sinon, je connaîtrai le nom du véritable propriétaire.

Je bâille. Je me sens mal en point. Comme chaque fois que j'entrevois une piste, je n'ai pas fermé l'œil. La découverte du titulaire du 181.01 à Tanger me faisait me tourner et retourner sur ma couche.

L'employé m'appelle du haut de son perchoir :

— Hé ! Germaine Germain, née le 13 novembre 1913 à Paris, 2e. Le Chambiges, c'est ça ?

Je reste sidéré de tant d'indiscrétion. Sa voix a retenti très fort. Tous les clients de la salle ont levé le nez, me dévisagent.

— Oui, oui, dis-je, hochant timidement la tête.

Le gringalet prend quelques notes, repousse le lourd volume dans son alvéole. Il disparaît de la galerie circulaire pour se matérialiser bientôt devant moi, une chemise à la main. Il l'ouvre, me tend le premier feuillet.

— Donnez, dis-je, je vais l'étudier par là.

Impossible, le règlement l'interdit. La consultation doit s'effectuer pièce par pièce, devant le représentant du tribunal. Bon. D'ailleurs, c'est vite fait. Le dossier ne contient que le nom de l'ancien propriétaire et celui que le Chambiges portait alors : l'Atomic-Bar. En prime, l'état civil de Germaine Germain et son adresse de l'avenue Montaigne. J'apprends qu'elle a ouvert l'établissement en 1947 et l'a revendu en 1950. Rien de plus. Pas d'adresse secondaire, pas de papiers d'hommes d'affaires. Peut-être aurais-je plus de chance au service des débits de boissons ?

Je passerais des heures à flâner dans ce vieux quartier de Notre-Dame. J'aime les petits rendez-vous avec le passé. Ici, je me les offre à chaque coin de rue. Je traverse le marché aux fleurs. Mille bouquets pour Marlyse se forment dans ma tête. Seulement, je ne vais pas me pointer avec des fleurs dans mon bureau, ni au service des boissons.

Je longe l'Hôtel-Dieu, j'attaque d'un pas décidé la rue de la Colombe. Poésie des noms. Mes pas me portent vers la rue des Ursins, où la Préfecture de police a installé le service centralisateur des débits de boissons. L'Atomic-Bar, devenu le Chambiges, a sûrement un dossier, dans lequel je trouverai peut-être ce que je cherche.

J'escalade quatre à quatre l'escalier vermoulu proche de la chapelle où saint Bernard venait gémir sur la vie dissolue des étudiants, exhibe ma plaque, suis un inspecteur chauve et rubicond dans une salle encombrée de paperasses. Il approche son nez aux narines de porcelet de la demande de recherche que j'ai remplie. J'ai toujours dans ma poche une réserve de bulletins vierges portant le timbre, bien rond et bien bleu de la direction des services de Police judiciaire. Il parcourt des yeux une étagère. Dès que son regard s'est fixé sur une pile, il y va tout droit, monte sur un escabeau à trois marches, tire une chemise.

— Qu'est-ce que tu veux savoir ?

On se tutoie facilement, dans la police.

— L'adresse de la propriétaire.

154

Il se penche, parcourt du nez et du doigt une feuille imprimée, la retourne :

— 33, avenue Montaigne.

— Je sais, dis-je.

Stupéfait, il me regarde. Qu'est-ce que je viens faire là, alors ? J'enchaîne :

— Elle doit avoir un autre domicile. C'est ça que je cherche.

Du moment que je le mets dans la confidence, l'archiviste s'ouvre un peu :

— Vois toi-même.

Je vois. Je constate que le dossier est maigre, bien maigre. Aussi peu étoffé que celui du registre du commerce... Un nom, toutefois, figure dans l'acte de transfert : Me Gibod, rue Cambon à Paris, 8e. Ma décision est vite prise.

— Je peux téléphoner ?

Le collègue me désigne l'appareil mural, au bout de la pièce, près d'une porte dont le capitonnage part en lambeaux.

— Tu fais le zéro, pour l'extérieur...

— Merci. Il me faudrait aussi l'annuaire.

Ça, c'est plus compliqué. On possède bien des annuaires intérieurs, dans les bureaux de police, mais rien pour l'extérieur. Des fois que l'envie vous prenne de ruiner l'administration en communications. Il ne me reste qu'à faire les renseignements pour obtenir le numéro de l'homme d'affaires.

J'ai bientôt, en ligne, une secrétaire.

— Pour quel dossier ?

— Germaine Germain.

Un déclic. Une voix d'homme, douce, sérieuse :

— J'écoute...

— Saint-Sulpice, maître. Pour l'affaire du Chambiges.

Pour les gens du métier, Saint-Sulpice c'est le ministère des Finances, l'hôtel particulier de la place où est installée la direction des services fiscaux. Le mot de Saint-Sulpice est plus redoutable que le mot « police »...

— Pourquoi ? demande la voix.

— Un reliquat d'impôt. Nous devons reverser 176 500 francs à la dame Germain.

Soulagé, très à l'aise soudain, le correspondant m'interrompt :

— Si vous voulez me l'adresser, je ferai suivre. Elle n'est plus à Paris...

En prenant sa petite commission au passage, le cher intermédiaire !

— Je sais, dis-je, le courrier de l'avenue Montaigne m'est revenu. Nous devons faire la notification en main propre. L'administration...

Il a l'air de comprendre.

— Attendez, je vous prie.

Je perçois sa voix dans un interphone intérieur. Les hommes de loi ont des moyens que ne peuvent se payer les officiers de police ! Ils s'offrent le progrès. Pas nous !

Le haut-parleur résonne assez fort pour que la voix de la secrétaire me parvienne à travers l'appareil téléphonique. Respectueuse envers son patron. Exactement comme Mme Loeil avec le Gros :

— J'ai le restaurant Venezia, rue Murillo, à Tanger. C'est tout, maître ?

— Bien. (Un temps.) Saint-Sulpice ?

— J'écoute, dis-je.

— Vous pouvez la joindre au Venezia, rue Murillo à Tanger. C'est son restaurant. Voulez-vous que je la prévienne ?

— Non, non, c'est inutile. Merci, maître.

Je raccroche, fébrile. Manouche est à Tanger. Du même coup, j'ai l'adresse du Gringo au Maroc. Merci, Marlyse. Je vais bientôt pouvoir t'offrir un lave-vaisselle.

A la place du sac simili-cuir.

17

Rocco Messina noue la ceinture de la robe de chambre de soie brochée d'or qu'il s'est offerte lors de son voyage éclair en Turquie. Un jouisseur, Rocco. Debout sur le balcon de la villa « Les Sables d'Or » il contemple la Méditerranée. Il absorbe, à pleins poumons, le vent tiède. Le soleil est déjà haut, mais les arbres et les fleurs exhalent encore la fraîcheur de la nuit, derniers effluves avant le grand calme du soir. Il est heureux. L'abordage du *Phœnix* et la mise au point des filières de drogue vers les Amériques et Cuba sont des réussites à inscrire à son palmarès. Il vient de gravir un échelon de plus dans l'*Onorata Società*.

Bientôt, il en est sûr, il sera l'égal de Lucky. Il organisera l'empire comme il l'entendra, avec la précieuse collaboration de Jo Benutti. Un cerveau, le petit Jo. Avec des antennes sûres partout dans le monde, aussi bien en Indochine qu'au Maroc, au Venezuela qu'à New York. Luciano a tort de ne vouloir travailler qu'avec les Siciliens. Il faut savoir compter avec les Corses. Ils ont leur mafia à eux, quel que soit son nom. Qu'ils soient douaniers, policiers, truands, magistrats ou avocats, ils sont corses avant tout. Et ils savent respecter la loi du silence aussi bien que les *mafiosi*.

Du côté d'Antoine Girola, tout va pour le mieux. Les oranges préparées en Sicile arrivent dans leurs caisses à la gare de marchandises d'Avignon. Là, Gerolami, le grossiste, les prend en charge pour les répartir chez les détaillants provençaux. Ça, c'est la version officielle. En fait, les camions prennent le chemin de la ferme d'Eygalières, dans le plus parfait désert campagnard. C'est là qu'on sort les oranges de leurs cageots, tout de suite brûlés, pour les ranger dans des caissettes *made in France* portant les étiquettes des expéditeurs de Château-Renard et de Cabannes.

Il s'est bien débrouillé, Girola. Il n'a rien à faire, et il touche des commissions confortables. Ce n'est peut-être pas un cerveau comme son ami Benutti, mais son circuit est bien tracé. Les expéditions ont lieu vers Cuba et les États-Unis. Les amis du Gringo aux ordres de Don Guidoni, le représentant de Don Genco pour l'Amérique, les attendent pour les distribuer aux revendeurs. Cela, c'est le premier circuit. Mais il y en a un autre.

L'autre, c'est l'expédition directe de la morphine-base vers le Mexique. Son avantage, c'est que la quantité exportée est de beaucoup plus importante. Car, pour le circuit sicilien, on ne peut demander à Pierrot les Cheveux-Blancs de produire plus d'héroïne. Soixante kilos tous les cinq jours, c'est le maximum qu'il puisse fournir s'il ne veut pas crever à la tâche.

— Tu sais, a dit Benutti, avec le fort accent corse dont il est fier, deux marchés valent mieux qu'un ! Nous avons le régulier par Antoine, nous pouvons faire fructifier le parallèle directement. Suis-moi bien : la morphine de Ghourian, on la charge directement en mer et on l'amène à Tanger, port franc. De là, on l'expédie sur Tampico ou sur Veracruz. On n'a pas à se faire de souci, puisque tu as fait ton trou là-bas. Et puis, de là, eh bien, ou tu montes un labo pour en faire de l'héroïne, ou tu la fais entrer telle quelle chez les Ricains.

— Pas bête, a répondu Rocco. Pas bête du tout.

De fait, il trouvait l'idée fort astucieuse. Cette solution devrait plaire à Don Genco et à Lucky, puisqu'elle évitait les risques liés au débarquement et à la transformation en Sicile.

Rocco s'étire, reste un instant dans sa position favorite, les bras tendus, ouverts, le torse bombé, offert au soleil et à la brise de mer. Tout lui réussit, en ce moment.

Il frissonne. Deux mains douces se sont posées sur ses épaules. Il se retourne, presse contre lui le corps de Liliane, nu sous la fine chemise transparente. Liliane rayonne de beauté sensuelle, avec ses longs cheveux noirs qui retombent sur ses épaules, recouvrant en partie les seins arrogants dont les pointes saillent sous la soie. Belle plante d'Italie, elle sourit au soleil, se blottit amoureusement contre Rocco. Elle prend sa main, la porte à ses lèvres. La rumeur assourdie de Tanger leur parvient, comme l'écho d'un monde étrange.

— Je voudrais te dire, Rocco chéri...

— Quoi donc ?

— J'ai peur.

Il s'écarte un peu, la tient à bout de bras, la regarde, surpris.

— Peur ? De quoi ?

— De tout, Rocco. J'ai toujours dans la tête la prédiction de la fatma. « Il y a du sang autour de toi. Beaucoup de *moudjahedin* qui te cherchent. »

— Cette vieille folle, gronde Rocco, haussant les épaules.

— Folle ou pas, tu vas encore repartir.

— Il le faut. La marchandise va arriver au Mexique.

— J'ai peur, Rocco. J'ai eu un coup de fil de Louisette, la femme de Fil de Fer. La police a fait une descente chez elle, et dans son bar. L'inspecteur Vérot était persuadé que tu t'y cachais. Il cherche aussi ton ami Fredo.

Du coup, le Gringo se détend, se met à rire :

— Celui-là, ils peuvent toujours courir après ! La Havane, ce n'est pas la porte à côté ! C'est tout ce qu'elle t'a dit, Louisette ?

Liliane ne répond pas tout de suite. A quoi bon mettre Rocco en garde puisqu'il n'a peur de rien ni de personne ?

— Oui, dit-elle enfin. Mais si les flics sont sur Fil de Fer et sur Fredo, tu ne crois pas qu'ils peuvent tomber sur Pierrot les Cheveux-Blancs ?

Rocco hausse les épaules. Décidément, les femmes ne comprendront jamais rien aux affaires. Fil de Fer ne parlera jamais. Fredo est à l'autre bout du monde. Et Pierrot ne risque rien : il ne s'occupe d'héroïne qu'en Sicile, sur son rocher imprenable, sérieusement protégé par les *luparas* des *mafiosi*.

Les mains de Rocco s'attardent sur le dos de Liliane. Aucune des femmes qu'il a connues n'a une peau aussi douce. Il dépose un baiser sur sa chevelure brune. De nouveau Liliane se blottit contre lui, au moment où le téléphone sonne :

— Laisse, supplie-t-elle, dans un souffle. Ils rappelleront.

Non, cette ville accrochée à la côte du nord de l'Afrique n'est pas Alger la Blanche, c'est Tanger la Fourmilière, au pied de laquelle m'a déposé le ferry-boat de la Transmediterranea qui m'a pris en charge à Algésiras, pour m'offrir deux heures d'un voyage de rêve sur une mer tranquille.

Tanger. Ce nom a des résonances mystérieuses, dans ma tête. C'est bien Tanger, cette muraille fortifiée qui emprisonne un labyrinthe de ruelles, mais aussi la plage de sable sortie tout droit d'un catalogue d'agence de voyages, que je découvre tandis que je m'achemine, ma valise de carton bouilli au bout du bras, vers la ville moderne éparpillée sur les contreforts des collines.

J'ai beau presser le pas, depuis le café de la Douane, à la sortie de la grille du port, je n'arrive pas à semer la cohorte de marmaille piaillante et quémandeuse. J'essaie de l'oublier. Je franchis la porte de la Mer. J'attaque d'un pas ferme la rue de la Marine. Je m'arrête pour souffler au pied de la Grande Mosquée, levant le nez vers son minaret habillé de faïence verte. De la terrasse, la vue s'étend sur le port. Deux pièces d'artillerie sont braquées sur la côte depuis des siècles. Je reprends ma marche.

La variété des visages et des accoutrements se multiplie quand je m'engage dans le goulot de la rue Es-Siaghîn. Des femmes voilées marchent lentement, vêtues de robes blanches, roses, noires ou bleues. Des hommes badaudent devant des vitrines encombrées de bijoux et de cuivres ouvragés. Des commentaires s'entrecroisent dans une langue gutturale à laquelle je ne comprends rien.

Et me voici au Grand Socco, le marché dont Hidoine m'a souvent vanté les merveilles : sa cousine germaine officie comme infirmière à l'hôpital de Rabat. Chaque fois qu'elle vient à Paris, elle ne manque jamais de lui raconter ses week-ends touristiques à Tanger. Ce Grand Socco, bordé par un parc, est un éclatement de couleurs, de bruits, d'agitation. Mendiants, paysans, acheteurs, simples curieux, rivalisent de haillons multicolores, se pressent devant des éventaires de fortune où s'alignent des objets d'infortune. Un long personnage à barbiche récite des versets du Coran, sans se soucier d'être ou non écouté. Les flûtes des Berbères font se dresser les serpents paresseux. De jeunes gens proposent des pâtisseries gluantes qui ruissellent de mouches.

— Tanger est une ville étrange, m'a expliqué Roblin. Avec un statut tout à fait spécial. Elle est gouvernée par une assemblée de vingt-sept membres, dont six Marocains musulmans et trois israélites. Le reste est composé d'administrateurs nommés par une ribambelle de pays,

161

la France, la Belgique, la Hollande, le Portugal, l'Angleterre, l'Italie. Les États-Unis n'ont pas de représentant mais ils sont très implantés, depuis le débarquement en Afrique du Nord. Très efficaces, en dessous !

Quand je lui avais demandé si tout ce monde s'entendait, il avait levé les bras au ciel :

— C'est le bordel ! La C.I.A., le K.G.B., le S.D.E.C.E., l'Intelligence Service, tout ça passe son temps à s'espionner et à se contre-espionner. Tout s'achète et tout se vend. Le trafic et la corruption règnent dans la zone internationale. Un conseil : ne fais confiance à personne, surtout pas à la police, qui bouffe à tous les râteliers.

Trois jours plus tôt, j'étais loin de ce tumulte bariolé. Hidoine, Poiret et moi, affrontions Vieuchêne. Un Vieuchêne maussade qui nous écoutait, les lunettes sur le front, les doigts tambourinant le sous-main avec une nervosité qui me faisait redouter le pire. Chacun de nous l'avait mis au courant de ses démarches, du ton hésitant de l'élève qui n'a pas appris sa leçon. La contre-attaque n'avait pas tardé à se manifester :

— Votre indolence à tous les trois m'étonne. Poiret roupille devant les bobines, Hidoine est incapable de retrouver Mitrani, quant à vous, Borniche, vous laissez filer Maurasse sous votre nez ! Comme si vous ne pouviez pas le harponner lorsque le taxi s'est arrêté pour prendre Roussette ! A propos, vous l'avez identifiée, Roussette ?

L'œil, inquisiteur, exige une réponse :

— J'ai eu son état civil et son adresse par les bourgeois du quartier, patron.

Une veine ! Le matin même, je m'étais précipité rue Perrault, au commissariat central du 1er arrondissement, derrière la mairie, tout près de l'église Saint-Germain-l'Auxerrois, berceau du massacre de la Saint-Barthélemy. Ma plaque de police avait sauté dans ma main. J'avais traversé le poste devant les gardiens indifférents. Leurs pèlerines et leurs manteaux s'alignaient sur une file de patères clouées au mur. Des ceinturons pendaient. Je le connais bien, ce décor. D'aucuns lisaient le journal, les chaussures à clous sur le banc, d'autres bâillaient, d'autres gravaient leur nom, avec la pointe d'un couteau, dans le chêne noirci de l'immense table au milieu de la pièce.

J'avais poussé une porte aux vitres ripolinées, pour m'engouffrer dans le bureau des Mœurs. Ça pue le tabac et le moisi. Une ampoule couverte de chiures de mouches pend du plafond, au bout d'un fil torsadé. Elle éclaire crûment le mobilier élémentaire : une table minuscule, deux chaises et un classeur sans tablier. Sur le mur foisonnent des photographies de filles « soumises », « insoumises » et « recherchées avec signalement ».

Les Mœurs (ou les « bourgeois ») sont des gardiens de la paix en civil chargés de réprimer la prostitution qui s'affiche dans leur arrondissement. La brigade mondaine, elle, exerce sa surveillance dans tout le département de la Seine. Le bourgeois est affublé d'un imperméable trop long et d'un petit chapeau qui le fait repérer à cent lieues... Aussi a-t-il intérêt à agir vite, dans son secteur, s'il veut mettre la main au collet de la prostituée qui n'a qu'à traverser un boulevard pour se réfugier dans l'arrondissement limitrophe où il n'a pas le droit de la poursuivre.

Le flic au nez bourgeonnant m'avait précisé que Roussette n'était autre que Rose Malegrat, ajoutant, à l'intention de son compère :

— Tu la connais, toi, Bébert ?

Bébert, d'un mouvement de son crâne en pain de sucre luisant sous l'ampoule, avait acquiescé :

— Tu parles ! 36, rue d'Orsel, 4e gauche. La grande

copine de Louisette, la femme de Fil de Fer. Sa concierge est une salope !

— Fil de Fer ? dis-je.

— Oui. Épais comme un fil, quoi. Jeannot Gras, le pote à Fredo et à Pierrot les Cheveux-Blancs dont la femme tapinait rue Blondel.

Il glissait un œil par-dessus ses besicles :

— Qu'est-ce que vous avez tous à cavaler comme ça après eux ? Il y a déjà Nonœil qu'est sur le coup !

Vieuchêne m'a décoché un regard furibond :

— Alors, c'est qui, cette Roussette, s'il vous plaît ?

Je lui ai récité mon boniment. J'ai bien vu qu'il en tombait des nues. Mais, en vieux routier, il a vite repris l'avantage :

— Vous êtes passé à son domicile ?

— Non, patron. La concierge copine avec elle, alors il faut se méfier.

— Ah...

A quoi songeait-il, maintenant que je l'avais mis en face de la situation ? On allait le savoir.

— Poiret, vous restez aux bobines. Vous ouvrez vos oreilles sans casser celles des autres par vos bavardages. Si, si ! Durand s'est encore plaint que vos collègues n'entendent plus rien dès que vous êtes là ! Finies aussi vos pauses casse-croûte. Ça empeste l'ail dans tout le service. Vous, Hidoine, vous me collez une réquisition au receveur des P.T.T. pour savoir où la concierge de Roussette réexpédie le courrier, s'il y en a. Vous me dénichez l'adresse de sa famille, et vous me collez tout ça en observation. Et pareil pour sa meilleure copine. Ça m'étonnerait qu'elle ne lui envoie pas de carte postale. « Ceux-là changent de climat et non d'âme, qui vont au-delà des mers ! » C'est de Curiace.

— Horace, dis-je. L'ami d'Auguste.

Le Gros me fusille du regard :

— C'est vous qui faites l'Auguste, Borniche. D'ailleurs, vous, vous filez à Tanger !

Le silence des grands drames s'est installé. Hidoine, Poiret et moi sommes restés muets. Vieuchêne s'est levé. Il a repoussé son fauteuil pour contourner le bureau. Il s'est planté devant moi :

— Ça n'a pas l'air de vous faire plaisir, Tanger. Pourtant, c'est loin d'être désagréable ! Une ville où l'on s'amuse. Vous avez déniché le numéro de téléphone et le bar de Manouche. C'est le moment de vous distinguer. Il y a huit chances sur dix que le Gringo s'y trouve.

— Mais il me connaît, patron. Il vaudrait mieux y envoyer Hidoine. Sa cousine est infirmière à Rabat.

— Vous serez prudent, voilà tout. Le service de la gestion vous prépare votre ordre de mission. Ne tardez pas trop !

— Et j'y vais comment ?

— Comment ça « comment » ? Mais par le train, voyons ! Vous avez une carte de circulation qui vous permet de gagner gratuitement la frontière espagnole. On va vous faire un billet de transport pour le *ferrocarril* jusqu'à Algésiras. Après, il y a le bateau. Deux jours de train, ça n'a jamais tué personne.

Hidoine m'a rejoint à la gare d'Austerlitz, au moment où l'Iberia commençait à rouler. Il revenait d'Orly. Tout en courant le long du quai, la main cramponnée à la barre du marchepied, essoufflé, il m'expliquait :

— J'ai vu les fiches de la police de l'air. Roussette s'est envolée pour Cuba. Mais pas de Fredo Maurasse. Il a dû avoir des papiers bidons. Je vais passer tous les passagers hommes au crible.

Comme le convoi prenait de la vitesse, il a fini par lâcher la barre. Je lui ai fait « au revoir » de la fenêtre. Le lendemain matin, je changeais de train à Hendaye après les formalités de douane. Puis j'ai traversé l'Espagne, via Madrid. Encore un jour et une nuit de tacot avant de voir surgir, au matin, tel un dieu sauveur, le rocher de Gibraltar, la proue dressée, énorme paquebot.

A midi, le ferry-boat me déposait à Tanger, vanné, moulu mais avide de revanche sur l'adversité.

Chaque aventure policière dans un pays étranger commence par l'épineuse recherche de l'hôtel. Je commence à avoir l'habitude de me diriger au radar, en ces circonstances, et je ne tarde pas à trouver ce qu'il me faut, en plein centre.L'Astoria,10, rue Murillo, a l'air convenable. Il m'offre l'avantage d'être tout proche du Venezia, le bar-restaurant de Manouche. Si seulement j'avais la chance d'avoir une fenêtre sur la rue.

Je l'ai ! La chambre 7 est vacante. Mon chiffre ! Elle est au premier, avec bain, mais au diable l'avarice. Je sens que d'ici peu, il va y avoir du nouveau. « Certains signes précèdent certains événements », comme dirait le Gros. Allah est avec moi. Il se présente sous les traits du portier en gandoura beige, aussi agile que squelettique, qui s'est saisi de ma valise et m'entraîne par une porte à droite dans le hall. Je suis ses babouches jusqu'à un couloir éclairé par une torche. Je glisse un franc dans la main du guide sorti des *Contes des Mille et une Nuits.* Il se plie, la main sur l'estomac pour me remercier.

— *Merhabên,* dit-il. Soyez le bienvenu.

Je boucle ma porte, ouvre la fenêtre. En tendant le cou, je vois au loin, par-delà l'animation du boulevard, un peu du bleu de la mer, des cheminées de bateaux et un reste de muraille de la médina. Je me penche. La façade du Venezia est vraiment à portée de main !

Dans le tiroir de la table, je découvre un plan de la ville, placé gracieusement à la disposition des voyageurs. Je me mets tout de suite à l'étudier. Je constate que la rue Murillo est à deux pas de la rue Vélasquez, qui la prolonge de l'autre côté du boulevard Pasteur.

Après le déjeuner, j'irai voir à quoi ressemble l'agence immobilière, titulaire de ce numéro qui m'a tant fait chercher. En tout cas, je n'aurai pas à courir beaucoup. Tout ici a l'air de tenir dans un mouchoir de poche.

18

Eh bien non, je ne vais pas goûter les spécialités du Venezia. Mon flair me dit que l'établissement est par trop au-dessus de mes moyens. Je passe devant, en vitesse, réprimant ma gourmandise... et déçu dans ma curiosité. Je ne distingue pas grand-chose à l'intérieur. La décoration raffinée fait plus penser à un bar américain ou à un club privé qu'à un restaurant. C'est une ancienne boutique dont on a transformé la vitrine, masquée par des doubles rideaux couleur vert bouteille. Par la porte ouverte, j'ai eu le temps d'apercevoir le bar, au fond, en face des banquettes recouvertes de tapisseries anciennes et des photographies de vedettes sur les murs. A droite, une seconde salle. Ce soir, je me déguiserai en passe-muraille et je prendrai des lieux une connaissance plus exacte.

En attendant, j'ai faim. Je descends le boulevard Pasteur où se déploie une panoplie internationale de restaurants aux spécialités multiples. Je parcours d'un œil gourmand les cartes italiennes, françaises, espagnoles et même indiennes. Il y en a tant que je suis un peu perdu. Je reviens sur mes pas, hésitant. J'évite le Paname (j'en arrive !), le Claridge qui n'a vraiment rien à voir avec son homonyme des Champs-Élysées. Je néglige la Grenouille, le Provençal, le Nautilus, et bien d'autres encore, pour m'enfiler dans la rue Goya. Ils ne se sont pas cassé la tête, les édiles de Tanger. Ils ont baptisé les rues, autour de la place de France, en puisant dans le répertoire pictural. Rembrandt, Vélasquez, Murillo, Goya, Delacroix, se partagent le terrain, un peu comme à Nice les musiciens dans leur quartier réservé. Et je ne sais pourquoi soudain, dans mon errance affamée, je tombe en arrêt devant le restaurant Maroc.

Il me semble fort sympathique. Oh, ce n'est pas un quatre étoiles, bien sûr. On ne me montre pas les plats surmontés de couvercles coniques dès que je passe ma commande. Les serviteurs ne se lavent pas les mains au-dessus d'une bassine en cuivre ciselé. Ils ne s'assoient pas non plus devant une table pour me servir la *pastilla,* pâte feuilletée fourrée de hachis de pigeon préparé à l'huile et relevé d'olives, d'amandes, de citrons, de fèves, de pommes, d'artichauts et de carottes. Tout ça, ce sont des histoires à la Hidoine, toujours en mal de folklore et de récits pittoresques ! Je prends une *mehannecha,* gâteau de pâte d'amande roulé en serpentin. Au thé vert parfumé à la menthe, je préfère une demi-bouteille de vin gris de Boulaouane. C'est la première fois que je bois du vin gris. Je fais un vœu. Le vœu de mettre bientôt la main sur le Gringo, bien sûr, pour retrouver au plus vite mes habitudes parisiennes et Marlyse, à qui je vais expédier une carte postale.

Il se boit comme du petit-lait, ce vin gris. J'en redemande un quart. Fatale imprudence. Quand je me lève de table, la tête me tourne. Le gris m'a grisé. J'ai sommeil.

Une petite marche s'impose, histoire de m'éclaircir les idées. Je me laisse porter par la rue Goya, traverse le boulevard Pasteur. Comme dans un rêve, planant dans l'euphorie du vin gris, me voici justement rue Vélasquez. Et la rue Vélasquez, c'est la fameuse agence immobilière, avec son numéro 181.01 ! Du cran, Borniche. Et de l'initiative.

Je ne sais pas si c'est toujours la faute du boulaouane et si mes idées sont bien en place, mais je n'arrive pas à saisir comment l'agence et le bar-restaurant Venezia, distants d'une bonne centaine de mètres l'un de l'autre, situés dans des rues différentes, peuvent avoir le même numéro. Curieux, non ? A moins que l'agence serve de relais. Mais oui, c'est possible. Il fallait y penser. C'est pour le coup que le Gros ne manquerait pas de phraser : « Tout est difficile avant d'être simple. »

L'air du large fouette mes tempes. Ça va un peu mieux...

La voici, la devanture de l'agence : « *Transactions, locations vides et meublées, assurances en tous genres, crédit.* » Du coup, je suis dégrisé. Bien sûr que tout est simple ! La solution, je l'ai là, devant les yeux. Comme sur la Riviera italienne [1], le Gringo est passé par une agence, qui lui a sous-loué un meublé en ville. Et c'est le gérant de cette fichue boutique qui détient la clé du problème. Ou sa secrétaire, ravissante Berbère aux cheveux crépus rejetés en nattes.

— Pour le plaisir des yeux, *sidi.*

Qu'est-ce qu'il me propose, le jeune garçon qui vient de se planter devant moi ? Il n'a pas douze ans. Il fait partie de ce peuple d'enfants arabes abandonnés à eux-mêmes pour rapporter aux parents les dirhams de la vie. Il a le teint basané. Il est en haillons. Des yeux mélancoliques dévorent un visage aux traits fins sous la chevelure bouclée.

— Quel plaisir des yeux ? dis-je.

— La casbah, là-haut. Deux dirhams.

Son doigt désigne une mosquée que domine un minaret octogonal revêtu de faïence polychrome.

— C'est si joli que ça la casbah ?

1. Voir *le Ricain.*

170

Il ne répond pas, hausse les épaules. Ses lèvres dessinent une lippe de dégoût. Il ne comprend pas que je ne comprenne pas, c'est évident. Il répète :

— Pour le plaisir des yeux.

L'ennui, c'est qu'elle ne m'intéresse pas, la casbah. En tout cas, pour l'instant. Ce que je veux, c'est percer le mystère de la location du Gringo. Je ne suis venu que pour ça.

— Tu sais lire ?

L'enfant fait non de la tête.

— Tu sais compter ?

Ça oui, il sait compter. A toute vitesse, il récite, sur un air de comptine :

— *Wâhed, zouje, tlâta, arb'a, khamsa, setta, seb'a, tmania, tseû'd, 'achra...*

Je l'arrête à dix, tandis qu'il tend la main, répète :

— La casbah...

Pendant que je l'observe, en m'amusant de sa vélocité appliquée, une couleuvre se glisse dans mon esprit. Si je l'envoyais à l'agence, demander après Rocco Messina ? Excellente idée, bien sûr, à condition que le bel Italo-Américain n'ait pas changé d'identité...

— Un dirham, *sidi*.

Le gosse a diminué son prix de moitié. J'aimerais lui faire plaisir, mais, même gratuitement, je n'irai pas visiter la casbah. Inutile qu'il insiste !

— Écoute, dis-je, si tu me rends service, ce n'est pas un dirham, mais cinq que je te donnerai !

Ses pupilles s'agrandissent encore, brillent de convoitise :

— Tu veux visiter les bordels ?

Et il ajoute, clignant de l'œil :

— Il y a des bédouines toutes nues, avec plein de tatouages. Tu vois tout par une glace et elles ne te voient pas.

— Ça ne m'intéresse pas, dis-je. Tu t'appelles comment ?

— Caleb.

— Eh bien, Caleb, voici ce que je te propose : tu connais l'hôtel Astoria, rue Murillo, à côté des Galeries ?

— Oui, *moulay*.

— C'est là que j'habite. Viens devant à neuf heures.

Je crois que j'ai trouvé comment l'utiliser, ce gosse. Si je reconnais quelqu'un qui sort du Venezia, je dirai à Caleb de le suivre. Je saurai ainsi où va mon client, sans être repéré.

Je lui glisse une pièce :

— Je compte sur toi. Neuf heures !

Il rit. Il disparaît, sautillant à cloche-pied.

Évidemment, si Rocco ne vient pas au restaurant, mon plan tombe à l'eau. Le sésame, c'est cette agence, ou alors Manouche...

... Manouche, qui apparaît sur le pas de la porte du Venezia, son sac à la main. Elle parle à quelqu'un qui se trouve à l'intérieur de son restaurant. Puis, elle s'éloigne à petits pas. Je la reconnais. Je revois la photographie que Roblin m'avait sortie de son dossier. Elle a une belle gueule, Mme Germaine Germain, et des formes appétissantes sous la gandoura qu'elle porte pour se donner l'allure du pays. Elle ne va pas loin. Elle entre dans un immeuble de la rue Vermeer — encore un de la mafia des peintres ! J'entends une clé fourrager dans une serrure. Manouche habite là.

Ni une, ni deux, je suis. Je colle mon oreille à la cloison de l'appartement. Rien. Aucun bruit. Cloué sur le palier, je retiens ma respiration.

Je la reprends d'un coup, quand une portière claque devant l'immeuble. Je n'ai que le temps de me jeter dans un débarras. Je referme sur moi une porte bancale.

Une ombre passe. L'angle d'une caisse me meurtrit les côtes. J'aurais bonne mine si on me découvrait,

172

vautré, à demi couché au milieu des boîtes de carton et des caisses... Une porte s'ouvre, se referme.

Je sais que je risque gros, mais c'est plus fort que moi : je ne peux pas laisser passer une occasion. Vienne qui veut, tant pis. Je ressors de mon placard, je colle mon oreille au panneau. Si je pouvais entendre la voix de Rocco, cette voix que je connais si bien ! Je respire le plus lentement possible, afin de comprimer les battements de mon cœur. Je me concentre sur mes oreilles. J'adresse une prière au dieu des flics, pour que Manouche ne surgisse pas tout d'un coup.

Une voix d'homme me parvient. Un Français. Je capte bien quelques termes de la conversation, mais il m'est difficile de comprendre de quoi il s'agit. Puis, la voix de Manouche sonne, très forte :

— J'en ai marre, tu comprends, que tu flambes mon pognon ! Et que tu t'envoies cette morue de Hollandaise. Jo me l'a dit. Et Jo, il raconte pas d'histoires !

Je ne perçois plus qu'un vague murmure de l'adversaire mâle, couvert par une sonnerie de téléphone. La voix prononce des chiffres auxquels j'enrage de ne pouvoir donner aucun sens. Ça dure une bonne minute. Puis c'est le déclic de l'appareil, suivi d'une phrase gouailleuse de Manouche :

— Tu le vois au cercle, Jo, ce soir ?

— Non. Il joue au couche-tôt, il doit partir de bonne heure demain.

Après, ça s'enlise dans des propos sur la comptabilité du Venezia. Aucun intérêt. Pas la peine de risquer de me faire voir pour entendre ça. Je quitte l'immeuble de la rue Vermeer. Devant la porte, je tombe en arrêt sur une Pontiac vert pomme. Un vaisseau de luxe. J'en note le numéro, à tout hasard : une immatriculation de Tanger.

L'angle d'une vieille bâtisse, au bout de la rue, m'offre son abri pour dix minutes de planque. J'attends plus de trois quarts d'heure. Pour rien.

Je vais finir par me faire repérer, accroché au mur comme un épouvantail à moineaux. Les gens se retournent, m'examinent. Si seulement j'avais Hidoine avec moi. Mieux : Marlyse. Difficile de courir, seul, plusieurs pistes à la fois.

Et si je demandais du renfort à Paris ? Bonne idée. Je vais téléphoner au Gros. Discrètement, le plus discrètement possible, d'un endroit où on ne peut surprendre notre conversation. En P.C.V., encore. Dans l'état d'excitation où l'a plongé l'affaire du Gringo, il acceptera le prix de la communication. Le temps de demander l'adresse de la poste centrale à un passant et me voici boulevard Mohammed-V.

Pour l'exotisme, je suis servi. C'est curieux, un bureau de poste. Un peu comme un hall de gare. Ça grouille de gens bizarres, élégants ou dépenaillés, vociférants ou silencieux. Toutes les races, toutes les peaux, toutes les couleurs, s'y croisent. J'accroche le regard triste d'un caravanier en guenilles, venu de son douar lointain, incapable de s'exprimer, figé contre le support des annuaires téléphoniques, un papier à la main.

La voix de Mme Lœil couvre la friture de l'écouteur :

— Il n'est pas là pour le moment, le patron. Je vous entends mal.

Moi, je ne l'entends plus. Je secoue le combiné, l'éloigne, le rapproche. Des voix se mélangent, puis tout redevient audible.

— Je disais qu'il est inquiet que vous n'ayez pas encore donné votre point de chute, reprend Mme Lœil. Il avait une indication intéressante pour vous, mais je ne sais pas si je dois vous en parler...

Elle m'aguiche, la garce, me fait mariner au bout du fil.

— Allez-y, quoi !

— Voilà. Un message d'Interpol est arrivé. Le F.B.I. a identifié Rocco comme étant l'assassin d'un commissaire turc. Il se fait appeler John Moore ! Je ne vous ai rien dit, n'est-ce pas ?

Liliane se lève, tire les rideaux, ouvre les volets, retrouve le panorama, désormais familier, de la plage de sable étalée à l'infini. De nombreux bateaux rentrent au port. Il est cinq heures de l'après-midi. Sa sieste s'est prolongée.

Liliane gagne la luxueuse salle de bains de marbre rose, descend les deux marches de la baignoire-piscine encastrée dans le sol. De la pomme de douche en cuivre, jaillit un jet glacé qu'elle dirige sur son visage, heureuse d'avoir le souffle coupé.

Tout son corps se hérisse sous la morsure froide. La douche ne dure que quelques secondes. Vite, elle s'enveloppe du drap de bain, se frictionne, avant de brosser ses longs cheveux noirs qu'elle secoue pour leur donner un mouvement. Ils retombent sur ses épaules en un savant désordre.

Elle se maquille à peine : un soupçon de rouge à lèvres. Dans sa garde-robe, derrière la glace à vitre biseautée, elle choisit une jupe blanche et un chandail de jersey bleu marine.

Elle descend l'escalier, sur le tapis épais. Tout respire la richesse, dans cette maison. Un luxe un peu hétéroclite parfois, les meubles espagnols côtoyant les meubles français, leur seule parenté étant de coûter cher et d'être d'époque.

Le soleil inonde l'immense living-room, au bas des marches. Là encore règnent les tapis et les meubles opulents. Mais s'y ajoutent de vastes jardinières débordant de fleurs multicolores, qui donnent à la pièce aux hautes baies un air de jardin intérieur qui se prolonge

175

par la pelouse et les massifs au-delà desquels on entend le brouhaha des voitures qui sillonnent l'avenue d'Espagne.

— Vous monterez refaire mon lit, Zénata. Après, vous pourrez partir.

La fatma acquiesce, tout en redressant quelques coussins du sofa sur lequel Liliane va se laisser aller, les jambes reposant sur un pouf de cuir blanc.

Elle s'est à peine installée, feuilletant un journal de mode, que le téléphone sonne. Elle décroche. C'est Rocco sans doute. Elle retient son souffle, heureuse et émue. Non, ce n'est pas Rocco. C'est Benutti, son associé.

— Désolé de vous déranger, vous êtes libre ce soir ?

Liliane hésite quelques secondes. Ses sourcils se froncent. Il n'est pas dans les habitudes des amis de Rocco de se manifester. Seuls, Don Genco et Luciano ont appelé jusqu'ici. L'agence sert d'écran, d'ordinaire. Ils se comptent sur les doigts d'une main, ceux qui connaissent le numéro des Sables d'Or.

Elle répond enfin :

— Oui... Pourquoi ?

— Je vous invite. Je passe vous prendre à neuf heures et demie. On ira au Venezia.

— Merci, dit Liliane. Habillée ?

— Pas la peine, dit Jo. Venez telle que vous êtes. Il faut que je vous explique quelque chose. D'accord, à neuf heures trente pile. Je sonnerai à la porte.

Liliane repose l'appareil, songeuse. Que signifient les paroles de Benutti : « Il faut que je vous explique quelque chose ? » Y aurait-il des menaces pour Rocco et pour elle ?

19

C'est tout autant pour calmer mes nerfs que pour faire le point, que je rejoins mon hôtel par le chemin des écoliers. Il est cinq heures. Il y a un monde fou, sur le boulevard Pasteur. Je m'approche d'un attroupement, devant le siège de la compagnie maritime Bland Lines. Un charmeur de serpents fascine son public avec la mélodie de sa flûte. Les têtes de deux reptiles sortent d'un panier d'osier posé sur le sol, ondulent quelques instants, puis, sur une note plus sèche accompagnée d'un geste de la main, disparaissent dans leur cachette. Ma curiosité de badaud satisfaite, j'emprunte la rue Delacroix, qui me ramène invariablement rue Vélasquez. Des musulmans sont assis, les jambes repliées, sur le seuil des maisons. Certains dorment sous leur burnous, ou font semblant. D'autres discutent. Des femmes voilées, portant au bras leur bébé suceur de pouce, tendent la main. Un écrivain public rédige sur ses genoux la lettre que lui dicte un géant noir dont le crâne chauve a des reflets bleutés. Un âne aux flancs chargés de paniers attend, la tête basse, devant un café maure.

Le hasard me fait repasser devant l'agence immobilière. La tête aux cheveux nattés de la secrétaire est penchée sur un registre. Une idée inattendue me traverse l'esprit. Une de ces initiatives qui germent subitement et qui, je dois le dire, ne m'ont pas trop mal réussi jusque-là.

J'abaisse le bec-de-cane. Me voici dans la place. L'employée est encore plus ravissante de près que de loin. Elle lève vers moi ses yeux immenses et noirs. Le soleil caresse ses cheveux. Elle n'a pas abusé du henné. Juste quelques reflets dans la lumière. Elle est jeune. Dix-huit ans, pas plus. La fraîcheur, l'ingénuité ajoutent à son charme.

— Le patron n'est pas là ? dis-je en lui décernant le plus charmeur de mes sourires.

Je ne sais pas encore ce que je vais dégoiser. J'espère que mon boniment se tiendra. Elle répond à ma question en secouant la tête :

— Il est à Larache pour la journée. Il sera là demain après-midi.

— Ah !

Je mets tout mon désappointement dans ce « ah ». La jeune fille s'inquiète :

— Si je peux vous rendre service.

— Peut-être, dis-je, l'air désabusé. C'est pour une location.

— C'est en effet lui qui s'en occupe, dit-elle... Vide ou meublé ?

— Meublé, dis-je avec assurance. Quelque chose de bien, pas trop cher.

J'enregistre son geste évasif, en même temps que son regard vers un classeur métallique, dont le tiroir entrouvert laisse apercevoir une série de fiches mouvantes sur rails. Que ne donnerais-je pour pouvoir jeter un coup d'œil sur ces cartons !

J'enchaîne :

— C'est un de mes amis, de la Banque marocaine du commerce extérieur, qui m'a recommandé votre agence.

Le calendrier de l'honorable établissement bancaire, accroché au mur, vient de me permettre un coup de poker. L'adresse, 17, rue de Belgique, est mentionnée en lettres grasses sur fond blanc.

— M. Lebarthois ?

— Non, Cerisole.

Le nom de Liliane m'est venu comme ça, tout d'un coup. Il fait mouche ou pas ? J'attends. Non. La jeune fille ne cille pas. Pas de Cerisole connu à l'agence.

Si je tentais « John Moore » ?

Mais, n'est-ce pas dangereux de lancer le nom, tout de go ? J'y vais, je n'y vais pas ? Je ne suis pas tranquille. Je risque gros, je le sais. Le gérant ne sera pas là avant demain après-midi. Il peut s'en passer des choses, d'ici là. Tant pis, je joue ! Un temps d'incertitude et d'angoisse et j'ouvre la bouche...

... La sonnette de la porte d'entrée tinte dans mon dos, coupe mon élan. Je me retourne. Je n'en crois pas mes yeux.

Je me demande comment j'arrive à garder mon calme.

Je cherche Rocco et c'est Baker [1] qui surgit comme un diable d'une boîte ! Richard Baker, lui-même, le très *Special Agent* du F.B.I., le chouchou de Son Excellence John Edgar Hoover !

Un Baker décontracté, le cheveu blond et court, *made in U.S.A.,* la prunelle lavande et la mâchoire masticatrice.

Baker, mon complice et mon ennemi bien-aimé dans l'affaire Messina. Toujours élégant, le Yankee, dans un fil-à-fil de couleur grise sur des chaussures noires, la cravate claire assortie à la pochette.

Il a l'air heureux de me revoir. Pas tellement surpris, à vrai dire. Toujours son flegme, qu'entretient le

1. Voir *le Ricain.*

chewing-gum. Il fait passer la masse caoutchouteuse dans sa joue gauche, sourit largement :

— *How are you,* Roger ?

Heureusement, il n'a pas prononcé mon nom. Il est trop expert pour faire ce genre de gaffe. Mon air sidéré ne semble pas l'émouvoir outre mesure. J'ai du mal à reprendre mes esprits. Je m'adresse à la jeune fille avec un air de connivence :

— Justement, mon ami Shanon cherche comme moi une villa. Mais je suis le premier, n'est-ce pas, mademoiselle ?

Elle semble me préférer à Baker, si j'en juge à sa mimique amusée. Excellent, ça. J'en profite pour lui faire le coup de la carte forcée. Je suis prestidigitateur, à mes heures. J'ai appris cela lorsque j'évoluais sur les planches, sous le nom de Roger Bor. Je fréquentais les illusionnistes. Dans les tours, la confiance en soi se communique aux spectateurs. « Qui a confiance en soi conduit les autres », dit Vieuchêne. La carte forcée, ce n'est pas difficile. Il suffit de faire prendre et reprendre par l'assistance la même carte dans un jeu coupé, recoupé et battu plusieurs fois. Invariablement, elle se glisse dans les doigts qui se tendent.

— Ces Américains se croient tout permis, avec leurs dollars, dis-je. C'est exactement comme John Moore.

Je marque un court arrêt avant de poursuivre.

— Il est bien gentil Moore, mais si je l'écoutais, je ne louerais pas, j'achèterais.

Baker a capté mon rapide clin d'œil. Il sourit, sans pour autant comprendre. Le coup de la carte ne semble guère émouvoir la gazelle du désert. Elle n'a pas réagi au nom de Moore. La guigne ! Il a dû louer sous un autre nom.

Désagréable, cette sensation de capoter. J'insiste lourdement, m'adressant à Baker :

— C'est vrai. Vous le connaissez, vous, John Moore ? Il veut changer de coin parce que c'est trop bruyant.

J'ai peut-être lancé la carte un peu vite. La jeune fille la saisira-t-elle, oui ou non ?

— Ça m'étonnerait, dit-elle en secouant la tête d'un air de ne rien y comprendre. Les Sables d'Or, c'est la mieux placée sur la plage. La vue et tout... Juste assez isolée.

Je ressens tout d'un coup une véritable jubilation. En même temps, mes jambes deviennent molles. Sur un jet de dés, comme ça, je viens de cueillir l'adresse, ou presque. Je garde sur les lèvres un sourire qui ne signifie rien. J'observe le délicieux visage. Non, elle ne peut pas se douter !

Il faut que j'embraye tout de suite sur autre chose, pour chasser Moore de la tête nattée :

— Je pars demain pour Casablanca, dis-je. Je repasserai voir votre patron en fin de semaine. Ça ira ?

Les jambes caramel pivotent en même temps que le fauteuil de bureau. J'admire. Elle se lève, va consulter un agenda sur le bureau ministre, tourne les pages avec une lippe qui la rend plus enfantine encore :

— Samedi, oui, dit-elle. Samedi après-midi, si possible.

— Eh bien, nous reviendrons ensemble, ajoute Baker en me prenant par le bras. Et, si la villa de mon ami est plus jolie que la mienne, je vous en voudrai, croyez-moi, mademoiselle.

Il la menace gentiment du doigt, tandis qu'elle referme, amusée, la porte sur nous.

Richard Baker a l'air tout à fait paisible, quand nous tournons le coin de la rue. Mon cœur cogne. Je triomphe. Il suffit de repérer les Sables d'Or, de planquer, et de l'investir le moment venu. Ou, simplement, d'attendre la sortie du Gringo et de le ceinturer sans qu'il ait le temps de réagir. Puis, le conduire au poste de police le plus proche, et rentrer. Quel poste de police, au fait ? Je ne m'en suis pas préoccupé. Et s'ils sont aussi corrompus que le prétend Roblin, ils sont capables de le faire évader.

Non, je le ramènerai en France. Je câblerai à Marseille, que deux « mobilards [1] » viennent me donner un coup de main. Ce sont les plus proches pour faire le saut. En une heure d'avion, ils peuvent être là.

Baker me regarde en mâchouillant son éternel chewing-gum. J'ai l'impression qu'il lit en moi à livre ouvert. S'il rayonne à ce point, c'est sûrement parce qu'il se rend compte que j'ai tiré pour lui les marrons du feu. Tandis que nous cheminons vers son hôtel, le Rif, avenue d'Espagne, il m'explique ce qu'il venait faire à l'agence immobilière : le gérant n'est rien d'autre qu'une antenne de l'ambassade américaine. Hoover, son patron, a lancé une offensive contre la mafia de la drogue. Plus spécialement contre Luciano et Messina, avec qui il a des comptes à régler. Ses agents ont identifié l'assassin du commissaire Mustapha Abdin comme étant John Moore, venu en Turquie entre deux avions. Ils ont retrouvé la trace de son passage à l'hôtel Pera, un vieux palace d'Istanbul où le richissime Samy Ghourian a l'habitude de loger ses amis. En vérifiant les manifestes des compagnies, ils ont repéré les allées et venues de Rocco entre l'Italie et la Turquie. Les fiches de la police italienne ont révélé ses envols pour Tanger. Il n'y avait plus qu'à se servir des multiples antennes des services américains. Le plus drôle était que Rocco, alias John Moore, soit allé droit à l'agence de la rue Vélasquez.

— Nous revoilà tous les deux sur la même affaire, conclut Baker en me donnant une tape magistrale entre les épaules.

J'encaisse, sans enthousiasme. A vrai dire, je suis

1. Inspecteurs des brigades mobiles de P.J.

atterré. J'ai tellement couru pour en arriver là ! On a l'air malin, les flics français, devant le F.B.I. !

— Vous voyez, ironise Baker en m'octroyant une autre tape aussi forte, vous vouliez louer la villa le premier. Je pourrais vous renvoyer la plaisanterie en arrêtant Messina avant vous ! Mais, comme nous sommes de vieux amis, nous allons opérer ensemble. Toutefois, je dois vous prévenir. Je suis arrivé ce matin et demain, au plus tard, Messina sera enlevé et embarqué dans un avion à destination de Washington. D'ailleurs, vous ne pouvez rien faire ici. Il n'est pas français, Messina.

— Je sais, dis-je, un peu agacé par sa bonne humeur suffisante, mais vous, vous ne saviez pas qu'il était aux Sables d'Or.

— Ce n'était qu'une question d'heures.

J'encaisse mal. Le Gros va fulminer. C'est vrai que je ne peux pas arrêter le Gringo sans mandat international. Le temps que Paris le délivre et qu'il arrive à Tanger, le F.B.I. aura travaillé.

Je suis si déconcerté, si furieux, que j'envisage n'importe quoi. Une idée aussi folle qu'avertir le Gringo, tout simplement ! En France, est-ce qu'on se gêne pour arrêter les informateurs des polices concurrentes ?

Je passe la main sur mes yeux. Imaginer des choses pareilles. Non. Il faut sauver l'honneur, d'accord, mais pas comme cela. J'entends déjà la conclusion de la tirade lorsque je vais annoncer au Gros l'arrivée du F.B.I., ici même.

— Vous allez encore vous faire couillonner, mon pauvre Borniche ! Comme aux États-Unis. Et moi, je vais avoir bonne mine si c'est Hoover qui arrête Messina !

Au diable, le Gros ! Il fait beau à Tanger. Baker aborde d'un pas décidé le bout de la rue qui nous mène à son hôtel.

C'est un établissement de luxe, avec piscine et vue imprenable. Ils ne s'ennuient pas, les agents du F.B.I. ! Déjà, l'an dernier à Paris, il avait choisi le Bristol.

J'ai marché jusqu'au palace local comme un automate, ruminant mes pensées, tandis que Baker, intarissable, se rappelait le bon temps de son séjour avec les petites femmes de Pigalle. Le folklore, quoi ! Je le suis dans l'ascenseur, qui nous conduit à un couloir tendu de bleu, où des lampes de cuivre ciselé distribuent des reflets rougeâtres. Il ouvre la porte de sa chambre :

— Remettez-vous, dit-il en jetant sur le lit un Smith & Wesson impressionnant. Nous allons d'abord aller dîner. Et après, nous irons reconnaître les lieux.

Je pense à Caleb. Je lui ai fixé rendez-vous à neuf heures devant mon hôtel. Il peut nous être utile, le petit Caleb, pour repérer la fameuse villa des Sables d'Or ! A neuf heures, je le retrouverai, que le dîner soit ou non terminé.

20

Richard Baker conduit au long de l'avenue d'Espagne, déserte à cette heure. Je me suis assis à côté du jeune Marocain sur la banquette arrière. Nous étudions le terrain à travers la vitre.

— Par là ! dit soudain Caleb quand nous passons près de l'avenue Vespucci, devant la ligne de chemin de fer.

Il indique à Baker de revenir sur ses pas. Souple et silencieuse, la Studebaker effectue un savant virage. Nous longeons des propriétés d'un luxe discret, disséminées dans les parcs.

Caleb me presse le bras :

— Tu vois, là-bas, où il y a plein d'orangers.

Le jardin de la villa est entouré d'une barrière couverte de fleurs grimpantes. La maison est plus cossue que belle, avec son toit-terrasse d'un blanc immaculé, son étage aux baies hautes, au-dessus d'un rez-de-chaussée surélevé, son portique couvert de roses en haut de l'escalier extérieur. Un vase suspendu fait office de lanterne. Il est allumé, éclairant une porte de fer forgé.

Nous passons lentement devant la plaque *les Sables d'Or,* à peine visible à travers les feuilles, du côté droit du portail. La lune éclaire une courette où est garée une Cadillac métallisée.

Baker accélère. Pour dérouter Caleb, je soupire :

— La maison est trop isolée. Ça ne plairait pas à ma femme. Tant pis. On te dépose où ?

Caleb hausse les épaules :

— Où tu veux. Devant le cimetière juif, si tu vas par là.

Il a bien mérité les cinq dirhams que je lui avais promis. J'ajoute une pièce, pour faire bonne mesure. Il sort de dessous sa chemise une petite bourse de cuir, desserre le lacet, glisse la monnaie à l'intérieur, resserre le lacet avec soin. Ses yeux brillent. Un bout de langue apparaît entre ses dents, signe de concentration :

— Et le bordel, *sidi ?*

— Un autre jour, Caleb. Ce soir, je suis fatigué.

Il part en sautillant, faisant tourner au bout du lacet le sac de cuir qui renferme sa monnaie.

Je n'ai pas quitté la banquette arrière. Je trouve que Baker fait très chauffeur de maître. Il vire de nouveau, reprend le chemin de la villa. Il s'arrête à une centaine de mètres, éteint les lanternes, coupe le contact.

— Regardez, dit-il.

J'avais déjà vu. Une voiture blanche s'est arrêtée devant les Sables d'Or, les veilleuses allumées. Je porte à mes yeux les jumelles que me tend Richard, reliées par un fil à un transformateur. Miracle, j'y vois comme en plein jour. A peine moins net. Je lis la marque de ces engins sophistiqués : *Bauch and Lomb, made in U.S.A.,* évidemment.

J'effectue la mise au point, tandis que Baker manipule déjà un Canon à téléobjectif. J'entends la série de clic-clacs.

— Le type n'est pas grand, dit-il. Et ce n'est pas Rocco.

Non, ce n'est pas Rocco ! Je distingue parfaitement, dans les lentilles à infrarouges, la silhouette et le visage d'une vieille connaissance, l'habitué des trafics en tous genres, l'abonné aux mandats d'arrêt et aux non-lieux, Sa Majesté Jo Benutti 1er en personne !

Joseph-Dominique Benutti ne mesure qu'un mètre cinquante. C'est peu, pour un personnage qui, dès sa jeunesse, s'est habitué à être considéré comme un caïd. Il souffre de cet handicap et le refus du sentiment d'infériorité qu'il pourrait en concevoir n'est certainement pas étranger à la volonté de puissance qui l'anime. Il est enfant lorsque son père meurt. Livré à lui-même, il commence à fréquenter les voyous du Panier, ce quartier de Marseille aux rues en lacis, où la police elle-même n'aime pas à s'aventurer. A l'âge de vingt ans, il subit sa première condamnation, pour port d'arme prohibée.

C'est déjà une figure peu banale. Non tant par son visage au teint mat, nez busqué, menton à fossette, ni par les cheveux rejetés à l'arrière, que par sa façon de parler. Il hésite comme si quelque chose, dans sa gorge, entravait la prononciation et cette incertitude lui confère l'apparence d'un homme posé, qui prend le temps de réfléchir et qui tourne, comme on dit, sept fois sa langue dans sa bouche avant de parler. Mais lorsqu'il s'énerve, le bégaiement jaillit comme une menace. L'interlocuteur préfère alors rentrer ses griffes, voire battre en retraite, plutôt que de subir l'étrange discours du Corse contrarié, dont l'arme de gros calibre déforme la poche droite du veston.

Sous l'Occupation, comme ses amis Girola, il fait semblant de jouer la carte allemande. Mais il sait que lorsque le nazisme s'écroulera, beaucoup de ses protégés le suivront dans sa fuite. Aussi, héberge-t-il des résistants, ce qui le met à l'abri de l'épuration. A la Libération, il continue d'évoluer impunément en marge de la loi.

Innocence, malentendus, manque de preuves ? M. Jo

pose de plus en plus au citoyen au-dessus de tout soupçon. Il se déclare même prêt à aider la justice chaque fois qu'il le pourra. Pour se rendre utile, il lui faut se faire une idée du comportement des marginaux. Pour quelle autre raison aurait-il assisté au débarquement nocturne, dans la crique de Callelongue, de sept mille cinq cents cartouches de cigarettes de contrebande en provenance de Tanger à bord du yacht *Combinatie ?* L'honorable M. Jo est même accompagné de policiers, en congé justement ce jour-là, qui ne pouvaient le laisser seul dans une mission aussi exceptionnelle. Après un semblant de délibération, les juges le relaxent.

M. Jo s'installe au Maroc. Le voici administrateur de sociétés. Il vend des cigarettes, des filets de pêche... Il devient surtout l'heureux propriétaire de l'hôtel de la Palmeraie, à Ain-Diab, dans la banlieue de Casablanca. Il double sa mise avec le bar Venezia, rue Murillo, à Tanger ; dont il confie la direction à Manouche, l'ex-femme de feu son ami Carbone. Et, pour assurer une totale tranquillité à ses trafics entre Tanger et la côte provençale, il prend le titre, très officieux, d'antenne des services spéciaux pour le Maroc !

— C'est Benutti, dis-je à Baker. Un truand français, vicieux comme pas un. Un spécialiste des cigarettes américaines et des abordages en pleine mer. Rocco a dû l'inviter à dîner.

Baker repose son Canon sur la banquette, sans quitter la villa des yeux.

— Sûrement pas, dit-il, judicieux. Il a laissé ses lanternes allumées.

Nous n'avons pas à attendre longtemps. Benutti réapparaît en compagnie d'une silhouette féminine. Baker mitraille le couple tandis que dans mes jumelles se dessine, malgré le halo et la grisaille que provoquent les rayons, la beauté un peu vulgaire du visage de

188

Liliane Cerisole. Rien, bien sûr, ne peut me faire davantage plaisir.

M. Jo, galant, ouvre la portière droite pendant que Liliane s'installe, en une discrète glissade de jupe. Il démarre dans notre direction. Nous nous aplatissons, le temps que la Cadillac, une seconde, nous éblouisse de ses phares. Quand l'obscurité revient, les feux rouges de la luxueuse limousine disparaissent vers le centre de la ville.

— On les suit ? interroge Baker.

— Non, dis-je, histoire de prendre ma revanche sur le champion du F.B.I. Ils ont laissé la lumière du perron allumée, ils vont donc revenir.

J'ajoute, pour faire bonne mesure :

— Le Gringo ne doit pas être là. Alors, Benutti invite sa femme.

— Ou ils vont le retrouver, marmonne Baker.

Il démarre en souplesse, va garer sa voiture, au ralenti, devant le portail d'une propriété déserte, coupe le contact. Il sort de sa poche une minuscule boîte en ébonite que je prends d'abord pour un gros caramel, d'où émergent trois fils assez courts : un noir au milieu, un rouge à droite, un jaune à gauche.

— Venez, dit-il, sans se soucier de mon étonnement.

J'espère qu'il ne va pas placer son engin pour faire sauter la maison ! Avec ces Américains, il faut s'attendre à tout. Les tonneaux de poudre et les situations explosives, moi, je commence à en avoir plein le dos.

— Je vous mets au premier, vous serez bien, dit Manouche. A moins que vous ne préfériez un coin tranquille, dans la pièce du bas...

— En bas, si vous voulez, dit Jo.

Il a du succès, le restaurant de Manouche. La salle du Venezia est comble. Liliane parcourt des yeux les physionomies. La satisfaction de la richesse marque les visages. L'élégance, le luxe, l'argent... Les parures scintillent sous les lampes. C'est le rendez-vous de la banque, du négoce, du trafic. Chacun baisse la voix, ignore les dîneurs des tables voisines.

Jo se fraie un passage vers une table d'angle, serrant les mains au passage, avec le sourire équivoque d'un homme politique en tournée électorale.

Dès qu'ils sont assis, Manouche propose, l'air attentionné :

— Je vous offre une coupe de champagne ?

— Krug, dit Benutti, le champagne du roi.

— Le roi des champagnes, conclut Manouche qui tend la carte du dîner avant de retraverser la salle, de sa démarche de belle fille un peu lourde.

Jo se penche vers Liliane, demande à voix basse :

— Vous avez de ses nouvelles ?

Elle fait un signe négatif de la tête.

— C'est encore trop tôt. A peine trois heures, là-bas. Il m'appelle dès qu'il arrive. Pourquoi ?

— Les miennes ne sont pas excellentes, dit Benutti. Regardez.

Il sort de sa poche une circulaire de recherche. La photographie de Rocco, de face et de profil, saute aux yeux de Liliane. Un cliché qui est la reproduction de celui que les services américains possèdent. Devant l'opérateur des services d'immigration, le Gringo sourit. La photo date de plusieurs années. Malgré la rudesse officielle du cadrage, Liliane s'émeut devant le regard sombre et l'expression virile de son amant. Sur l'angle droit de la circulaire, elle lit, comme un label : « *Wanted.* »

— Ils l'ont identifié sous son faux nom de John Moore, dit Benutti. Mais ce n'est pas tout. Un flic du F.B.I. a débarqué. Envoyé par Hoover. Un certain Richard Baker. Il loge au Rif.

Liliane, la gorge sèche, attend que la barmaid ait

déposé les coupes sur la table et tourné les talons pour s'inquiéter :

— Donc ils savent que nous sommes à Tanger.

— Apparemment, oui. Rocco n'a pas intérêt à y rentrer pour l'instant. Les Ricains, ici, font ce qu'ils veulent. Ils l'emballent et ils l'expédient dare-dare à Washington.

Liliane connaît Baker de réputation. C'est le *Special Agent* qui a récupéré la recette du casino de Las Vegas, détournée par Rocco en plein vol [1]. Dans *Life,* elle a vu une photographie de ce grand garçon svelte et blond, prise à son insu. Mais le reconnaîtrait-elle dans la rue ?

Jo Benutti secoue la tête, de façon dubitative :

— Vous avez intérêt à quitter Tanger vous aussi, dit-il. Et vite.

Elle le dévisage, étonnée :

— Mais... je ne risque rien, moi. Rien du tout !

— Vous croyez ? dit Jo, haussant les épaules. Vous n'avez pas lu la notice : « *Messina alias John Moore vit avec la nommée Cerisole Liliane.* » Vous risquez, tout simplement, de les conduire à Rocco. Et à nous par la même occasion. Ce n'est pas parce qu'ils travaillent dans l'ombre qu'ils ne vont pas se déchaîner, les flics ! Il paraît même qu'un Français doit s'implanter ici, pour tout arranger. Je suis suffisamment placé à la Sûreté nationale pour le savoir. C'est par là que j'ai eu la fiche de recherche.

Liliane n'a plus faim, tout d'un coup. Elle triture sa serviette :

— Vous me conseillez quoi ? demande-t-elle.

— De faire vos valises. Demain, à la première heure, je vous emmène à Malaga. C'est un accident de parcours, mais le Gringo en a vu tellement d'autres !

_____

1. Voir *le Ricain.*

Le clapotis des vagues trouble le silence de la plage. Aucune lumière ne filtre des volets de la villa, dont nous faisons le tour. Seule est toujours allumée la lanterne du perron.

Je ne peux m'empêcher d'observer Baker avec une certaine admiration. Sa maîtrise et son sang-froid m'impressionnent. C'est aussi la précision de chacun de ses gestes. Sa lampe de poche fouille entre les pierres, trouve la boîte de raccordement du téléphone. Il sort d'un étui de tissu un tournevis, et l'introduit dans la vis supérieure. Le tout avec la décontraction que Monseigneur, le roi de la pince, qui m'avait ouvert la maison de Pierrot les Cheveux-Blancs à La Celle-Saint-Cloud, aurait en pareille circonstance.

La vis inférieure est retirée à son tour. Baker, toujours sans faire le moindre bruit, la lampe électrique entre les dents, détache un fil d'un plot de laiton, le fixe au fil jaune de sa boîte d'ébonite, puis entortille le fil rouge autour du plot laissé vacant. Il laisse pendre le tout à l'extérieur, cache le couvercle et les vis au pied d'un arbuste.

— Ça y est, souffle-t-il.

Il éteint sa lampe. Nous regagnons la Studebaker. Lorsque nous sommes assis tous deux, côte à côte dans le noir, il m'explique enfin de quoi il s'agit :

— J'ai posé un émetteur sur la ligne téléphonique, dit-il. Dès que la fille sera rentrée, nous pourrons, d'ici, capter ses conversations et les enregistrer.

Décidément, je n'ai pas fini d'en apprendre, avec ces techniciens du F.B.I. ! Pas étonnant qu'ils gagnent presque à tout coup, dans leurs enquêtes ! Ils ont des moyens que je n'ai jamais eus, et que j'ai peu d'espoir d'obtenir un jour. Ce n'est pas par le train et le bateau que Baker est arrivé au Maroc, lui ! Et il a déjà à sa disposition une belle américaine sur roues !

Il n'y a plus qu'à attendre. Pas longtemps.

Une Cadillac s'engage sur la rampe qui conduit vers la villa.

Jo Benutti descend de voiture, ouvre la portière, murmure à Liliane quelques mots qui m'échappent. Il attend pour démarrer qu'elle ait ouvert la porte. J'aperçois la fine silhouette sur le perron du demi-étage. Elle fait à Jo un signe de la main, avant de disparaître dans la maison. La Cadillac s'éloigne. Le décor est replongé dans l'obscurité.

Les minutes me semblent maintenant interminables. Je commence à ressentir les effets de la fatigue. Je ferme les yeux. Soudain, je suis arraché à ce début de sommeil par un grésillement dans le haut-parleur de la voiture. Ma montre marque trois heures trente. Baker règle la puissance, appuie sur un bouton rouge. Une minuscule ampoule de même couleur s'est allumée sous le tableau de bord. Me voici tout à fait réveillé.

Liliane, préoccupée, se tournait et se retournait sans trouver le sommeil. Les avertissements de Benutti justifiaient son appréhension des derniers jours. La prédiction de la fatma se faisait plus inquiétante que jamais. Jo avait beau jeu de parler d'accident de parcours.

Le téléphone a sonné comme elle continuait à chercher le sommeil. Son cœur s'est mis à battre très vite. Haletante, elle a allumé la lumière, décroché :

— C'est toi ?

Elle se sent tout à coup envahie de bonheur. Rocco est au bout du fil, de l'autre côté de l'océan.

— Bien arrivé au Mexique, dit-il. Il est huit heures du soir, ici, et je pense à toi. Ça va ?

— Non, dit-elle, la voix oppressée. Jo voulait me voir. Nous avons dîné chez Manouche. Les flics sont sur toi, Rocco. Ce type du F.B.I., Baker. Et les Français aussi. Je quitte la villa !

— Ah...

— Tu dis ?

— Je dis « ah »... Il fallait s'y attendre.

Liliane lève les yeux vers la glace, pour voir s'ils reflètent la peur qu'elle ressent au fond d'elle-même. Le calme de Rocco ne la rassure pas. Au contraire.

— Où vas-tu aller ? demande-t-il.

— L'Espagne, pour le moment. Jo passe me prendre dans la matinée. Après...

— Après, tu attends mes instructions. Que Jo t'avance les frais. Tu sais comment me toucher par le Camino Real. C'est le seul hôtel de classe à Mexico. A bientôt, chérie.

Liliane considère un instant le téléphone redevenu muet. Elle ne risque pas de s'endormir, maintenant. Énervée, soucieuse, elle gagne le dressing-room, en sort ses deux valises de cuir fauve. Heureusement qu'elle n'a pas tellement d'affaires à emporter. Avec la vie que Rocco lui fait mener !

SUPERVISOR RICHARD BAKER CONSULAT US TANGER À DIRECTION F.B.I. DEPARTMENT OF JUSTICE PENNSYLVANNIA AVENUE WASHINGTON — CONFIDENTIEL ET URGENT — ROCCO MESSINA DIT JOHN MOORE DIT GRINGO SUSCEPTIBLE SE TROUVER MEXICO-CITY OU RÉGION — STOP — SERAIT RELATIONS AVEC OCCUPANT OU PERSONNEL HOTEL CAMINO REAL 700 MARIANO ESCOBEDO — STOP — FAIRE PROCÉDER ENQUÊTE DISCRÈTE PAR POLICE MEXICAINE — STOP — FILATURE MAÎTRESSE LILIANE CERISOLE PERDUE. — STOP — VÉRIFICATIONS FERRY-BOAT TANGER-MALAGA NÉGATIVES — STOP — ENVOYER INSTRUCTIONS — FIN — BAKER.

TROISIÈME PARTIE

VIVA MEXICO !

21

Le Gringo remercie la Guadalupe, la très sainte
Vierge du Mexique à la peau cuivrée d'Indienne, de lui
faire don à lui, Rocco Messina, d'une si belle matinée de
novembre. Le ciel est éblouissant de lumière, et ce
Sicilien de Gringo se sent plus en condition que jamais.
Le jeune loup sifflote, en se rasant, la plus longue
chanson de berger de son répertoire. Un coup d'eau de
toilette, et il est prêt à affronter la ville, protégé, par ses
lunettes noires, des attaques trop vives du soleil et des
regards trop curieux des policiers.

Le courrier de la Mexicana de Aviación a déposé le
Gringo à Las Bajadas, l'aéroport de Veracruz. La plus
grosse quantité de drogue jamais importée va toucher la
côte orientale à Mandinga, dans la soirée. Sitôt recueil-
lis par des pêcheurs payés quelques dizaines de pesos à
peine, les sacs étanches atteindront, de nuit, la piste de
terre battue de la lagune. L'avion de Juan Martinez, le
pilote de la Mafia, les déposera ensuite à Tijuana, sur la
côte Pacifique, à la frontière américaine.

Rocco Messina adore se griser de bien-être. Tous les
pays de soleil, du Maroc au Mexique, de l'Italie aux
États-Unis, lui donnent cette sensation d'être bien dans
sa peau, de faire jouer ses muscles avec bonheur, sous la
teinte rassurante du bronzage.

« Mon fauve », dirait Liliane, si elle le voyait allonger

le pas sur la plaza de Armas, parcourant les galeries qui la bordent d'un œil distrait, lointain. Un fauve, oui, un félin souple et beau, avec ses griffes rétractiles. Le plus dangereux des félins, qui sait faire patte de velours...

Hier soir, au centre de Veracruz, Rocco a vu déambuler les joueurs de *marimba,* les mendiants ivres qui bousculent les étalages des marchands de coquillages et d'écailles de tortue. Il aime Veracruz. Il se souvient de son ancien fief de Las Vegas [1] en écoutant les exclamations passionnées des joueurs de dominos, accrochés à leurs numéros et à leur verre de *tequila,* dans les petits cafés. Oui, à Veracruz le Gringo se sent à l'aise.

A mesure qu'il s'approche du port, Rocco perçoit plus distinctement les cris des dockers sur les quais. Les poissons invendus s'accumulent et puent. Un clochard dépenaillé, porteur d'une barbe jaune clairsemée, l'accroche par le bras. Le Gringo se dégage d'un mouvement d'épaule. Courageusement, il se lance dans le parcours du combattant : il enjambe la mosaïque des mangues rouges et jaunes étalées à même le sol, au côté des régimes de bananes et des ananas trop mûrs. Il repousse une Indienne qui vend des herbes magiques contre le mal d'amour. Il refuse la marchandise odorante d'un marchand de marijuana. Dans l'avenue Aquilas Serdán, il se retourne brusquement, comme s'il s'attendait à se trouver brutalement face à face avec un suiveur. Il s'engouffre, rassuré, dans un immeuble. Il gravit les marches branlantes jusqu'au quatrième et dernier étage. De nouveau, il vérifie qu'il n'a pas été suivi.

Ce n'est pas la première fois qu'il vient au domicile d'Emiliano Garcia. Pourtant, il éprouve toujours le même étonnement à la vue du palier si différent des

1. Voir *le Ricain.*

198

autres, encombrés de voiturettes, de bouteilles, de seaux débordant d'ordures ménagères. Ici, au contraire, les murs sont peints de couleur claire, au-dessus du soubassement de chêne ciré. Les carreaux de brique rouge sont régulièrement encaustiqués, les joints de ciment, savamment dessinés. La porte de bois vernissé supporte la tête en cuivre rouge de la Vierge, sous laquelle on peut lire : « *Toi qui viens en cet endroit, sois béni.* »

La jeune fille qui lui ouvre est une belle plante à la longue chevelure brune, bonnes joues rondes, taille fine et cambrée...

— *Buenos dias,* Consuela. Ton père est là ?

Elle fait oui de la tête. Dès qu'elle se retourne, elle sent le regard de Rocco qui la déshabille tout entière. Elle les connaît bien, ces regards d'hommes. Elle a le don de les aimanter, malgré son jeune âge.

Le Gringo n'a pas le temps de rêver sur les formes de la belle enfant. Déjà, le maître de maison apparaît. Un sourire de satisfaction se dessine sur sa face basanée, aux yeux en amande. Sa petite taille s'incline, avec les marques du plus profond respect :

— *Buenos dias, señor.*

Il précède Rocco dans une vaste salle à manger-cuisine éclairée par une meurtrière en guise de fenêtre. Par cette brèche ouverte dans le mur épais, Rocco aperçoit, de l'autre côté du port, le fort de l'île de San Juan de Ulúa, où les prisonniers, lors des grandes marées, surveillaient anxieusement la montée de l'eau dans les cellules.

Le mobilier de la pièce est sommaire. Un costume de cavalier mexicain, pantalon de cheval et veste brodée d'argent, est suspendu à un clou, au-dessus d'un divan-lit recouvert d'une mantille. Sur les murs, des éperons et des pistolets ciselés. Sur un escabeau, un immense sombrero.

— Asseyez-vous, *señor*. *Tequila*[1] ?

Rocco décline l'invitation. Il n'a goûté qu'une fois à cet alcool local, qui lui a brûlé la gorge. Le Gringo n'aime pas boire, et surtout pas ça. Rien que le rite de la pincée de sel et des gouttes de citron déposées sur le dos de la main, pour l'absorber, lui semble faire partie d'un folklore démodé. Comme les panoplies mexicaines de la décoration. Il préférerait un bon *expresso*. Et puis, il sait qu'Emiliano n'a pas intérêt à trop ingurgiter de *tequila*. Ça le rend nerveux, venimeux.

Ce qui est d'autant plus regrettable qu'Emiliano est, en temps normal, un *pistolero* dévoué, courageux. L'une des belles figures du « pistolarisme », cette institution nationale du Mexique, ramassis de professionnels de la gâchette, qui vous loue leurs services, dès lors que vous avez l'intention de vous débarrasser d'un gêneur. Mais il avait tenu à préciser, lors de son premier contact avec Rocco :

— Je ne suis pas un vulgaire *matón,* un tueur. J'assure la sécurité de mes clients, voilà tout.

Devant le sourire du Gringo, Emiliano avait expliqué que les villageois aisés, désireux de se faire un nom dans la politique, font régulièrement appel à l'organisation pour éliminer les opposants. Pour quelques centaines de pesos, un *pistolero* supprime proprement le gêneur. Traditionnellement mal payée et corrompue, la police est impuissante devant ces moyens d'action parallèles, d'une efficacité à toute épreuve.

Le Gringo désigne du menton le bâtiment de la douane, sur le quai.

— J'ai un chargement qui arrive ce soir, dit-il. Je ne voudrais pas que Luis Pelayo y mette son nez.

1. Boisson nationale de Mexique obtenue avec le jus d'agave fermenté.

200

— Pourquoi Luis, *señor* ? Ce douanier *estupido* est de garde ?

— C'est à toi de me le dire, Emiliano. Il habite Mandinga, je crois ?

— Si, *señor*. Au-dessus du port. Il a acheté une *casucha*[1], au fond d'un jardin.

— C'est bien ce qu'on m'a dit, fait Rocco, fronçant le sourcil. C'est justement à Mandinga que la marchandise doit être débarquée. Ça m'ennuierait que Luis Pelayo fasse du zèle.

Il tire une liasse de billets de sa poche, les pose sur la table avec nonchalance. Les yeux bridés de Garcia s'étirent davantage encore, luisants de convoitise :

— Très ennuyé même, répète Rocco, s'il mettait l'embargo sur mes sacs de plastique. Tu crois que tu vas pouvoir m'arranger ça, Emiliano ?

— A quelle heure vous opérez, *señor* ?

— Le bateau lancera sa fusée vers minuit. Les pêcheurs sont prêts à recueillir les sacs. L'un d'eux m'a prévenu, à Mexico City, que l'endroit était mal choisi. Luis Pelayo est insomniaque à ce qu'il paraît. Et je ne peux pas changer mes plans.

Du menton, le Gringo désigne les billets sur la table. Les yeux de Garcia brillent de nouveau. Rocco sort une autre liasse de sa poche.

— Fais pour le mieux, dit-il.

Emiliano s'incline.

— Comptez sur moi, *señor*. Je vais lui rendre visite à Pelayo. Je suis sûr qu'il va être compréhensif.

Assis sur une souche, à flanc de coteau, Emiliano observe la *casita* enfouie sous les branches. La lune se reflète, au-delà, sur les vaguelettes du port, inondant de

1. Baraque.

201

sa clarté blanche la longue plage bordée de sable fin, et, au-delà encore, les paillotes de la lagune.

Emiliano reste insensible à cette poésie nocturne. Ses yeux sont fixés sur le balcon de bois qui entoure le pavillon. Il attend.

— D'après ce que j'ai repéré, dit Consuela, j'ai l'impression que sa chambre est là, au coin, où il y a un peu de lumière.

Et tout de suite, comme pour lui donner raison, la porte-fenêtre s'ouvre. Luis Pelayo apparaît sur le balcon. D'un geste affectueux, à la fois protecteur et reconnaissant, Emiliano caresse les cheveux de sa fille :

— Très bien, murmure-t-il.

Le sergent-douanier Pelayo, en bras de chemise, s'accoude à la balustrade. Il promène sur la mer un regard circulaire. Le point rouge de sa cigarette se ravive par instants, dans la nuit. Un rire éclate derrière lui. Une silhouette de femme s'inscrit dans le cadre de la porte-fenêtre pour disparaître aussitôt. Pelayo s'est retourné, a jeté sa cigarette, a plongé dans la pièce, laissant la porte ouverte sur le balcon.

Emiliano s'adosse à un arbre, riant silencieusement :

— Tu vois, Consuela, on n'est jamais assez méfiant. Il faut savoir fermer ses fenêtres, surtout quand on est douanier. Pelayo profite de l'absence de Manuel Gómez pour s'occuper de sa femme. Ce n'est pas bien, pas bien du tout. Ça mérite une punition.

Consuela ne répond pas. Elle est encore sous le coup de l'étonnement. Elle a reconnu le rire de la jeune Lucienne, dont on dit, au village, que son mari en porte de belles… Mais elle n'aurait jamais cru que l'infidèle aurait l'impudence de venir dans la *casita* de Pelayo, veuf depuis deux mois à peine.

La lumière de la chambre s'éteint. Emiliano, tout en enfilant des gants de fine peau, se lèche les lèvres de contentement. Il sourit à Consuela, qui le regarde avec appréhension :

202

— Ils vont être tellement occupés dans cinq minutes, dit-il, que le Popocatepelt pourrait leur exploser dans les oreilles qu'ils ne l'entendraient pas ! Tu m'attends là.

En quelques enjambées, il atteint la barrière qui entoure le jardin, l'enjambe, se laisse tomber de l'autre côté avec la souplesse d'un chat. A demi courbé, il court vers la *casita*. Consuela suit sa progression comme dans un rêve, tant est irréelle l'absence de tout bruit.

Emiliano longe la façade, agrippe un pilier de soutien sur le côté. D'une traction, il se hisse sur le balcon. Il retient son souffle, s'aplatissant contre le mur. Des halètements lui parviennent, des râles de plaisir. Il reste ainsi silencieux, une bonne dizaine de minutes, à épier.

Enfin, il se décide.

Il s'avance sur la pointe des pieds, s'arrête tout contre la porte-fenêtre. Du bouquet d'arbres d'où elle n'a pas bougé, Consuela voit luire la lame d'un couteau. Elle ferme les yeux. Lorsqu'elle les rouvre, son père a disparu. Le cœur battant, elle écoute. Pas le moindre frôlement. Pas le moindre bruissement. Elle sent la sueur couler entre ses seins. Elle a une envie folle de s'enfuir, mais ne peut se résoudre à laisser son père seul. Elle se force à attendre, encore. Elle transpire de plus en plus.

Soudain, un grognement suivi d'un choc sourd. Elle maîtrise sa terreur subite. Elle se force à marcher jusqu'à la barrière. Après quelques secondes d'un silence impressionnant, elle voit apparaître Emiliano dans l'encadrement de la porte-fenêtre. Il essuie, tranquille, la lame de son poignard dans une serviette rouge de sang. Après quoi, le manche entre les dents, il se laisse glisser le long du pilier et choir sur le sol. Dès que ses pieds touchent terre, il fléchit les genoux, se redresse, atteint la barricade en quelques bonds, la franchit, enlève ses gants, remet le poignard dans l'étui, sous son blouson.

— Viens, souffle-t-il. Le Gringo sera tranquille.

— Ils sont morts ?

— Pas tout à fait, mais ça ne saurait tarder. D'ici à demain, ils se seront vidés. La gorge, il n'y a que ça de vrai.

Emiliano prend sa fille par le bras, la rapproche de lui tendrement, lui glisse à l'oreille :

— Ils étaient nus comme des vers... Je ne sais pas si la police pensera à une vengeance ou à un crime de rôdeur, mais j'espère que ce pauvre Manuel Gómez aura un bon alibi.

22

Buenos dias, Mexico !

Le ciel, d'un bleu éblouissant, m'aveugle au travers du hublot. Je me suis assoupi entre Houston et Tampico. Je m'étire maintenant dans le siège du Super-constellation sans rien perdre de l'étonnant spectacle qui défile sous moi, à perte de vue.

Déjà, la côte rectiligne et sablonneuse, bordée de cocotiers, n'est plus qu'un souvenir à l'horizon. D'immenses champs de cactus ont succédé aux innombrables vallées, nervurées de rivières qui explosent en cascades géantes. Des plateaux désertiques offrent leurs étranges pyramides et leurs temples d'un autre âge. En rangs serrés, des forêts de pins grimpent à l'assaut de montagnes auprès desquelles notre malheureux ballon d'Alsace ferait figure de chapiteau de cirque.

Le soleil me souhaite la bienvenue. Il caresse les longues jambes, brunes et fuselées, de l'hôtesse qui porte crânement sur ses épais cheveux noirs le calot Aeromexico. J'ai pu les examiner en détail, tout à l'heure, ces fameuses jambes, lorsqu'elle s'est penchée pour décoincer la tablette du siège avant. L'énorme Américain qui l'occupe m'empêche d'allonger les miennes. C'est un déménagement à lui seul, cet homme-là. Il a glissé une valise sous son fauteuil, un sac tyrolien entre l'accoudoir et la cloison, et il s'est affalé contre le dosseret, qu'il a fait basculer vers l'arrière sans se préoccuper de ma présence. Une bonne odeur de café me console de l'invasion yankee. Il est dix-sept heures. Le steward promène son bar-poussette dans l'allée. C'est bientôt mon tour. Tandis que le fantastique paysage continue à se dérouler sous l'aile de l'appareil qui ronronne, les effluves du café me ramènent à notre pigeonnier montmartrois où Marlyse doit se sentir bien seule dans la nuit parisienne.

— Te voilà encore parti ? avait-elle soupiré en bou-clant ma valise de carton bouilli. Quelle idée ai-je eue de coller ma vie à celle d'un flic !

Elle a pourtant tapoté le couvercle avec le sourire compatissant de l'épouse indulgente :

— Je t'ai mis les pastilles de Bargain.

Un grand pessimiste, Bargain. C'est notre pharma-cien de la rue Lepic. Il a beaucoup voyagé, lui. Grâce aux livres du bouquiniste de la rue Durantin, il connaît l'Amérique centrale comme sa poche. Aussi, lorsque Marlyse lui a annoncé que je m'envolais pour le pays du Quetzalcoatl, il a retrouvé une boîte de comprimés destinés à combattre la *turista*. Il lui a expliqué que cette indisposition, particulière au Mexique, révolutionne les intestins et précipite à tout moment sa victime vers les toilettes les plus proches.

— Ça peut être embêtant, a dit sérieusement Marlyse. Suppose que tu sois en filature.

— Ou en planque, ai-je ajouté, pour conjurer ce sinistre présage.

— Il te recommande aussi de ne boire que de l'eau minérale.

Elle reniflait son chagrin, Marlyse. J'étais tout retourné de lui voir tant de peine.

— C'est tellement dangereux, le Mexique, murmu-rait-elle.

J'essayais de la rassurer :

— Pourquoi serait-ce plus dangereux qu'ailleurs ! Ce

206

sont des histoires. Tu m'avais déjà dit la même chose pour le Venezuela !

J'éprouvais cette curieuse excitation, mêlée d'une appréhension presque agréable, qui m'envahissait à l'annonce d'un grand voyage. J'ai rouvert ma valise pour y glisser le guide franco-espagnol qui m'avait tant servi lors de ma mission à Caracas [1], ce bon vieux manuel de conversation que j'avais rangé sur l'étagère au-dessus de mon lit, entre le dictionnaire antédiluvien de feu ma grand-mère et les cours de *Police-Revue,* ma bible pour le concours d'inspecteur de police.

Je prends le gobelet fumant des mains de l'hôtesse, le temps de constater qu'elle a des poignets aussi fins que ses chevilles, ce qui est normal, après tout. Je la gratifie d'un sourire qui rendrait folle de jalousie ma jolie compagne. En savourant mon café, je me laisse aller à évoquer mes petits déjeuners du dimanche, quand Marlyse beurre mes tartines et que je reste paresseusement adossé à l'oreiller, goûtant le repos des flics. Il est excellent, le café de l'Aeromexico. Seulement voilà, Marlyse est loin, très loin.

Elle ne s'attendait pas à ça, deux jours plus tôt, à mon retour de Tanger. Ni moi. Tout s'est décidé très vite. Elle dormait tranquillement à mes côtés, son corps nu frôlant le mien. J'avais retrouvé sa chaleur, le parfum de sa peau, sa respiration régulière. Soudain, le téléphone s'est mis à carillonner faisant, une fois encore, sursauter nos canaris qui doivent se demander dans quel enfer ils ont atterri. Les yeux boursouflés, je me suis levé, hagard. Pendant une seconde, tout tournait autour de moi. J'ai enfin gagné l'entrée. J'ai collé mon oreille à l'écouteur. La voix de Vieuchêne a secoué ma léthargie :

1. Voir *l'Archange.*

— Vous passez vraiment tout votre temps à dormir, Borniche ! Il est huit heures.

Je me suis retrouvé, les yeux grands ouverts, à déceler le jour derrière les persiennes. Le ciel était gris.

— C'est-à-dire que...

— Je sais, Borniche, je sais. Je la connais votre chansonnette. Inutile de vous fatiguer. J'ai une nouvelle pour vous. Ma comparution devant le conseil est reportée à une date ultérieure, pour supplément d'information. Qu'est-ce que vous dites de ça ?

J'admire avec quelle rapidité mon chef bien-aimé a retrouvé, intacte, la rogue amabilité qui fait tout son charme.

— C'est bien, dis-je.

— C'est d'autant mieux, renchérit-il, que je vais vous en apprendre une bien bonne. Vous avez été cocufié, à Tanger, mon pauvre Borniche !

J'ai avalé ma salive avant d'articuler :

— Comment ça ?

— Naturellement. Si vous étiez resté en planque devant les Sables d'Or, au lieu d'aller vous coucher à quatre heures du matin, vous auriez pu voir la maîtresse du Gringo partir à l'aube, avec Benutti !

Il exagérait, le Gros. Je ne suis pas le seul coupable. Je n'avais même pas de voiture pour planquer. Baker, lui aussi, avait sommeil. Il m'a déposé à mon hôtel, a regagné le sien. Nous nous étions retrouvés à huit heures, ce qui me semblait largement suffisant. Évidemment, quand, à onze heures, on n'a rien vu venir, on s'est inquiété. Et quand, à midi, le directeur de l'agence est apparu pour faire l'inventaire de la villa, nous avons été fixés. Trop tard ! La belle Liliane avait disparu.

Je ne me suis pas lancé dans ces explications. J'ai dit simplement :

— On ne pouvait pas prévoir, patron.

— Peut-être. Mais Baker, lui, a poursuivi ses recherches. Il a découvert que Liliane Cerisole s'était embarquée, de Madrid, pour La Havane.

Cela commençait à me chatouiller les oreilles. Comment Vieuchêne, de son bureau parisien, pouvait-il être au courant de tout ça, en détail ? Je le lui ai demandé, sans détour.

— C'est très simple, a-t-il répondu d'un ton énervé. Vous saviez par le téléphone que Liliane partait avec Benutti. Vous avez pensé à éplucher, après coup, les départs de bateaux. Mais vous avez oublié que M. Jo n'est pas n'importe qui. Il avait un avion-taxi à sa disposition, figurez-vous. Voilà ce que ça donne de faire des enquêtes à la va-vite. J'espère que vous vous montrerez plus mariole au Mexique !

— Au Mexique ? dis-je, en étouffant un bâillement.

— Oui, au Mexique, pour y retrouver le Gringo. Ne dormez pas quand je vous parle, c'est agaçant, à la fin. J'ai eu la direction du F.B.I. au téléphone. Selon eux, il y a pas mal de truands corses qui se livreraient au trafic de la drogue entre le Mexique et les États-Unis. Vous en connaissez sûrement. Aussi leur ai-je proposé votre collaboration. Vous faites semblant de vous intéresser aux stupéfiants qui les préoccupent et vous me coincez le Gringo. Ce faux-jeton de Baker, qui a dû repasser par Washington, vous rejoindra à Mexico. Et, qui sait, peut-être aurez-vous la chance de remettre la main sur Fredo la Moralité. Il vous a bien couillonné, celui-là ! Ce serait à mourir de rire, si ce n'était pas mon argent.

— Mais, patron...

Trop tard. Il a raccroché.

Les imprécations de Vieuchêne feraient-elles le bonheur de Borniche ? Un beau cadeau, en vérité, que ce voyage dans des contrées que mes souvenirs d'école paraient de tous les ors des civilisations disparues. Cela dit, j'avais du mal à chasser mon appréhension : quelles étaient mes chances, sans argent, si loin, et sans moyens, contre le Gringo, membre d'une organisation puissante et solidement entourée de financiers véreux et de flics corrompus ?

Au bureau, Vieuchêne a balayé mes angoisses :

— Ne vous faites aucun souci pour les frais. Les Américains en prennent la moitié à leur charge... Tout ce que je vous demande, c'est de me piéger cette ordure qui a bafoué l'honneur de la justice française. Il faut lui faire retrouver son cagibi de Fresnes !

Deux heures plus tard, le consulat du Mexique apposait son visa sur mon passeport de service. Puis, mon complice, le Gros, m'a conduit à Orly. J'aurais préféré la compagnie de ma tendre Marlyse, bien sûr, mais elle avait reniflé :

— Si tu veux bien, Roger, j'aime mieux pas.

Je l'avais comprise ! Elle préférait éviter de me voir me lancer dans l'espace pour le grand saut intercontinental, avec des sanglots dans la voix et mouchoir de batiste aux paupières !

— Je compte sur vous pour me le ramener, hein, Borniche ? disait Vieuchêne.

Ben voyons ! Il était le seul à être optimiste, le Gros ! En admettant que je réussisse, et c'était loin d'être joué, comment le Mexique extraderait-il un Italo-Américain ? C'eût été contraire à toutes les lois internationales.

Au troisième pastis, Vieuchêne, agité sur son tabouret de bar, ne doutait plus ni de mon génie, ni de mon triomphe :

— On va te leur montrer, à ces salopards, qu'on est capables de cueillir des crânes, hein, Borniche ? En route, c'est l'heure !

J'ai gagné la salle d'embarquement, puis la passerelle. Quand je me suis retourné, avant de pénétrer dans la cabine, j'ai reconnu les larges épaules du Gros, derrière la vitre du hall. Je devinais sa chevelure aile de corbeau, et sa face de Bouddha. Il a soulevé la main droite, puis l'a rabattue sur la gauche, mimant la menotte qui se referme sur le poignet.

J'aurais tellement aimé lui faire un bras d'honneur !

23

Les clameurs de la foule font vibrer le commissaire Ramón Gonzalez. Le spectacle de la corrida l'excite plus que les basses besognes policières. Cinquante mille Mexicains éprouvent la même émotion, communient dans le même rite. Tassés sur les gradins de l'immense arène, Plazza Mexico, ils jouissent des plus extraordinaires véroniques qu'il leur ait été donné de voir. L'énorme taureau bravo, au poil d'anthracite, secoue avec fureur les banderilles plantées dans sa puissante encolure, puis il charge, tête baissée, droit devant lui. Le matador, la cape collée au corps, virevolte avec la légèreté d'un danseur d'opéra. Les étoiles de son costume scintillent dans le soleil couchant. L'assaut a coloré soudain de rouge la culotte chartreuse. Le délire de la foule redouble. Des applaudissements frénétiques saluent l'habileté de l'homme, tandis que la bête s'apprête à charger de nouveau.

Le commissaire Ramón Gonzalez, le cou tendu, combat sa nervosité en mâchouillant un énorme cigare. Le matador a troqué sa cape contre la muleta. Le taureau souille de bave le sable de l'arène, laboure la poussière. Il ne charge pas. Peut-être attend-il que son adversaire en finisse avec ses salutations au président de la corrida et ses galanteries à la ravissante *señorita* qui trône à ses côtés, dans la tribune d'honneur ?

Aux clameurs a succédé le silence. Les flancs du fauve battent. On ne perçoit plus que son souffle rauque qui s'échappe des naseaux. C'est le point culminant du face-à-face. L'instant de vérité. Des courtes passes, exécutées avec maestria, amènent la tonne de muscles au milieu de l'arène. Le torero vrille ses yeux sur la bête. Le commissaire Gonzalez sent l'émotion l'envahir lorsque l'homme se hausse sur la pointe des pieds, ajuste son épée, et, d'une détente souple et fulgurante, la plonge au-dessus des cornes, droit entre les omoplates. La masse chancelle, tombe sur les genoux, et meurt instantanément, tandis qu'éclatent les salves d'applaudissements. Un déluge de foulards, de fleurs, de chapeaux, s'abat sur la piste.

Le commissaire se lève à regret, rejoint la voiture de service avant que la foule n'obstrue les issues.

— Voyez-vous, Errera, dit-il à son chauffeur, aucun événement n'a d'importance quand se déroule une pareille corrida !

Errera approuve gravement de la tête. Il la partage avec son chef, cette passion de la corrida. Mais tout de même pas au point d'en perdre le boire et le manger, comme le commissaire, chef de la section criminelle de Mexico.

La voiture file sur l'avenue Insurgentes Sur, arrive devant les bâtiments de la *Policía federal judicial.*

— Je n'en ai pas pour longtemps, dit Ramón Gonzalez. Après, vous me raccompagnerez chez moi.

Il redresse d'une main son sombrero légendaire, et disparaît dans le large escalier aux marches usées. La force de l'habitude a voûté ses épaules. Il gravit lentement les marches, les mains dans les poches, les dents serrées sur son éternel havane éteint. Il se grise de la curieuse odeur de poussière humide que laisse la serpillière de l'homme de peine chargé de rafraîchir, plusieurs fois par jour, l'intérieur des bâtiments. Voilà vingt-cinq ans qu'il la hume, cette odeur si particulière.

213

C'est un méthodique, le commissaire Ramón Gonzalez. Un perspicace. Un persévérant. Sa bonhomie, sa nonchalance, son amour des corridas, trompent son monde. Plus d'un s'y est laissé prendre, négligeant l'avertissement des yeux inquisiteurs, couleur d'orage, de la bouche volontaire sous le nez aquilin. Rien ne l'afflige davantage que la corruption qui gangrène certains services de police. Alvarez, son adjoint, un pur produit de Merida, dans le Yucatan, partage son point de vue. Les filatures l'amusent et il est passé maître dans l'art de recruter des indics dans la faune de receleurs du marché des voleurs, calle Escuador, où sont étalées d'innombrables marchandises de provenance suspecte.

Lorsqu'il atteint le palier du troisième étage, Ramón Gonzalez sourit encore de contentement en évoquant la corrida. Vraiment, l'estocade finale a été une merveille du genre. Il ira loin, ce jeune torero !

Le commissaire retrouve toujours avec plaisir ces lieux qu'il connaît par cœur. Il continue jusqu'à son bureau, pousse une autre porte familière, celle du local réservé aux inspecteurs. Il mâchonne son cigare avec vigueur :

— Dommage que vous ayez été de permanence, Alvarez. Une splendide mise à mort ! Quoi de neuf ?

— Pas grand-chose, chef. Un message des Renseignements généraux qui signale que le révolutionnaire Che Guevara a rencontré les frères Castro, Fidel et Raúl, sur l'avenue Juarez. C'est là qu'ils gagnent leur vie, en tant que photographes ambulants.

— Je sais. En fait, ils photographient ce qu'ils veulent, pour le compte du communiste Toledano. C'est tout ?

— Un coup de fil de Washington. Le F.B.I. annonce l'arrivée de leur agent, Richard Baker, suite à leur message Messina.

— Ah !... approuve Gonzalez. Dommage que vous n'ayez rien obtenu au Camino Real.

214

L'inspecteur Alvarez se lève, repousse son fauteuil :

— Je me suis contenté de vérifier discrètement le registre des entrées, chef. Rien au nom de Messina, pas plus qu'à John Moore. Après tout, c'est leur affaire, au F.B.I.

Le commissaire approuve de la tête. Il pose son chapeau sur la vieille machine à écrire, allume enfin son cigare. Il réfléchit, suivant des yeux le mince filet de fumée bleue qui s'élève jusqu'au plafond. L'affaire semble d'importance, tout de même, mais elle ne presse pas.

— Vous avez bien fait. Reste à savoir si le type est descendu au Camino Real ou si ce n'est qu'une boîte aux lettres. Je vérifierai moi-même quand j'en aurai le temps. Vous me sortirez la fiche de recherche avec photo.

Le commissaire lit d'un œil distrait une note posée sur le bureau, coiffe son sombrero, serre la main de son adjoint :

— S'il y a quelque chose d'important, vous pouvez me joindre chez moi, Alvarez. Vous avez des nouvelles du flic français ?

— Aucune.

— Alors, bonne nouvelle. On verra ça demain. Mais, Jésus, quelle corrida !

Le Constellation perd de l'altitude, survole un lac desséché qui évoque un désert, aux portes d'une ville qui m'apparaît, tentaculaire, aux pieds d'une cordillière aux formes étrangement ébréchées. Entre deux glissades sur l'aile, un volcan enneigé a le temps de surgir dans mon hublot. Puis, nous dégringolons en silence vers une piste ardoisée. Je ressens le choc du train d'atterrissage. Je bouche mes oreilles quand vrombissent les moteurs, freinant la progression.

L'appareil se cale devant le hall d'arrivée. Les jambes encore ankylosées, je descends les marches de la passerelle roulante. Le sac tyrolien de l'indécollable gros Américain me meurtrit le dos, me projette en avant. En tant que *francés* flic, je franchis sans encombre le guichet de l'immigration. Tandis que la foule des passagers se précipite au guichet de livraison des bagages, je change en pesos une partie de mon argent républicain. Les yeux fixés sur le cours du jour, je compte et recompte. Tout va bien. J'ai reçu l'exacte équivalence en monnaie mexicaine.

Quand le flot se retire, je récupère ma valise, qui se morfond, bien modeste, à m'attendre. Une armada de bus, de cars et de taxis, parade devant l'aérogare. Va pour le bus. C'est toujours ce qu'il y a de moins cher, pour gagner le centre ville. La face ridée du chauffeur m'interroge :

— *Zocalo* ?

Ce mot n'existe pas au bataillon des vocables espagnols hérités de mon séjour au Venezuela. J'apprendrai plus tard que c'est le terme employé pour désigner la place centrale. *El Zocalo,* c'est le socle. D'où la place destinée à supporter la statue d'un homme célèbre. Mais, comme la personnalité historique n'a jamais pu être déterminée, le socle est resté vide, donnant son nom à la place principale de Mexico. Les cœurs des autres villes ont reçu le même baptême.

— *Centro,* dis-je avec assurance, pour pallier mon ignorance.

Il hausse les épaules, me dédie un sourire à la nicotine, descend de son siège. Il se déhanche pour expédier, d'un geste adroit, ma valise sur le toit du véhicule, au milieu d'un amas de sacs et de paniers d'osier où des volailles s'étranglent à force de piailler. Son index et son majeur forment le V de la victoire. Cela signifie 2, tout simplement :

— *Dos pesos !*

Je donne les deux pesos et j'affronte le couloir déjà encombré. Pas moyen de s'asseoir. Il me reste juste un bout de la barre supérieure horizontale, pour m'accrocher. Mon regard d'étranger fait le tour de l'habitacle, s'arrête, éberlué, sur le poste de pilotage. C'est à la fois une cabine de conduite et un magasin d'exposition. Un nombre impressionnant de témoins lumineux rouges, verts, jaunes, bleus, orangés, clignotent autour de minuscules lampes blanches qui éclairent, à la manière d'une vitrine de Noël, un fatras de petites madones plastifiées, d'icônes, une photo du président de la République et une feuille de calendrier sur laquelle une beauté dévêtue offre au regard une poitrine plus que généreuse et une pose à la limite du bon goût. Les vitres explosent sous les violentes couleurs des guirlandes de fleurs en plastique. Je me demande comment le conducteur peut deviner sa route au travers de tous ces ornements. D'instinct, je me cramponne un peu plus à la barre.

Sur les côtés, et à l'arrière, des morceaux de carton indiquent des destinations différentes. Je lutte contre la panique. Et, pour mettre le comble à ma confusion, j'ai le malheur d'apercevoir, derrière le pare-brise, un autre écriteau annonçant *Palacio nacional.* J'essaie de revenir vers le chauffeur, mais les voyageurs qui se sont entassés dans le couloir m'interdisent le moindre mouvement. Pire, ils me repoussent vers le fond. Deux énormes matrones semblent s'être donné le mot pour m'étouffer. J'ai la stupeur de voir la population du bus augmenter comme si ses parois étaient extensibles. Le chauffeur, impassible, continue d'encaisser le prix de la course des arrivants. Tout va craquer, ce n'est pas possible.

Non, ce n'est pas fini !

Au moment où le véhicule démarre, avec à peine une demi-heure de retard sur l'horaire prévu, les derniers voyageurs qui n'arrivent pas à s'enfiler dans la cabine s'agrippent aux portières mal fermées, se maintiennent en équilibre sur les marchepieds. Enfin, la grappe humaine s'ébranle.

L'autobus prend de la vitesse. La gorge sèche, je le vois brûler le panneau *Alto,* à l'intersection d'une route à grande circulation. Le virage pris trop vite fait pencher les corps vers le côté droit. La vitesse augmente. Le paysage défile de plus en plus vite. Une puanteur de fuel mal brûlé empeste l'atmosphère déjà irrespirable. Traînant mille casseroles à sa queue de chien fou, le tacot se précipite, dans le vacarme, sur les obstacles qui se présentent en sens contraire, et les évite in extremis. Je ferme les yeux.

Une accélération subite me les fait rouvrir. Les vitres s'obscurcissent : un autre autobus essaie de nous doubler, tout contre nous. Notre chauffeur, vexé, accélère. Commence alors une course-poursuite effrénée entre les deux mastodontes, scandée par les exclamations enthousiastes des Mexicains. Cette fois, j'y suis ! Mon destin était d'échapper au naufrage du bateau de l'île d'Yeu, à la chute de l'avion au-dessus de l'Atlantique, pour finir dans un tas de ferraille mexicaine, à quelques kilomètres du but !

Le chauffeur concurrent perd du terrain. Il me semble que c'est à moi que s'adresse son regard haineux, dépité, qui transperce les vitres sales, quand nous sortons vainqueurs de ce combat de titan, dans un rugissement de tôle et d'allégresse. Nous fonçons au moins à cent à l'heure, en pleine agglomération, malgré les panneaux de limitation de vitesse qui se succèdent. La prochaine fois, je prendrai un taxi. A moins que les taxis ne fassent aussi la course, au Mexique ?

Nous dévalons une artère saturée de passants, à l'instant même où le feu passe au vert, livrant le passage à notre bolide. Une chance ! Jamais nous n'aurions pu freiner à temps. Au moment où je me demande quel immeuble nous allons défoncer, le chauffeur ralentit.

Décélération brutale, dans une odeur de caoutchouc brûlé, suivie de l'arrêt inespéré :

— *El Zocalo !*

Je n'en reviens pas d'être sain et sauf. Les jambes molles, je récupère ma valise. Je lève le nez vers les deux clochers qui surmontent l'imposante cathédrale de grès gris et de marbre blanc. Une courte prière à la divinité de ce monument de style baroque, qui m'a assurément sauvé la vie, un regard à l'horloge monumentale ornée des statues de la Foi, de la Charité et de l'Espérance, et je pars, cette fameuse espérance au cœur, à la recherche d'un hôtel à la portée de mes moyens.

El Zocalo s'appelle en fait, m'indique une pancarte, *plaza de la Constitución.* Ma valise à la main, je laisse derrière moi la pierre volcanique lie-de-vin de l'imposant *Palacio nacional.* Le premier hôtel sera le bon.

En voici un qui me semble faire l'affaire. Je le flaire. Je tourne autour, comme un basset renifle un os. Il est à deux pas du parc, sur une large artère bordée d'hôtels, de cinémas, de boutiques de luxe. La phrase du Gros me décide : « Ne vous faites pas de souci pour les frais. » J'entre.

Le concierge, derrière son comptoir, me scrute d'un œil inquisiteur, à l'abri d'un rempart de cactus géants et autres plantes vertes. J'articule lentement quelques mots d'espagnol, pour lui demander s'il a une chambre. Un sourire bon enfant accueille ma prononciation.

— Vous pouvez parler français, je suis basque, dit le bienveillant cerbère. J'ai une chambre avec salle de bains ou douche, et vue sur l'avenue. Sur la cour, c'est plus calme.

Malgré la largesse du Gros et du F.B.I. réunis, mon esprit débrouillard monte en première ligne :

— Si vous aviez quelque chose de pas trop cher, et pas trop mal. Une douche, si vous voulez.

Je sors mon passeport, le déplie sur le bureau. Le Basque y jette un coup d'œil, me le rend, la mine respectueuse et la voix admirative :

— Vous êtes policier ! En vacances ?

— Pour quelques jours.

Il doit se dire que j'ai les moyens, pour m'offrir le voyage jusqu'à Mexico pour quelques jours. Je remplis une fiche de police en trois exemplaires. Le papier carbone, entre les feuillets, est si usé qu'il marque à peine.

— Pas d'importance, dit le concierge. Je vous donne la 232, au second. Vous serez bien. Pour le petit déjeuner, on vous le sert dans la chambre ?

— Merci, je descendrai.

J'ai à peine ouvert la porte du 232, que je me jette sur le lit. 232. 2+3+2=7, mon chiffre porte-bonheur. Le temps de me reposer et de prendre une douche, et j'irai, dès cet après-midi, faire connaissance des locaux de la *Policía judicial*.

24

— Ici, ma chère, il y a une fortune à ramasser.

Liliane acquiesce d'un sourire, tandis que son interlocutrice, Roussette, croise ses jambes plus haut sur le tabouret du bar. Dans l'atmosphère bruyante du Tropicana, l'un des plus majestueux des innombrables cabarets de La Havane, la rousse et la brune se remarquent, jolies filles toutes les deux, jeunes et saines, dont l'originalité tranche sur la plupart des femmes qui hantent ce paradis de la prostitution. Certes, Roussette est un peu ronde, mais ici, cela plaît.

Depuis que Liliane a déserté Tanger et s'est installée à l'hôtel Deauville, selon les instructions du Gringo, Roussette ne tarit pas d'éloges sur la clientèle huppée de Cuba. Elle travaille par téléphone et sur rendez-vous.

— Tu comprends, explique-t-elle, le tapin à Paris c'est de la rigolade. Tous des fauchés. Ici, c'est autre chose. Si un type me racole au bar, je lui file ma carte pour qu'il me rappelle le lendemain. J'en ai fait imprimer cinq mille au nom de Roseta. Ça fait couleur locale. Ma clientèle augmente de jour en jour. Du sûr et du standing.

Liliane s'amuse de la tactique employée par l'amie de Fredo la Moralité, qui a l'air de bien se débrouiller. Elle songe à Rocco, à leurs futures retrouvailles au Mexique, en laissant errer ses yeux sur la faune du Tropicana. La foule des danseurs bronzés, où dominent les smokings blancs et les robes làmées, s'agite au son de l'un des plus célèbres orchestres de l'île, les Muchachos, dissimulé dans le feuillage sur une plate-forme suspendue. Des dizaines de danseurs évoluent sur la piste, placée sous des arbres gigantesques. La direction n'a pas lésiné sur les frais. Elle en a même fait un peu trop, côté sonorisation, car il est difficile de parler dans ce vacarme. Aussi bien ne vient-on pas au Tropicana pour parler. On danse ou on ne danse pas, on boit ou on ne boit pas, on cherche surtout un partenaire pour terminer la nuit.

Lorsque Roussette et Fredo ont fait faire à Liliane la tournée des grands-ducs, à son arrivée, elle a été saisie par la beauté des femmes dans toutes les boîtes, plus luxueuses les unes que les autres, où ils sont allés. Noires sculpturales et métisses pleines de finesse, créatures de plaisir, cambrées à souhait, avec leurs yeux de feu et leurs déhanchements aphrodisiaques, elles étaient si séduisantes que la concurrence s'annonçait redoutable.

— Pas tant que ça, avait dit Roussette pour affirmer sa supériorité. Les Européennes ont la cote ici, même si elles sont moins bien foutues. Surtout, préserve-toi du soleil. La peau blanche, à Cuba, ça n'a pas de prix.

On boit sec, autour des deux femmes que Fredo la Moralité surveille tout en discutant avec le barman. Il en a fait du chemin, Fredo, depuis la Bonbonnière. Il les a bien employés, les cinq cent mille francs de Borniche. Il a fait peau neuve. Il arbore une veste immaculée, ornée d'un œillet rouge. Il n'est pas encore riche mais il fait riche, ça lui suffit. C'est quand même autre chose que le caban et les godillots usés, même cirés avec soin, de l'île d'Yeu.

L'alcool fait tourner la tête de Liliane qui a eu l'imprudence de se laisser séduire par le *daïquiri,* l'une des nombreuses recettes locales à base de rhum blanc, de sucre, de citron vert et d'ananas. Elle vide son second verre sans s'en rendre compte. Elle se sent bien, Liliane Cerisole. Ses jambes sont habilement mises en valeur par la robe-fourreau noire, fendue juste ce qu'il faut pour que le moindre mouvement laisse deviner la peau nue. A ses côtés, même la flamboyante Roussette semble terne.

Les Muchachos se déchaînent. La sueur coule, les visages luisent. Puis, soudain, la rumba se calme, fait place à un slow langoureux.

— Vous permettez ?

Cela ressemble davantage à un ordre qu'à une question. Déjà, l'homme entraîne Roussette sur la piste au-dessus de laquelle des lumières alternées figurent un ciel criblé d'étoiles.

— Un bon client, dame oui, glousse Fredo. Mais toi, tu ne danses pas. N'oublie pas que tu es la femme du Gringo.

Dans la voix de Fredo la Moralité, passe l'admiration quelque peu craintive qu'il porte à son protecteur, le beau Rocco, le bras droit de Don Genco, l'égal de Lucky Luciano.

— Un autre *daïquiri,* commande Liliane. Avec de la glace, beaucoup de glace pilée.

— Attention, commente Fredo, c'est traître ces machins-là...

Maurasse le Prudent a, entre autres défauts, celui d'être près de ses sous. Roussette a déteint sur lui. Aussi se dit-il que sa compagne fera grise mine si la soirée lui revient cher. C'est qu'il en faut de l'argent, à La Havane. Ce pays ne marche que par la corruption, le jeu, la prostitution. C'est la poubelle de l'Amérique où règne la C.I.A. pour y détecter les sympathisants castristes. Une poubelle de luxe, en vérité, où les fortunes insolentes côtoient la plus noire misère.

— J'en ai ferré un gros, l'autre jour, dit Roussette, rejoignant Liliane et Fredo. C'est Ibarrez, le conseiller du président Batista. Il est dans pas mal de combines. Si le cœur vous en dit, il nous emmène prendre un verre dans la villa de son ami Smith.

— Où ? questionne Fredo.

— A Varadero, le cap d'Antibes de Cuba. Il dit que c'est vachement sympa : la mer bleue, la piscine éclairée, les nageuses à poil et tout et tout. On serait une cinquantaine. Il y a des bungalows pour se reposer… Je n'ai pas l'air de lui déplaire, à Ibarrez.

— Banco, dit Fredo. Et c'est toujours intéressant de voir comment vivent les seigneurs du cru. Regarde aussi s'il y a un coffre-fort. On ne sait jamais.

Le conseiller Ibarrez a bien fait les choses.

Ils sont tous les trois installés à l'arrière d'une Cadillac officielle. Derrière les larges feux de position, la Buick des gardes du corps. Et devant, ouvrant la marche, la Pontiac mauve du propriétaire de White Native, la villa la plus luxueuse de la côte nord, à une heure d'autoroute.

Nul ne connaît la nationalité de l'ami du conseiller Ibarrez, qui se nomme Charles Hernandez-Smith, assemblage de patronymes interlopes aussi inattendu que le nom de sa résidence, White Native, que l'on pourrait traduire très approximativement par « nègre blanc ».

Nègre, Charles Hernandez-Smith l'est indubitablement : les cheveux crépus, les lèvres, le nez, dessinent le visage le plus africain que l'on puisse voir. Mais en blanc. Ce métis albinos a la bosse du commerce. Il a réussi à monter l'une des plus belles affaires de négoce de Cuba. Son trésorier verse ponctuellement à la Mafia la dîme requise.

Fredo voit la masse illuminée de White Native, imposante sous les étoiles, apparaître dans le pare-brise. Par la vitre grande ouverte, il respire les effluves de la nuit tropicale. Il se dit qu'il passerait bien le reste de ses jours à Cuba. C'est quand même autre chose que l'île d'Yeu.

Liliane découvre avec stupeur un univers qu'elle n'aurait jamais pu imaginer, même lorsque l'ascension fulgurante de Rocco lui inspirait les rêves de luxe les plus insensés.

La villa est bâtie en retrait de la mer, le long d'une plage de sable fin, au milieu d'un parc de flamboyants et d'icaquiers aux fleurs blanches, en grappes. Les marches tapissées de velours rouge d'un escalier conduisent au bar, construit sous la piscine transparente, d'où l'on peut suivre, sans être vu, les évolutions des nageuses, vêtues seulement d'un embryon de bikini.

De nombreux invités se pressent devant le comptoir d'acajou derrière lequel Karl, le barman, agite le shaker. Liliane se hisse sur un tabouret.

— *Señorita ?*

— Blonde platinée [1], *haga el favor.*

Elle regarde le robot blond mélanger le rhum, le Cointreau, la crème fraîche et la glace pilée puis verser le tout dans une flûte de champagne. Elle s'empare de la paille qu'il lui tend.

Charles Hernandez-Smith s'approche d'elle :

— Vos compagnons ont disparu ?

Liliane se retourne, cherche des yeux Fredo et Roussette qui ne l'ont pas suivie, en effet. Comme elle prend son temps pour répondre, il s'installe sur le tabouret voisin, tire avec nonchalance un cigare de sa poche, en décapite le bout d'un coup de dents, l'allume à la flamme que s'empresse de lui tendre le barman, sans quitter Liliane des yeux.

1. Apéritif.

— Rassurez-vous, dit-il, votre amie plaît énormément au conseiller Ibarrez. Ils sont partis ensemble.

— Son mari ? questionne Liliane.

— Voyez-le, derrière le pilier, affalé dans un fauteuil. Voulez-vous visiter ma villa avant que le ballet nautique et le feu d'artifice débutent ? Soyez sans crainte : Ibarrez m'a confié que vous étiez la femme du Gringo, cela me suffit.

25

Je supporte mal le décalage horaire. Je suis épuisé. L'avion m'a tué. Aussi ai-je dormi comme une brute. Lorsque je m'éveille, tout habillé, sur mon lit, la nuit est tombée. Je consulte ma montre. Il est une heure. Un rapide calcul m'apprend qu'il est huit heures du matin à Paris. Marlyse émerge du sommeil. Vieuchêne, lui, est déjà sur pied. Ça va lui manquer, pendant quelque temps, de ne plus avoir d'esclave à secouer à la première heure.

Je me déshabille, me glisse sous la douche. Beau début d'enquête ! J'ai raté la *Policía judicial.* Tant pis, j'irai demain.

J'ai faim. Si l'on vit ici comme en Espagne, les restaurants doivent être ouverts. Ce sont des pays où l'on déjeune et dîne tard.

La serviette-éponge est rêche, sur ma peau. Pour le prix que je paie, je ne peux pas demander le luxe. Je mets ma plus belle chemise, noue ma cravate, enfile mon veston. Je n'ai plus sommeil du tout. Je me sens d'attaque pour découvrir la vie nocturne de Mexico.

Le métis qui a remplacé le concierge basque n'est pas surpris que je lui remette ma clé. On vit autant la nuit que le jour à Mexico City ! L'ennui, c'est qu'il ne parle pas un mot de français. J'aurais pourtant aimé qu'il m'indique un restaurant pas trop cher.

Je sors de ma poche mon guide de conversation. Mon index désigne, à la page 73, la ligne qui m'intéresse :

— *Puede indicarme en este barrio un restaurante que no sea muy caro ?*

Très pratique, ce guide. La réponse jaillit à une telle vitesse que je n'y comprends rien. Je lui fais signe de répéter plus lentement. Ça marche. J'ai une adresse, et le plan sous les yeux. Pour gagner le restaurant Prendès, calle 16 de Septiembre, il me suffit de suivre l'avenue Juarez et de tourner à droite au palacio Iturbide. Allons-y !

Il faut croire que je porte ma qualité d'étranger inscrite sur ma figure, car j'ai instantanément une horde de mendiants à mes trousses. Je serre mon portefeuille de près. On m'a prévenu, au consulat de Paris, non sans une certaine gêne :

— Attention aux *cartoristas*. Les pickpockets, si vous préférez. Ils sont très adroits.

— Ah...

— *Si*. Ils travaillent en tandem. Ils arrivent par-derrière. Pendant que l'un vous bouscule, l'autre s'empare de vos économies. Même dans la poche revolver. Ils la découpent au rasoir.

Par de savants zigzags, j'évite qu'on ne m'approche de trop près. Ces mendiants des deux sexes et de tous âges sont des acteurs-nés. Leurs mimiques fendraient le cœur le plus dur. A plus forte raison, le mien. Tant pis, j'y vais d'un peso. Mais à peine ai-je commencé à fouiller dans ma poche que dix mains se sont tendues. D'un geste, je calme la meute et je dépose l'obole dans la paume du vieillard le plus décharné.

— *Dios se lo pague,* dit-il.

Peut-être que le Bon Dieu me le rendra, mais on ne lui rendra pas sa pièce, à lui. Il n'a pas été assez rapide. Une main d'enfant a surgi de dessous son bras, pour rafler le peso. La fuite agile du gamin m'amuse davantage, à cet instant, que les imprécations du vieux. Cela dit, j'ai eu une bien mauvaise idée de porter ma main à la poche. La troupe qui me serre de près piaille de plus en plus fort, réclamant son dû.

Je m'énerve, je me fâche, je réussis à me libérer sous une tempête de vociférations, et me voici devant l'enseigne du Prendès. J'ai bien fait de mettre un veston et une cravate : deux touristes en bras de chemise sont refoulés à l'entrée.

De la table où on m'installe, je découvre une série de fresques représentant des personnages célèbres, de Pancho Villa à Walt Disney. La carte est affichée en plusieurs langues. C'est la cuisine internationale type. On me propose pourtant un *chile con carne,* viande de mouton préparée avec du riz, des tomates et des haricots bruns. Pas de *tequila,* non. Une bière bien glacée suffira.

Non, elle ne suffira pas !

Je ne sais pas ce qu'ils ont pu mettre dans leur viande, mais j'ai la gorge en feu. J'avale bière sur bière, en vain. Et j'ai la sottise d'ajouter à mon plat une pâte verte qui semble décupler l'incendie. Ce que je prends pour de la confiture, et que je goûte avec prudence, c'est justement le *chile.* Pour tromper son monde, il se déguise sous plusieurs couleurs, dans des petits pots que le garçon a posés devant moi.

Combien de temps les haricots ont-ils dû mariner dans du sel, pour m'emporter la bouche eux aussi à ce point ? Je repousse mon assiette. Demain, je me méfierai : je prendrai deux œufs au plat.

Je repars vers mon hôtel. Je m'égare un peu, et me retrouve place Garibaldi. Là, c'est un vacarme follement gai qui m'accueille. Un baryton à la voix puissante chante des chansons populaires, accompagné par un orchestre de *mariachis*. Les habitants du quartier ont une sacrée habitude, pour supporter ça en pleine nuit !

Il est presque trois heures. Je n'ai pas sommeil. Je ne peux quand même pas marcher toute la nuit dans la ville ! La musique se déchaîne dans une boîte de la place. J'entre, pour tuer le temps. En sirotant ma bière, je m'amuse à détailler les somptueux costumes des *mariachis*, avec leurs larges sombreros, le pantalon noir ajusté, les bottes à talons hauts et surtout le boléro à la brillante quincaillerie. Je suis l'euphorie des rythmes sur le visage des clients. Et soudain, parmi ces visages, je remarque une longue face maigre au nez aquilin, à l'oreille droite légèrement décollée. Je suis troublé. Je regarde fixement cet homme. Je suis sûr que je le connais.

Je le regarde trop fixement, sans doute, puisqu'il relève la tête et me dévisage à son tour. Ma physionomie ne lui dit manifestement rien. Il se remet à parler à sa compagne, une brune au décolleté avantageux, dont les yeux noirs sont rehaussés par le bandeau turquoise qui lui ceint le front.

Je cherche dans mes souvenirs.

La bière n'arrive pas à venir à bout du *chile* qui m'exaspère le palais et la gorge, mais l'effet des épices mexicaines est relégué fort loin par cette préoccupation nouvelle : oui, je connais ce noctambule. Hélas, malgré mes efforts, je ne parviens pas à le classer. Peut-être un sosie de quelqu'un que j'aurais côtoyé en France ?

Je n'écoute plus les exploits des *mariachis*. Le couple se lève. Il passe si près de moi que j'ai tout loisir de dévisager l'homme une nouvelle fois. Pas de doute, ce faciès ovoïde a déjà frappé ma rétine, mais je ne sais plus quand. J'ai sûrement des visions. Je sors par automatisme derrière le couple. L'homme a passé son bras sous celui de la femme. Ils suivent la calle Dominguez jusqu'au paseo de la Reforma. Je suis surexcité. Je ne sais pas où cela va me mener, mais mon cœur cogne.

L'homme ouvre la portière droite d'une Chrysler immatriculée en Louisiane, aide la femme à s'installer sur le siège avant, referme la portière, fait le tour de la voiture, s'assoit au volant. Mes yeux cherchent désespérément un taxi. La voiture démarre doucement. Je reste planté là, comme un imbécile. Et puis, je me dis : « au fond, tant pis »… Cette poursuite au hasard ne m'aurait mené nulle part. Tout de même, c'est agaçant, ces feux rouges qui s'éloignent !

Au moment où je vais renoncer, un taxi apparaît. Je le hèle. Quarante secondes après, je suis dans le sillage de la Chrysler. Mon chauffeur a un air bizarre, dans le rétroviseur. Évidemment, je n'ai pas d'adresse à lui donner. Je me suis contenté de brandir un billet et de lui demander, dans mon jargon, de suivre la Chrysler. Le billet l'a décidé, plus que le jargon.

Nous contournons plusieurs places circulaires que mon guide désigne au passage : « El Caballito », « Glorieta Colón », et « Independencia ». Elles ne parviennent pas à me distraire des feux rouges qui me précèdent, et qui viennent de virer à droite. En quittant ces Champs-Elysées mexicains, je déchiffre « calle del Mississipi ».

Je tapote l'épaule de mon chauffeur pour lui signifier de ne pas suivre de trop près. Les rues portent maintenant des noms d'écrivains : Victor-Hugo, Goethe, Descartes. A Tanger, j'avais trouvé les peintres. Chacun son tour.

Un sage virage à gauche et la Chrysler se faufile au ralenti dans un labyrinthe de rues. Nous touchons au but. Elle s'arrête devant un immeuble de la rue Copernico. Nous aussi. Les larges feux rouges éclairent, un moment, la façade d'un immeuble rococo. Puis l'intensité lumineuse baisse : le conducteur a lâché la pédale de frein. Que se passe-t-il ?

Les feux restent allumés. L'homme parlemente quelques instants avec sa compagne avant de descendre du véhicule. Il laisse ses veilleuses. Il va revenir, puisque la femme reste à bord. Je donnerais cher pour voir à quel étage de l'immeuble il monte. Hélas, impossible de m'approcher.

Cinq minutes à peine se sont écoulées quand l'homme réapparaît, un attaché-case à la main. Il le jette sur la banquette arrière, se remet au volant, démarre. J'ai noté, au passage, le numéro de l'immeuble. La course n'est pas longue. La Chrysler débouche dans une large avenue. Je note « Escobedo ». Elle s'arrête devant l'enseigne grandiose d'un hôtel illuminé : Camino Real.

Un chasseur se précipite, ouvre la portière de la femme. L'homme descend, sa mallette de cuir noir à la main. Il laisse les clés de contact, entre dans l'hôtel avec sa compagne. Le chasseur s'installe au volant. La Chrysler disparaît dans le parc intérieur.

Le temps de distribuer mes pesos au chauffeur de taxi qui me semble abuser singulièrement de la situation, me voici en train de faire les cent pas devant le palace. C'est certainement le plus grand et le plus luxueux hôtel de la ville, avec ses restaurants, son bar, son night-club. De toute façon, ce n'est pas dans mes moyens.

Ce qui ne m'empêche pas de pénétrer dans le hall, de la démarche assurée du client fortuné. J'ai l'habitude, à Paris, de faire de même au Ritz, au Plazza ou au George V, quand une filature m'y oblige. La règle d'or, c'est de ne pas marquer la moindre hésitation, si on ne veut pas attirer l'attention du personnel ou des détectives maison.

Sur le tableau, derrière le concierge, les rangées de clés m'apprennent qu'il y a sept cents chambres pour le moins. De quoi s'amuser, quand on est en planque. Heureusement, je n'y suis pas. Enfin, pas vraiment, puisque j'ignore qui j'ai suivi. Histoire de fou. Tout ce que je peux faire, c'est jeter un coup d'œil au rez-de-chaussée.

Le bar Azulejos grouille d'élégants et d'élégantes de tout poil. Là aussi, les musiciens s'en donnent à cœur joie. Seulement, pas de trace du couple. S'il faut que j'aille explorer le night-club, je vais entamer sérieusement mes frais de voyage. Je résiste quelques secondes, puis me décide à pénétrer dans le cabaret, le temps de jeter un coup d'œil rapide avant que le personnel endimanché ne se précipite.

Ça y est, il est déjà là, le maître d'hôtel! Je ruse :

— *Hay un salón de té en este hotel ?*

Il me toise, interloqué. Bien sûr que ce n'est pas un salon de thé, ici. Et le couple n'y est pas. Ils ont donc une chambre dans l'établissement. Je le subodorais, mais ça ne me donne rien de plus.

Je longe des boutiques, me retrouve dans une galerie déserte. Une porte donne sur le parking. Excellente occasion. J'ai vite fait de découvrir la Chrysler, entre plusieurs rangées de voitures. Les clés ne sont plus sur le tableau, mais les portières ne sont pas fermées. Je me coule sur le siège.

Je rabats le couvercle de la boîte à gants. La lampe s'allume. J'ôte ma veste pour faire un écran. Il ne manquerait plus que je me fasse surprendre. Une carte d'assurance m'apprend que la voiture a été louée à Avis, New Orleans, 2024 Canal Street. Ça ne mène à rien. Je vais finir par me faire coincer bêtement.

Sous mes doigts, un papier que je déplie. Vierge. Décidément, le Bon Dieu ne me rend vraiment pas le peso de ma charité de tout à l'heure !

Un pinceau de phares balaie le parking. Je ferme la boîte à gants, m'allonge sur la banquette. Les rayons lumineux se promènent au-dessus de ma tête. Puis s'éteignent. Une portière claque. Le valet de parking vient de garer une voiture. Le souffle court, j'entends son pas qui décroît. Je me demande ce que je fiche là, au lieu d'aller me coucher. Demain matin, ou plutôt tout à l'heure, je ne pourrai pas me lever. Et je dois me rendre à la *Policía judicial.* Je dois aussi donner un coup de fil à l'ambassade américaine, pour y contacter Baker, ou au moins lui communiquer mon point de chute.

Heureusement qu'il arrive, Richard, car pour se débrouiller dans ce pays immense, quand on n'y connaît personne !

Mais tant que je suis là, je ne lâcherai pas prise. Je rouvre le boîtier. Qu'y a-t-il encore, là-dedans ? Un guide américain, de l'Automobile-Club du Texas. Je le feuillette. J'y découvre une enveloppe par avion, tricolore, défraîchie, écornée, vide, portant le cachet de la poste Colbert de Marseille, et une adresse : *Monsieur Paul Leccia, 17 a calle Copernico.* Un Français. Je ne connais pas de Leccia, à part le colonel qui a servi d'intermédiaire lors de la transaction entre les truands et la police dans l'affaire des bijoux de la Bégum. Tous les détails de cette drôle d'histoire me reviennent à la mémoire.

— Allô, commissaire Truchi ? Il y a un paquet pour vous dans la cour.

Au pied d'un arbre de l'ancien évêché, qui abrite à Marseille les services de Police judiciaire, on a effectivement découvert un paquet. La ficelle une fois défaite, c'est un ruissellement de colliers, de bagues, de broches, de pierres précieuses. Le bruit court rapidement que le colonel Leccia a obligé les truands à restituer la majeure partie des bijoux pour les faire bénéficier de l'indulgence des magistrats. Seulement, il en manque un bon paquet. Et on murmure, à la prison des Baumettes, que

234

c'est Paul Coti, l'organisateur du coup, qui est parti avec.

Paul Coti !

Mais oui, c'est Paul Coti, alias Leccia, que je viens de quitter, et dont le hasard vient de me révéler l'adresse ! Paulo, le personnage hors série, l'ami de Girola et de Jo Benutti, le sympathique gentleman qui évolue avec aisance dans les milieux les plus divers. L'innocent à l'alibi irréfutable : le jour du hold-up, il se mariait à Marseille. C'est bien Coti que mon subconscient, frappé par les innombrables photographies des circulaires de recherches, a reconnu avant moi !

Dommage que l'enveloppe soit vide. Au verso, un griffonnage : « *Jo, Venezia. T.* » C'est peu, mais ça me suffit. Le Venezia, c'est le restaurant de Manouche. T., c'est Tanger, à n'en pas douter ! Pas besoin d'être Sherlock Holmes pour deviner que Jo, c'est aussi Benutti. Je brûle d'une impatience qui se traduit par un léger tremblement. Que fait-il dans cet hôtel, avec son attaché-case, Paul Coti ? Il y loge, ou il a seulement raccompagné la belle brune ?

Je remets le guide en place, referme la boîte à gants. Je me glisse dans la nuit, retrouve la porte d'accès au parking. La galerie, puis le hall. Dans un angle du couloir, des cabines téléphoniques.

Je décroche, compose le numéro intérieur de la réception.

— *Señor Leccia, haga el favor.*

Par la vitre, je vois le concierge consulter une liste, se relever et sa voix me parvient :

— *Desconocido, señor. Tenga a bien disculparme.*

J'ai deviné, plus que compris, qu'il n'y a pas de M. Leccia au Camino Real. Si seulement j'avais le nom de la femme !

Je me console en me disant que je n'ai pas perdu mon

temps. Je n'ai débarqué qu'en fin d'après-midi et j'ai déjà l'adresse de la rue Copernico. Paulo, l'ami de Jo Benutti, est peut-être le premier maillon de la chaîne susceptible de me conduire au Gringo.

A supposer qu'il soit au Mexique !

26

Il est minuit. Le Gringo ne se lasse pas de contempler Liliane endormie. Il caresse, du bout des doigts, la joue de sa compagne, couverte à demi par les longs cheveux noirs. Il hume à pleins poumons le parfum des fleurs tropicales, sous sa fenêtre.

Le corps de Liliane se dessine sous le drap. Elle dort, belle, abandonnée. Rocco se remémore leur soirée. Liliane venait de le rejoindre à l'hacienda Vista Hermosa, auberge de luxe, domaine idyllique au sud de Cuernavaca. Ils ont dîné dans le jardin. Le gris des montagnes barrait le ciel bleu nuit d'une frontière naturelle. Un orchestre de *mariachis* s'est approché, complice, comme s'il ne jouait que pour eux.

Une soirée de rêve. Comme toutes les fois où il est heureux, le Gringo n'a pas sommeil. Il a retrouvé Liliane et il va, bientôt, repasser à l'action. Étendu dans le clair de lune auprès de sa maîtresse, il songe à la journée qui l'attend.

Conférence à dix heures avec Joe Gaeta, son homme de confiance. Déjeuner, à douze heures précises, avec Paul Coti, au restaurant Del Lago, dans le parc de Chapultepec à Mexico City. Ensuite, l'aéroport où il lui faut accueillir Fredo qui arrive de La Havane.

Et le lendemain, nouveau programme. Don Giuseppe l'attend dans sa retraite forcée, d'où il dirige la quasi-totalité des membres de *Cosa Nostra,* du *capo* au *soldat,* en passant par le *sous-capo* et le lieutenant *capo-regime.*

La fabuleuse opération est à mettre au point.

Il se fait tard.

Le commissaire Ramón Gonzalez regarde Vicente Jurgado bien en face. Il aime la bonne tête aux yeux francs du chef de rang de l'hôtel Camino Real. Les deux hommes partagent la passion des corridas. Ils ont d'ailleurs fait connaissance à cette occasion, au rancho la Tapatia, dans le parc de Chapultepec, la colline de la Sauterelle, l'un des hauts lieux de Mexico City, où les *charriadas* se déroulent le dimanche matin.

A peine installé devant une table basse du bar Azulejos pour prendre le dernier verre après le dîner, le commissaire va droit au but :

— Il faut que tu me rendes un service, Vicente. Tu connais ce type-là ?

Vicente Jurgado en a vu défiler, des têtes, depuis plus de quinze années qu'il officie au Camino Real, où il passe pour l'employé modèle, le physionomiste avisé, aussi apte à repérer le mauvais payeur que l'aristocrate faussement négligé. Il le tient bien en main, le petit monde des valets et des femmes de chambre. Pour éviter le froncement de ses sourcils, on va même jusqu'à changer l'eau des fleurs deux fois par jour.

Gonzalez a sorti de sa poche une circulaire pliée en quatre. Seule apparaît la photographie, sans nom. Rocco Messina, le Gringo, sourit en noir et blanc, dans le médiocre tirage du papier administratif.

Vicente Jurgado relève la tête, après avoir attentivement examiné la photo :

— Bien sûr, dit-il. C'est un des associés de la C.C.A., la Caterpill Company America. Pourquoi ?

— Il s'appelle comment ?

— Je ne connais que son prénom. John. La C.C.A.

est une grosse boîte américaine dont le siège est à New Orleans. Ils construisent des autoroutes et ils ont des succursales dans le monde entier. Ici, on leur loue une suite à l'année. Quand l'un des patrons est de passage, sur présentation de la carte de la société, le concierge lui donne la clé. Ils payent bien et ils laissent de gros pourboires. Auraient-ils des ennuis avec le fisc ?

— Non, répond le commissaire. La gueule de ce type intéresse le F.B.I. qui m'a envoyé la circulaire. Ton client se fait appeler tantôt Messina, tantôt Moore. Alvarez a feuilleté tes livres, mais il n'a rien trouvé.

Déjà, sur un signe de Gonzalez, le barman pose deux verres de *pulque*[1] sur la table.

— Évidemment qu'il n'a rien trouvé, dit Vicente, remuant le sien. On n'enregistre pas les passages, puisque c'est la société qui est locataire. Ils viennent quand ils veulent, ils prennent la clé et ils montent. Tu viens aux arènes, demain ?

— *Evidentemente,* dit Gonzalez. Pendant que j'y pense, il y a quelqu'un, en ce moment, dans l'appartement de la C.C.A. ?

— Un Français, je crois, avec une pépée. Tu sais, nous, dans notre métier, on est discrets.

Le commissaire esquisse un sourire, mi-amusé, mi-complice.

— Ne le sois pas trop quand ton John se pointera. Et fais-moi signe. Je compte sur toi ?

— Si. Mais, entre nous... La réputation de l'hôtel.

Vicente boit une gorgée de *pulque,* s'intéresse aux reflets des lumières du bar sur les verres, puis sa question fuse :

— Montre-la-moi encore une fois ta photo.

Le policier jette un coup d'œil à droite et à gauche. Rassuré, il sort de nouveau la circulaire de sa poche. Vicente s'attarde sur le haut du visage.

1. Alcool d'agave.

— Il me semble que c'est lui, le patron de la C.C.A.,
dit-il. Un type correct, élégant, qui voyage pas mal.
L'autre jour, Conchita l'a entendu dire au téléphone
qu'il partait pour le Maroc et l'Italie. Je sais qu'il bouge,
vu qu'il n'est pas souvent là. Si tu veux, demain je
pourrai en parler en douce à Conchita. Elle s'occupe
des appartements les plus chers, au septième étage.
C'est une maniaque de la poussière. Elle passe des
heures à épousseter chaque objet, chaque meuble. En
plus, elle a une passion pour tout ce qui est roman
policier et espionnage.

— Surtout pas, dit Ramón Gonzalez. Il vaut mieux
être prudents. Un type du F.B.I. doit débarquer d'un
moment à l'autre. Un flic français, aussi.

— C'est du sérieux, alors ?

— Ça en a l'air. Raison de plus pour ne pas leur
casser la baraque. Si John revient, ou quelqu'un d'autre,
préviens-moi quand même en douce ! D'accord ?

Je me réveille en sursaut. Joyeuse et fraîche malgré
l'heure matinale, la voix chantante de la standardiste de
l'hôtel m'annonce la bonne nouvelle que j'attendais.

— Votre P.C.V. est accepté, *señor.* Vous êtes en
ligne avec Paris.

L'écouteur craque, siffle, grogne, ronronne enfin plus
paisiblement avant qu'un bon vieil accent du Périgord
vienne chatouiller mes oreilles et réchauffer mon cœur :

— Intérieur 4, ne quittez pas !

Le roulement des *r* se perd dans une longue vibration.
Un silence, un chuintement, et je ressens la caresse de la
voix sensuelle de Mme Lœil :

— Le patron vous prend tout de suite. Ne vous
laissez pas couper.

Mon imagination fait un bond par-dessus l'océan. Je
la vois comme si elle était assise sur mon lit de l'hôtel
Regis, Mme Lœil, la secrétaire la plus accorte du service.

Les ongles peints, les jambes croisées devant la machine, découvrant juste ce qu'il faut de cuisse agressive, par une savante indiscrétion de la jupe échancrée. Là-bas, si loin, elle actionne le bouton-filtre du poste intérieur, l'écran protecteur entre le grouillement administratif et la tranquillité feutrée du bureau de Vieuchêne.

— Ah, c'est vous, Borniche ! Où êtes-vous cette fois ?

Le temps d'énoncer le nom de l'hôtel Regis, l'adresse, le numéro de téléphone, et c'est à lui de parler.

— Je vais vous en apprendre une bonne. Maurasse est à La Havane ! Hidoine a retrouvé son passage à Orly. Sous le nom de sa maîtresse, tout simplement. Il sait travailler, lui au moins. Vous avez un crayon ?

— Bien sûr.

J'ai la chance d'en voir un sur la table de nuit. Je saisis au vol, dans le tiroir, un prospectus bariolé annonçant la prochaine grande corrida. Dans le sable de l'arène, s'inscrivent les indications du Gros : *Malegrat Alfred, né le 28 mars 1927 à Cassaniouze (Cantal), passeport 75-186237 délivré par la Préfecture de police.*

Ça, au moins, c'est du renseignement !

— Vous en êtes loin de La Havane ?

Je n'ai pas la carte sous les yeux, mais ça ne doit pas être à côté.

— ... Parce que, poursuit le Gros, vous pourriez y faire un saut. D'abord pour récupérer les cinq cent mille francs que vous vous êtes laissé carotter. A défaut du Gringo, ce serait toujours ça de pris !

Je m'empresse d'intervenir :

— Justement, à propos du Gringo, patron.

— Vous n'allez tout de même pas me dire que vous l'avez déjà repéré ?

— Hélas non. Mais j'ai trouvé Coti !

— Qui ça ?

— Coti. Celui de l'affaire de la Bégum.

Je réalise, à son silence, que ça lui en bouche un coin.

Et, bien sûr, pour ne pas être en reste, il enchaîne tout de suite :

— Et Gandolfino ?

Encore un des protagonistes de cette fameuse affaire, Gandolfino ! Il réagit vite, le Gros.

Je l'avais arrêté au bar Laetitia, le rendez-vous des mauvais garçons corses de la rue Notre-Dame-de-Lorette, à Pigalle. Il sortait des toilettes. Il n'a pas eu le temps de finir de boucler sa ceinture de crocodile noir. Il n'a pas eu envie non plus d'esquisser le moindre geste. Un sage, Gandolfino. Le juge a cru bon de le mettre en liberté provisoire, sans doute en raison de son état de santé. Et il en a profité. Depuis, aucune nouvelle.

— Gandolfino ? Non, patron.

— Pour Coti, ça s'est passé comment ?

— Un coup de chance. J'ai son faux nom, Leccia, et son adresse, rue Copernico. Il reste à me tuyauter.

— Discrètement, hein, Borniche ? N'oubliez pas que c'est l'équipe Benutti et Girola, ça. Faites attention.

J'ai une désagréable impression de disparition. Comme à Tanger. Ce n'est qu'une soudaine diminution d'intensité, sur la ligne. Curieuse sensation, quand même. Les recommandations de prudence du Gros s'éloignent dans les profondeurs de l'océan, s'évanouissent, se noient. Ça craque comme en pleine tempête. Je distribue d'énergiques « Ne coupez pas, mademoiselle ! », suffisamment pour retrouver la voix du chef.

— Quand je vous disais qu'il y avait une foule de truands corses, au Mexique, je ne me trompais pas, hein ? Vous n'avez rien dit à Baker, j'espère ?

— Je ne l'ai pas vu. Je ne sais même pas s'il est arrivé.

— Tâchez en tout cas de lui en soutirer le plus possible, et ne lui dites rien. Quoique, bavard comme vous l'êtes, ça m'étonnerait ! Je vous envoie de la documentation au consulat, sur Coti et Gandolfino. Je vous disais que pour La Havane...

Je ne connaîtrai pas la suite des considérations latino-américaines du Gros. La communication est brutalement coupée. Je reste assis sur le lit, pensif. Si Fredo est à Cuba, je ne peux rien contre lui. Il n'a commis aucun crime susceptible de le faire extrader. Bien sûr, il est en possession de faux papiers, mais encore faut-il les trouver, et prouver qu'il en a fait usage. D'ailleurs, que risque-t-il ? Trois fois rien. Je balaie l'idée du Gros, de partir là-bas. Avec quels moyens, d'ailleurs ?

Mon corps s'assoupirait volontiers, mais mon cerveau refuse. Mille notions confuses tournent dans ma tête, mille pistes s'y croisent, qui ne mènent à rien. Énervé, je me lève, écarte les doubles rideaux, ouvre la fenêtre. Les monts couverts de neige commencent à se teinter des reflets de l'aube. Mais, à mes pieds, l'avenue Juarez ignore la course du soleil et le temps de la nuit. Elle n'a rien perdu de son animation. Les devantures des magasins sont toujours aussi illuminées. Et, comme les collines environnantes clignotent de lumières innombrables, j'ai l'impression de me trouver au centre d'une gigantesque mise en scène à grand spectacle.

Il est cinq heures. L'insomnie ne me lâche pas. Je pense à Hidoine : il a bien travaillé. Il en a sûrement épluché des manifestes et des fiches de police ! Et, tel que je le connais, il a dû les empoisonner, les collègues de la police de l'air, jusqu'à ce qu'il obtienne un résultat ! Il a dû en passer, des noms au crible pour arriver au faux passeport ! Brave Hidoine... S'il savait comme il me manque, en ce moment, dans ce pays où je ne connais personne, où je n'ai aucun de mes indics pour m'apporter des informations... Je me raccroche à l'idée que je vais retrouver Baker. C'est un concurrent, d'accord, mais je me sentirai moins seul. Et lui, au moins, a de sérieux appuis au Mexique. Les États-Unis sont à la frontière. Il est presque chez lui, ici. J'appelle-

rai son ambassade, tout à l'heure, pour avoir de ses
nouvelles. En attendant, je ne dors toujours pas.

Pour tuer le temps, je range dans l'armoire le contenu
de ma valise. Puis, je me plonge dans la lecture de
l'annuaire téléphonique, c'est une manie ! Pas plus de
Coti que de Leccia. Enfin, je m'allonge sur le lit, et je
laisse fonctionner mes méninges. Mon programme,
hélas, s'établit vite.

La seule chose que je peux faire, c'est de vérifier si
Coti habite rue Copernico, et avec qui. Dans cette nuit
mexicaine qui n'en finit pas, ça me paraît bien mince
pour attraper le Gringo. Ne vais-je pas connaître la
première défaite de ma longue carrière de chasseur de
truands ?

Je n'ai pu retrouver le Gringo ni en France, ni à
Tanger. Comment parviendrais-je à le débusquer ici,
sur son propre terrain ?

27

La rue Michel-Hidalgo, aménagée dans le lit d'un torrent desséché, est à moitié souterraine. L'odeur de la vieille ville, l'air étouffant chargé de senteurs variées, y stagne plus encore que dans les autres rues de Guanajuato. Le Gringo y engage sa Cadillac, allume les veilleuses. Étrange rue, mi-chemin mi-tunnel. Étrange ville que Guanajuato, qui s'allonge démesurément au long d'une étroite et sinueuse vallée.

Don Giuseppe, selon son habitude de précision, a bien expliqué la route à Rocco :

— Quand tu arrives d'Irapuato, tu traverses la ville et tu prends la route de San Juan de Los Llanos. La Felicidad est à cinq miles, à droite, après l'embranchement de la nationale 110.

Le Gringo ne se sent pas l'âme touristique. Il jette un coup d'œil distrait aux ruelles tortueuses, aux *plazuelas* ombragées par les lauriers d'Inde. Les maisons serrées les unes contre les autres, semées d'églises et de chapelles, aérées par les places fleuries, sont les vestiges de l'opulence de la cité minière, quand les riches gisements d'argent attiraient les pionniers.

La Cadillac se joue de la montée en lacet que domine une église en pierre rose à la façade flanquée de tours baroques. Rocco découvre, en contrebas d'une terrasse naturelle, les installations minières aujourd'hui abandonnées. Sans s'appesantir sur le spectacle quelque peu mélancolique d'un passé révolu, il consulte sa montre. Deux heures vingt, déjà... Ce n'est pas que la distance entre Mexico City et Guanajuato soit très longue : à peine trois cent cinquante kilomètres, mais que de temps perdu entre Querétaro et Celaya ! Tout ça à cause de deux chauffeurs de car qui se livraient leur combat favori. Sur le pare-chocs arrière du premier, que seuls quelques liens de fil de fer retenaient à la carrosserie, on pouvait lire, peint en rouge : « *Quitense, que aqui vengo* », que l'on peut traduire par « Tire-toi, j'arrive ! » Le toit de l'autre supportait, ballottés entre les bagages et les innombrables paniers, quelques voyageurs dont les mains s'agrippaient aux larges chapeaux pris dans le vent de la course. Le panneau arrière, barré d'une énorme inscription, proclamait : « *Guiame Dios, que soy ciego !* », c'est-à-dire : « Que Dieu me conduise, je suis aveugle. » La course des deux rivaux fous s'était prolongée sur des kilomètres.

Le terrain est dégagé maintenant, mais la sinuosité de la route ne permet pas au Gringo d'assouvir la passion qui lie son pied à l'accélérateur des voitures puissantes. Pourtant, Don Giuseppe ne supporte pas d'attendre. Il a fixé le rendez-vous à quatorze heures trente. Il faut y être. Et comme l'embranchement de San Juan de Los Llanos annonce une belle ligne droite, Rocco ne résiste plus à la pointe de vitesse.

Il en est fou, de sa Cadillac, la reine des voitures, imbattable pour la vitesse et le silence. Oui, la Cad, c'est quelque chose. Pas le genre de cette vacherie de Chrysler de Paulo, un tas de ferraille de location. Coti pourrait bien s'offrir une Cadillac, s'il voulait. Seulement, il est radin comme ce n'est pas permis. Il liquide à regret les pierres qui lui restent de l'affaire de la Bégum, mais ça lui fend visiblement le cœur de les voir partir.

Rocco sort de sa brève rêverie pour jeter un nouveau coup d'œil à sa montre. Ça va aller. Il joue à éviter les nids de poules en effleurant à peine la direction assistée de la Cadillac. Le chemin de terre longe les murs blancs de l'hacienda, couronnés de têtes d'eucalyptus. Rocco ralentit près de la grille d'entrée en fer forgé. Il est exactement quatorze heures trente lorsqu'il appuie, à trois reprises, sur le klaxon. La grille électrifiée s'ouvre. Tels des diables d'une boîte, deux *mafiosi*, la main à la ceinture, surgissent de derrière un rempart de youcas aux fleurs blanches et rouges. Ils s'effacent dès que le Gringo a fait le signe de reconnaissance.

La bâtisse est seigneuriale. La Cadillac s'arrête majestueusement sous le balcon que supportent des corbeaux sculptés. Un garde au visage glabre lui fait signe. Rocco le suit jusqu'au salon surchargé de meubles, où des divans profonds invitent à la paresse. Mais Don Giuseppe Guidoni est debout. Il attend son visiteur devant un buffet de palissandre, la main calée sur son estomac, entre la chemise et la peau.

— *Baccio i mani*, Don Giuseppe.

Rocco s'est agenouillé, a saisi la main du Don sur laquelle il pose ses lèvres, comme il l'a fait à Palerme lorsqu'il a rencontré le grand maître de l'*Onorata Societá,* le *Capu,* Don Genco Russo. Don Giuseppe l'aide à se relever, lui donne l'accolade.

Le vieux Don vit dans son hacienda la Felicidad depuis qu'il a dû quitter les États-Unis[1]. Une des plus belles résidences du Mexique, retraite paisible au fond d'une cuvette entourée de collines. Don Giuseppe avait d'abord songé à s'installer dans une bâtisse de San Miguel de Allende, mais la colonie d'artistes qui nichait là faisait trop de bruit, la nuit. Il avait renoncé à la vieille et charmante cité avec ses rues pavées, ses maisons blanchies à la chaux, noyées dans des océans de

1. Voir *le Ricain*.

fleurs, pour faire retraite dans cette oasis de calme qui lui rappelait son ancien rendez-vous de chasse de Highstown, New Jersey.

Le Gringo apprécie la délicieuse fraîcheur de la pièce, tout en observant d'un regard respectueux le visage de Don Giuseppe. Les traits du patriarche sont tirés. La main droite presse toujours son estomac pour calmer les douleurs de l'ulcère qui le ronge. La démarche s'est faite plus lente. Seul le regard, derrière les lunettes cerclées d'écaille de tortue, est toujours aussi vif, aussi froid, aussi cruel.

Rocco le subit, impressionné. Il se reporte deux ans en arrière, quand le vieux Don l'a convoqué à Highstown pour mettre au point le détournement de l'avion de Las Vegas.

Ce petit homme brun, qui avait débarqué aux U.S.A. comme vendeur à la sauvette, est devenu milliardaire grâce à l'exportation officielle d'huile d'olive et de concentré de tomates, mais surtout à la protection des chefs suprêmes de la Mafia dont il est le très honorable correspondant pour l'Amérique du Nord. John Edgar Hoover l'a contraint à fuir précipitamment Highstown et il s'est réfugié au Mexique. Pour lui, c'est un exil qui le mine, malgré la beauté du site. Et cela renforce encore la nervosité et l'agressivité que provoque son mal.

Avec Rocco, pourtant, il reste courtois et même chaleureux.

— Tu ne changes pas, mon fils. Tu es toujours aussi exact. Assieds-toi. Tout va bien ?

— Très, très bien, Don, répond Rocco en prenant place dans un fauteuil recouvert d'une peau de fauve. La marchandise a débarqué sans encombre à Veracruz. Elle est repartie vers Tijuana et la Californie. Juan Martinez est vraiment un pilote hors ligne.

Le Don lève la main :

— Je voulais justement te parler. Je me demande si

248

nous n'aurions pas intérêt à monter un laboratoire dans ce pays même, et à expédier de l'héroïne pure plutôt que de la morphine-base... Nous en tirerions un plus gros bénéfice... Réfléchis. Il y a je ne sais combien de coins isolés pour travailler, ici. La police n'y met jamais les pieds. Souvent même, elle ferme les yeux, notamment dans l'État de Sinaola ou dans celui de Nayarit, sur le Pacifique. Des endroits désertiques. Que des Indiens. Le rêve, quoi. Et à proximité de la Californie.

Rocco ne répond pas. Le vieux Don n'a pas tort. De toute façon, la décision lui appartient. Tous deux gardent le silence, puis Don Giuseppe reprend :

— Tu as confiance en ton ami le Français ?

— Paulo ? demande Rocco, que la question surprend.

— Non, pas Leccia, Maurasse. Celui que tu as fait venir à La Havane.

— Bien sûr, Don. Pourquoi ?

— Comme ça.

Rocco est étonné. Oui, il a confiance en Fredo, son ancien camarade de prison. Il a l'air de bien se débrouiller, à Cuba. Roussette aussi, d'ailleurs. Elle est la maîtresse attitrée du conseiller de Batista, Ibarrez, qui lui confie, sur l'oreiller, les secrets du dictateur. Fredo en reçoit les échos. Ce qui lui a permis, entre autres, de poser ses jalons du côté de Jibacoa, une immense plage de sable fin, très blanc, entourée de palétuviers. Il n'y a que le chanel Yucatan à traverser pour aller du Mexique à Cuba. Il est devenu un familier de Jibacoa et s'est mis au courant des rondes douanières. Il s'est même lié de sympathie avec quelques flics locaux particulièrement compréhensifs. Un terrain de choix, Jibacoa, territoire plus américain que cubain, à portée de la Floride, paradis des drogués et de la Mafia... Non, vraiment, depuis que Fil de Fer, leur ami commun, lui a recommandé Fredo, il s'est bien débrouillé. Comme un chef !

— Pardonnez-moi, Don, mais vous semblez douter de moi, par contrecoup. J'ai toute confiance en Fredo et en Roussette. Ils ont pris le vent de la politique de La Havane. Le conseiller Ibarrez leur donne les tuyaux qu'il faut. Fredo a même réussi à forcer le coffre-fort de Charles Hernandez-Smith, l'homme de la C.I.A. Il a fait ample moisson de dollars, de pesos et de papiers de toutes sortes.

— Oui, oui...

Don Giuseppe, sur un geste évasif, se met à marcher au travers de la pièce, lentement, énonçant d'une voix sourde :

— Je ne peux encore me prononcer, mon fils. Mais cette Roussette me semble bien bavarde. Ce dont elle ne se doute pas, c'est qu'Ibarrez est mon correspondant. Il gagne plus avec moi qu'avec Batista ! Un soir qu'il l'avait emmenée chez Smith, elle lui a raconté quelque chose qui m'a fait sursauter.

Don Giuseppe s'interrompt pour ménager son effet, fixe ses yeux dans ceux de Rocco :

— ... Que ton ami avait touché de l'argent de la police française !

— Ce n'est pas possible, dit Rocco, sur le ton de la plus grande perplexité. C'est sûrement Ibarrez qui vous a raconté des histoires.

— Alors, dis-moi comment ce Fredo est venu à Cuba ?

— Fil de Fer lui a avancé deux millions, en même temps que les faux papiers. Ça, j'en suis sûr.

Don Giuseppe hausse les épaules. Il se réserve de voir.

— D'accord, dit-il. Il faudra pourtant me surveiller ça. Passons à autre chose... Don Genco m'a demandé de te confier une belle opération. Je t'en ai préparé une.

« C'est tout à fait Don Giuseppe, pense Rocco. Il garde le plus important pour la fin. »

250

Don Giuseppe a déplié sur la longue table une carte du Mexique. Il se tait.

— Tu vois, mon fils, dit-il enfin, cette ligne de chemin de fer entre Mexico City et Nuevo Laredo, sur la frontière américaine ?

Rocco, penché, suit le doigt de Don Giuseppe au nord de l'État de Coahuila.

— ... Eh bien, là, entre San Luis Potosi et Saltillo, le train traverse une région presque désertique. Du maquis broussailleux, des steppes couvertes de cactus et de mezquites. L'endroit rêvé pour une action de choc, surtout que quatre États se chevauchent : Nuevo Léon, Coahuila, Zacatacas et San Luis Potosi. Autant de façons de dérouter les flics, si jamais ils se manifestaient.

Le Gringo approuve de la tête, en silence. Il ressent la grande excitation de l'action toute proche. Il fait confiance à Don Giuseppe pour les plans parfaits et qui rapportent gros. Dans le calme de la Felicidad, il sent naître un gros coup, minutieusement conçu, préparé, mis au point... Une fortune en perspective ! Il sent peser sur lui le regard du Don, qui le jauge et qui s'éclaire enfin, satisfait de l'enthousiasme qu'il devine.

Un hennissement lui fait tourner la tête vers la large baie qui donne sur le corral. Un splendide mustang à la robe noire résiste à un gaillard basané qui tente de placer le mors. Il piaffe, puis se dresse sur ses pattes arrière. Patiemment, l'homme présente le mors, de nouveau.

— Il n'est pas encore tout à fait dressé, dit le Don. Mais avec Rodriguez, ça ira vite.

La campagne ruisselle de soleil. Au fond du cirque des montagnes qui l'abrite des vents, la ville étale ses maisons roses, jaunes ou bleu ciel. Rocco est saisi par le contraste entre cette paix et la détermination de la voix du Don qui lui pose la main sur l'épaule :

— Écoute-moi bien, mon fils...

28

Il a l'air ravi de faire ma connaissance, le commissaire Gonzalez, bien qu'il m'ait fait poireauter toute une journée pour rien. Son accolade, suivie d'une familière autant que vigoureuse série de tapes sur les omoplates, le prouve. Ici, on appelle cela l'*abrazo*. N'empêche qu'une embrassade aussi affectueuse surprend quand on n'y est pas habitué !

Je l'ai découvert au bout d'une enfilade de portes, Gonzalez, sur le palier du troisième étage de l'immeuble de la *Policía judicial*. Et, comme un bonheur n'arrive jamais seul, j'ai retrouvé du même coup ma chère atmosphère de la rue des Saussaies, tant il est vrai que tous les antres de flics se ressemblent. Le décor et l'odeur de tabac et de transpiration commençaient à me manquer.

Ramón Gonzalez baragouine le français. Tant mieux, nos rapports s'en trouvent facilités. Son adjoint, par contre, le métis Alvarez, me fixe de ses yeux étirés sans comprendre un traître mot des politesses banales que nous échangeons. J'accepte, de bon cœur, l'inévitable tasse de café qu'il me propose par gestes, histoire de me faire plaisir. En fait, je me verrais mieux planquer rue Copernico que discutailler dans ce bureau qui respire la bonne vieille crasse administrative.

— Le F.B.I. nous avait annoncé l'arrivée de Baker

en même temps que la vôtre, dit Gonzalez. J'ai quelques résultats à lui fournir...

— Il ne saurait tarder, dis-je d'un air entendu, en reposant ma tasse. Nous sommes tous les deux sur la même affaire Messina. Alors ?

Mes doigts se crispent involontairement. Pour la première fois, mon émotion se manifeste par un tremblement imperceptible.

— J'ai trouvé une société américaine, au Camino Real, la C.C.A. Elle loue une suite à l'année. Messina en serait l'un des dirigeants, quoique son nom soit inconnu et qu'il y vienne rarement. Il a été identifié sur la photographie de la circulaire que j'ai présentée.

— Cela veut dire quoi, C.C.A. ?

— Caterpill Company America. Le siège social est à New Orleans. Selon ce qui m'a été communiqué, un représentant français occupe, de temps en temps, l'appartement... Je n'ai pas son nom non plus, mais on me préviendra à la première occasion.

Le rapprochement entre le siège et l'agence Avis où Leccia a loué sa Chrysler est facile à faire. L'étau semble se resserrer. Ma planque n'a donc pas été inutile.

— Je vous dirai son nom dès que je l'aurai, dit Gonzalez. J'ai l'impression que tout ça, c'est la même bande. On a intérêt à y aller prudemment...

Devant tant de bonne volonté, je suis sur le point de dévoiler mes batteries. Mais je me souviens des conseils de prudence du Gros. Je me tais. Une indiscrétion est vite arrivée. Je ne peux confier à personne la piste Coti et je me dois de tirer au clair, tout seul, le mystère de la rue Copernico.

Ce serait tellement inespéré si c'était la planque du Gringo. Tout simplement !

En sortant des bâtiments de la *Policía judicial,* je presse l'allure. Je coupe l'avenue Ocampo, qui donne

254

sur la calle Copernico. Un marchand ambulant installe son éventaire sur le trottoir, en face de l'immeuble de Coti. Une profusion de couleurs. Couvertures, ponchos bariolés. Les vendra-t-il ? Je me prends d'une sympathie inattendue pour ce petit bonhomme maigrichon aux yeux tristes, qui étale ses trésors... La lourde porte de l'immeuble est fermée. Je passe devant, de l'allure du flâneur indifférent. Je la pousse d'un coup sec sur le côté et je m'engouffre dans le couloir obscur.

Comme je tâtonne dans l'ombre, la minuterie se déclenche. Je perçois aussitôt des bruits de pas dans la cage de l'escalier. Mes yeux cherchent une issue de secours. Mon cœur s'agite. Lorsque les sens sont mis ainsi en éveil, le moindre écho devient menaçant. Cette maison de la rue Copernico m'évoque un véritable piège.

Je me compose la physionomie du locataire paisible qui fait tournoyer son trousseau de clés autour de son index et je commence l'ascension des marches.

Au premier étage, j'ai le temps d'apercevoir deux doubles portes. Des plaques cuivrées sont vissées sur les panneaux supérieurs. L'une révèle le nom du Docteur Manuelo, radiologiste, l'autre signale le cabinet d'un géomètre expert. Les pas se rapprochent. Je m'efface, à mi-étage, pour laisser passer une vieille femme vêtue d'une blouse brodée et d'une jupe et d'un châle multicolores. Elle continue à descendre, moi à monter. Du haut de la rampe, j'assiste à son départ.

L'immeuble possède huit boîtes aux lettres, mais six des appartements, du second étage au dernier, ne comportent aucun nom.

Sur le palier supérieur, une porte ouvre dans l'arrondi du mur. Je l'écarte. Je me retrouve dans l'escalier de service. Silencieux sur mes semelles de crêpe, je frôle les sorties des cuisines. Deux par étage, le compte y est. Entre elles, un placard couleur tête-de-nègre. La lumière s'éteint, mais une verrière donne du jour.

A travers les vitres, j'aperçois une cour intérieure. Des bruits de vaisselle filtrent des appartements.

J'essaie d'ouvrir le placard du quatrième étage pour y consulter les livrets de consommation que les employés du gaz ou de l'électricité ont l'habitude de laisser derrière les tuyaux ou les câbles. La porte est hélas bien fermée. Et je n'ai aucun outil sous la main pour crocheter la serrure. Les clés de mon pigeonnier de Montmartre se révèlent inefficaces. Je pense alors au bec-de-cane de la porte de communication. J'en arrache le clou avec précaution, sépare les deux têtes, enfonce la béquille dans le carré. Ça tourne, mais pour rien. Le placard est vide de livrets. Je le referme, déçu.

Il me reste à visiter les deux étages intermédiaires, aux appartements aussi anonymes, côté cour et côté jardin. Je reprends l'escalier principal, je fais fonctionner la minuterie. C'est alors que je me rappelle, avec stupeur, que je n'ai pas vérifié les boîtes aux lettres, alors que je ne venais que pour ça. L'apparition de la vieille et l'atmosphère étrange de la maison m'ont troublé à ce point...

De toute façon, j'en suis pour mes frais : l'inspection des boîtes ne me livre pas plus le nom de la C.C.A. que celui de Leccia. Pourtant, il a bien reçu l'enveloppe à cette adresse... Je me perds en conjectures. L'absence de concierge ne me facilite pas les choses. Inutile d'aller chercher dans les immeubles voisins. L'indication était précise, je m'en souviens parfaitement.

De guerre lasse, je reviens à ma première idée, la consultation des livrets. Ceux que je déniche dans les placards intermédiaires ne portent que des noms mexicains. C'est l'échec.

Je n'ai plus qu'à décamper, la bouche amère. De dépit, je jette dans une poubelle le bec-de-cane que j'ai gardé à la main comme un idiot. Le pouls de la ville bat encore au ralenti. Les avenues fleuries et les larges trottoirs ne s'animeront que plus tard, quand le soleil sera au zénith.

Mes pas me portent, malgré moi, vers le Camino Real. Un homme-sandwich me tend un prospectus. Je le cueille au passage. Je réalise qu'il s'agit d'une vente aux enchères au mont-de-piété : sa majestueuse façade coloniale y est reproduite. Au moment où je m'apprête à froisser la feuille de papier, une idée me vient. Je vais glisser le prospectus dans une enveloppe sur laquelle j'écrirai le nom et l'adresse de Leccia. Rien d'autre. Je la posterai, et demain, à la première heure, je viendrai planquer rue Copernico.

Je la choisirai rose, mon enveloppe, pour bien la différencier des blanches, quand le facteur la déposera dans la boîte de Coti. Je coincerai la lourde porte d'entrée avec un morceau de bois, afin que le hall soit bien éclairé. Je guetterai l'arrivée du préposé. Lorsqu'il franchira le seuil, je ferai semblant de descendre l'escalier. Ainsi, de mon piédestal, j'aurai vue sur ses mains. Et je serai fixé. Je connaîtrai l'étage de Leccia et la situation de son appartement.

A quoi cela me servira-t-il, ça je n'en sais encore strictement rien !

29

La Land Rover roule vers le *rancho* de la Buena
Suerte — la Bonne Chance — choisi comme point de
ralliement. Paul Leccia sait éviter la traîtrise des ornières. Les difficultés de la route lui rappellent sa fuite
éperdue à travers les éboulis de roches du massif de la
Sainte-Baume, alors qu'au volant de sa grosse voiture, il
rentrait tranquillement d'une partie de chasse. Les flics
l'avaient raté. De peu, mais ils l'avaient raté quand
même. Paul Leccia n'en avait pas pour autant congra-
tulé Notre-Dame-de-la-Garde, la populaire Bonne Mère
qui veille, les bras ouverts, sur la cité phocéenne. Et ce
n'est pas aujourd'hui qu'il va implorer la Guadalupe de
le conduire à bon port.

La Land volée, que leur a confiée Gelado, le gara-
giste-receleur de San Luis Potosi, tourne rond. Fredo
Maurasse somnole, serein, à la place du passager. Don
Guidoni a vraiment tout prévu et le Gringo, tout étudié.
Il n'y a pas à se casser la tête !

Le *rancho* de la Bonne Chance a été choisi en raison
de sa situation à l'intersection des frontières de quatre
États. « C'est vital en cas de coup dur », avait dit
Rocco. Comme aux États-Unis, chaque État de la
confédération mexicaine a sa police propre à qui il est
fortement recommandé de ne pas violer le territoire du
voisin. Et, calquée sur l'organisation du F.B.I., seule la

Policía judicial de Mexico City a le pouvoir de chevaucher les frontières. D'ici que ses antennes de Saltillo, Monterrey, Zacatecas et Potosi se mettent en branle, les dollars du train postal seront bien planqués et ses bénéficiaires à l'abri.

La voiture tous-terrains ingurgite les inégalités du chemin mal empierré qui serpente au milieu des cactus-peyotl au flanc de la Sierra Madre. La prudence est de rigueur car les hautes herbes, au pouvoir hallucinogène, cachent souvent de profonds précipices. Depuis la ville minière de Matehuela, la piste devient de plus en plus difficile, à travers l'aridité des collines. Les villages se font rares. Ce ne sont que des agglomérations de huttes ou de murs en briques d'adobe recouverts de tuiles. Des gauchos, pistolet à la ceinture et large sombrero sur le crâne, se retournent sur leur cheval au passage de la Land Rover qui soulève des gerbes de poussière et de pierres. Paul Leccia souffre de l'altitude. Ses oreilles bourdonnent. La sauvagerie de la montagne, la grandiose monotonie du désert, l'exubérance des forêts, le laissent indifférent.

Il faut atteindre le ranch avant la nuit. Il fait déjà très froid.

La Land Rover évite Real de Catorce, vieux fief colonial niché dans une steppe de cactus. Paul Leccia regarde Fredo sans aménité. Il apprécie peu le compagnon que lui a imposé le Gringo. Fredo était mac bien avant de s'être fait sa réputation de cambrioleur. Et Paul n'a jamais aimé les macs. Vivre des femmes, ce n'est pas un travail d'homme. Pourquoi diable Rocco s'est-il entiché de lui ? La complicité de la prison n'explique pas tout. D'autant que Fredo n'est ni corse, ni marseillais. Les Corses n'aiment pas travailler avec des étrangers, mis à part les Siciliens, qui ont le même caractère et le même respect de l'*omerta,* la loi du silence. Et Fredo est breton, de surcroît. Aucun rapport avec les Méridionaux, moins têtus peut-être mais plus subtils. Il finira par se faire repérer, avec ses « dame oui » et ses « dame non » prononcés à tout bout de champ. Pendant le trajet en train, de Mexico à San Luis Potosi, il n'a heureusement pas desserré les dents. Comment ressentir la moindre sympathie pour ce malotru endimanché qui porte à l'annulaire une pierre d'au moins cinq carats ? Surtout pour une expédition de brousse !

Paul Leccia essuie ses yeux rougis par la poussière et la fatigue. Ses bras lui font mal. Quel calvaire, ce parcours en altitude !

Il fait de plus en plus froid. Paul envie le paysan qu'il vient de dépasser, enfoui sous sa *sarape*. Une carapace en forme de couverture de laine bordée de franges, aux dessins géométriques, percée en son milieu d'un trou pour passer la tête. Il aurait dû, lui aussi, prévoir un poncho.

La Land Rover s'enfonce sous des tonnelles d'arbres géants, aborde, au ralenti, un virage serré. Le Gringo a parlé d'une sente de terre battue, après un pont de bois :

— Vous la suivrez jusqu'à une pierre aztèque décorée de frises de serpent. Vous monterez, sur votre gauche, la rampe qui mène au plateau. Les premiers arrivés au ranch attendront les autres.

Rocco, avec sa Cadillac, a choisi un autre chemin à partir de Canelo. Question de sécurité. Il fait, lui, équipe avec Gaeta, un drôle de type, regard cruel et cheveux roux, si inquiétant qu'on le surnomme Joe le Dingue. On le voit rarement à Mexico, sauf pour les ultimes mises au point. Il vit dans une cachette sûre avec Carmelita, sa maîtresse, du côté d'El Paso.

Paul n'y voit plus grand-chose, à travers le pare-brise poussiéreux. Il colle son nez à la vitre, conduit plus lentement encore. Fredo la Moralité grogne, dans son sommeil.

Paul découvre sans peine le pont de bois dont a parlé le Gringo. Il enclenche la première vitesse. Sous le poids des roues, les rondins crissent, craquent, gémissent. Au-dessous, le torrent rugit en cataracte. De l'autre côté de la gorge, un élan jette un coup d'œil intrigué au monstre d'acier qui tressaute sur les troncs d'arbres, avant de disparaître, d'un bond, dans la forêt.

Paul se félicite de faire partie de l'équipée. Cette histoire de train tombe à pic. Ses revenus ne cessent de fondre depuis son arrivée au Mexique. C'est cher, la cavale, et il répugne à se séparer des quelques diamants qui lui restent.

Quand il récapitule le projet d'attaque du train, il se rassure en pensant qu'il ne risque rien. Cela se passera en plein désert. Après, il aura tout le temps de rejoindre sa paisible retraite mexicaine, où il retrouvera Carmen Mendizabal, la plantureuse Colombienne qui, depuis quelques jours, meuble ses nuits au Camino Real. La Land Rover aura été abandonnée à Vanegas, comme prévu. Paul et Fredo rentreront par le train, sans faire mine de se connaître. Rocco et Joe le Dingue prendront la route de Zacatecas.

Quant au butin, il ne posera aucun problème : Don Giuseppe a trouvé un moyen original d'évacuer, au plus vite et sans aucun risque, les sacs postaux bourrés de pesos et de dollars.

La Land Rover a laissé la pierre aztèque sur sa droite. Elle cahote sur la rampe qui mène au plateau. Paul aperçoit au loin les ruines d'un ancien saloon, où venaient s'amuser et consommer autrefois des mineurs chargés d'extraire l'argent des entrailles de la montagne. La savane dévore les bâtiments de bois. La citerne d'eau croupie rouille sur ses piliers de métal. Il se dégage de

261

ces vestiges une impression de désolation et de mort.

Paul stoppe le véhicule sur un terre-plein dégagé, met pied à terre pour se dégourdir les jambes. Il s'empare d'une paire de jumelles de marine. De son poste d'observation, il domine le ruban d'acier qui rassemble toute la circulation ferroviaire de la vallée.

Rien de plus facile, avec un peu de patience, que de mesurer le rythme du trafic, et de chiffrer la relative régularité des convois. Oui, vraiment, l'endroit est idéal. Lorsque Paul Leccia avait demandé au Gringo comment ils seraient prévenus du départ du wagon plein de dollars, dans leur ranch démuni d'électricité, de téléphone et de tout moyen de communication, il s'était entendu répondre : « J'en fais mon affaire. »

Le sourire de Rocco en disait long.

A peine Paul Leccia a-t-il éloigné les jumelles de ses yeux qu'il voit s'arrêter, à quelques mètres, la Cadillac du Gringo. La jonction est établie. Bientôt, tout sera consommé.

30

Jésus Ibarrez réussit à trouver une place pour la Ford vert métallisé de location sur Independance Avenue, en face du Capitole. Il escalade les marches de la façade principale recouverte de marbre blanc, contourne l'aile gauche, arrive sur le perron qui domine le bassin et le Federal Triangle, le quartier administratif de Washington, offrant, en toile de fond, White House, la demeure du président des États-Unis.

Une brume légère flotte au-dessus des jardins du Mall. L'endroit est désert. Il est huit heures. La ville n'est pas encore tout à fait réveillée. Quelques voitures sillonnent Pennsylvania Avenue, au pied de la masse sombre des bâtiments de *National Archives* et du *Department of Justice*.

Jésus Ibarrez jette un coup d'œil circulaire. Un regard de vautour, qui s'arrête une seconde sur l'escogriffe noir qui balaie mollement les feuilles mortes autour du bassin, un vieux chapeau sur la tête. Il semble voué à une tâche sans fin : dès qu'un coup de vent fait voler les feuilles hors de sa brouette, il se dirige vers leur point de chute, tirant le balai derrière lui, et recommence avec nonchalance l'opération. Rassuré, Ibarrez descend les marches, s'engage dans Madison Avenue, s'arrête à l'angle de la pelouse de la 7th Street. Il allume un cigarillo, dont il exhale lentement la fumée dans l'air vif.

Il remonte le col de son pardessus à chevrons gris foncé. Voilà à peine une heure qu'il s'est posé à National Airport, venant de New York.

Malgré sa mise de bon ton et le cigarillo qu'il fume avec élégance sans le laisser pendre à ses lèvres, Jésus Ibarrez est un personnage inquiétant. Petit, trapu, noir de peau, il arbore, comme la plupart de ses compatriotes cubains, une fine moustache et d'énormes favoris taillés en biais. Ses yeux marron ne cessent d'aller et venir sous les sourcils épais. Ils luisent dans le cuivre du visage. Conseiller culturel, à La Havane, du dictateur Batista, il est chargé des départements des Beaux-Arts et du Tourisme, ce qui le met en contact avec ses homologues des pays voisins. Mais, derrière ces fonctions officielles, Ibarrez est l'homme fort du régime. C'est lui qui profite, au premier chef, de la corruption qui a transformé La Havane en un immense lupanar. Type de l'individu sans foi ni loi, il trahit ses amis sans remords, et presque avec plaisir, pour le compte du redoutable John Edgar Hoover, le père tout-puissant du non moins redoutable *Federal Bureau of Investigations* américain.

Les relations des deux hommes remontent avant la guerre. Ils se sont connus alors que le Syndicat du crime avait décidé d'expédier à vingt pieds sous terre l'attorney général Thomas Dewey, accusé de répression illégitime. C'était, inévitablement, déclencher une riposte sans merci de la part des autorités américaines. Les conseils de Luciano et d'Ibarrez avaient fini par tempérer les ardeurs combatives des *mafiosi* qui avaient rangé leurs seconds couteaux au vestiaire.

Tout se serait calmé s'il n'y avait eu ce fou de Schultz, le tueur hollandais qui avait déjà réussi à éliminer vingt rivaux d'une équipe qui le concurrençait dans le racket des restaurants de Manhattan. Il avait claqué les portes, proclamant que Dewey, qui l'avait poursuivi pour fraude fiscale, serait châtié dans les prochains jours, envers et contre tous.

La bave aux lèvres, Schultz avait quitté La Havane pour New York, en compagnie de deux gardes du corps. Mais le téléphone avait fonctionné entre Ibarrez et Hoover. Le Cubain préférait ne pas attiser l'énergie des fédéraux à combattre la Mafia, le policier souhaitait kidnapper enfin un fou dangereux et insaisissable. Les *capo-regime* avaient été plus rapides et le F.B.I. avait retrouvé trois corps baignant dans leur sang, dans le petit salon réservé du Palace Shop House and Tavern.

En 1940, Jésus Ibarrez a reçu la récompense de son double jeu. Il est devenu un familier de l'inculte sergent Fulgencio Batista, promu au rang de chef d'État avec l'appui des Américains. Hoover fermait les yeux sur ses louches tractations, en échange de renseignements sur les membres du Syndicat du crime qui tendait à se réorganiser après la purge de 1941. Même pendant la traversée du désert de Batista, réfugié au Mexique, Ibarrez a continué à manipuler ses sympathisants et à fomenter des coups destinés à abattre successivement, par le jeu de la corruption, tous les prétendants à la présidence. Après le retour de Batista, il a réussi à faire venir Lucky Luciano de Naples à La Havane, pour reconstituer l'Organisation démantelée. Ce fut l'arrivée massive des anciens *capi* et des nouveaux lieutenants dans les hôtels truffés de micros. Hoover a pu ainsi être parfaitement au courant des desseins de l'*Onorata Società* concernant la répartition des secteurs criminels aux États-Unis.

C'était la grande époque de La Havane. Les réceptions succédaient aux réceptions. Les machines à sous fonctionnaient à plein rendement, infatigables. Le jeune chanteur Frank Sinatra triomphait devant ses admirateurs, public au chapeau rabattu sur les yeux et aux mains pleines de bagues qui pouvaient enfin sortir des poches en toute sécurité. Hoover avait su comment chaque grand hôtel pouvait ouvrir son propre cabaret moyennant le paiement de vingt-cinq mille dollars à la Mafia.

Grâce à Jésus Ibarrez, rien de ce qui se passait à La Havane n'échappait au F.B.I.

Ibarrez hèle le taxi qui roule lentement sur la 7th Street. Un homme, le col du pardessus relevé, les bords d'un chapeau noir baissés sur les yeux, est déjà assis sur la banquette. Il serre la main d'Ibarrez. C'est J. E. Hoover.

La voiture emprunte Constitution Avenue, puis vient s'arrêter devant le Memorial Lincoln, dans le Potomac Park désert. Ibarrez constate, avec une satisfaction mêlée d'orgueil, que deux voitures banalisées barrent la route, à une distance respectable. Il apprécie l'organisation et la prudence d'Hoover.

Le chauffeur, bien dressé, abandonne son volant pour aller s'asseoir sur un banc devant les marches qui surplombent le lac rectangulaire.

— Il se passe des choses graves, dit Ibarrez. Les frères Castro et Ernesto Guevara préparent un nouveau débarquement.

Hoover ne répond pas. Déjà, il a fait échouer, avec la complicité de la C.I.A. dont John Smith est l'un des représentants à Varedero, le coup de main de Castro à Moncada.

— Leur antenne à Santiago est Crescencio Perez. Il doit les accueillir avec ses nombreux sympathisants.

— Bien, bien, dit Hoover en secouant la tête. Ensuite ?

— La drogue arrive désormais régulièrement du Mexique. Maurasse, qui se fait appeler Malegrat, a constitué sa tête de pont à Jibacoa. Il la réexpédie sur la Floride. Vous avez dû vous en rendre compte.

Le masque de bouledogue reste impassible. Seules les

lourdes paupières de Hoover ont cillé, de chaque côté du nez cassé.

— Sa maîtresse ne m'a pas résisté longtemps, poursuit Jésus. Je multiplie les présents, car elle est aussi avide que bête.

La main d'Hoover fouette l'air. Les méthodes d'Ibarrez ne l'intéressent pas, c'est visible.

— Elle est bavarde, au moins ? demande-t-il sèchement. C'est tout ce qu'il nous faut.

— Très bavarde. Elle me raconte tout ce qu'elle sait.

De nouveau, un signe de fatigue marque le front d'Hoover. Il trouve qu'Ibarrez traînasse. Il se retourne sur le côté gauche, allonge ses petites jambes, fouille dans sa poche, en sort un micro émetteur.

— Wright, ordonne-t-il, allez dire à Johnson, là-bas, de s'écarter de la deuxième voiture. Ils vont finir par se faire remarquer.

Ibarrez admire, une fois de plus, la précision et l'autorité du chef du F.B.I., qui reprend avec impatience :

— C'est-à-dire ?

— La drogue arrive de Tanger au Mexique, où le Gringo la réceptionne. Juan Martinez, le pilote-cascadeur de Don Guidoni, l'achemine sur Tijuana et chez nous, sur un terrain privé de Matanzas.

Au nom de Guidoni, Hoover a soulevé un sourcil :

— Toujours dans son hacienda, celui-là ?

— Toujours. Son ulcère le ronge. Il n'en a plus pour longtemps. C'est un cancer, à mon avis.

Les lèvres d'Hoover dessinent un vague sourire. Il déteste le Don, son vieil ennemi, qui lui a donné tant de fil à retordre [1].

— C'est surtout au sujet du Gringo que je voulais vous rencontrer, dit Ibarrez. Sa maîtresse Liliane a quitté discrètement le Deauville. Maurasse l'a conduite

1. Voir *le Ricain*.

jusqu'au cap San Antonio. Elle a pris un cruiser en direction de l'île Cozumel. De là, le courrier régulier l'a déposée à Mexico. Elle est allée retrouver le Gringo à Cuernavaca. Elle doit téléphoner son point de chute à Roussette, la femme de Fredo.

— Bravo ! condescend enfin à lâcher Hoover. Bon travail. Donc, si on loge cette Liliane, on peut ramasser le Gringo. C'est bien ça ?

— Exactement.

Les quelques mots de compliments de J. E. Hoover touchent au plus haut point Jésus Ibarrez. C'est grâce à ses relations équivoques qu'il a su monter la filière vers les États-Unis, le bon Jésus. Et maintenant, il sait que les gros poissons vont se faire prendre. Du coup, il aura gagné les faveurs du gouvernement américain, et il empochera la prime du *Treasury Department.* Quelques millions de dollars viendront s'ajouter à sa fortune déjà coquette.

— Bien, conclut Hoover. Le *Narcotics Bureau* a déjà pas mal d'éléments en main sur les arrivages d'oranges truquées. Quand nous aurons le Gringo, nous déclencherons l'affaire sur Castellammare del Golfo, Marseille, Tanger et Cuba. Et Charles Smith, dans tout ça ?

— Il héberge, pour quelques semaines, Samy Ghourian, le fournisseur de morphine à Luciano. Il se fait du souci, celui-là, depuis le meurtre du commissaire Abdin en Turquie. En tout cas, le plan a bien fonctionné !

Les accents circonflexes broussailleux s'accentuent au-dessus des yeux de J. E. Hoover :

— Qu'entendez-vous par là ?

— Smith n'avait pas mis la combinaison sur le coffre de sa villa. Et Maurasse est tombé dans le panneau ! Il a planqué le butin dans un compartiment de la Chase Bank à Panama. Nous avons tous les numéros des billets... Bien sûr, j'ai remboursé Smith.

— Bien joué, approuve Hoover, tandis que Jésus

Ibarrez se rengorge. Donc, ce Maurasse, on le tient aussi quand on veut ?

— Quand on veut, dit Ibarrez. Et, il peut, lui aussi, nous mener au Gringo. Il est parti en voyage pour quelques jours. Je n'ai pas encore pu savoir où, mais ce n'est qu'une question d'heures.

— Tenez-moi au courant, dit Hoover. Toute cette agitation commence à me passionner. Et encore une fois, bravo ! Grâce à vous, je crois que nous tenons enfin Rocco Messina.

31

Luis Maria Portillo a toujours su se débrouiller dans la vie. Pour ce commissaire retraité de la *Dirección general de la policía y transito,* le poste de convoyeur de fonds est une sinécure de choix; digne des trente années qu'il a passées dans l'administration. D'abord chauffeur de Son Excellence Calles, président de la République du Mexique, il a continué à servir Lazaro Cardenas, son successeur, qui appréciait sa promptitude à ouvrir les portières et sa docilité pour courber l'échine. Le grade d'inspecteur affecté à la police du transit a récompensé sa servilité. Sa carrière s'était déroulée sans incident. Son principal souci étant de se faire des relations, il avait tout naturellement collectionné les propositions d'emplois privilégiés. A sa retraite, il n'avait eu qu'à choisir. Retraite qu'il a prise avec le grade de commissaire de police, sans avoir, de sa vie, touché un revolver ni rédigé le moindre procès-verbal.

Luis Maria Portillo a jeté son dévolu sur l'administration postale. Les ambulants sur les *Ferrocarriles nacionales,* de Mexico à Nuevo Laredo, Ciudad Juarez ou Nogales, postes frontières mexico-américains, avaient besoin d'un convoyeur pour les transports de fonds en direction des États-Unis, et vice versa.

Huit candidats concouraient à ce poste, qui ajoutait des avantages considérables au traitement mensuel :

primes de transport, doubles frais de séjour, primes de risque, repos hebdomadaire de quatre jours après chaque rotation... Les postulants, anciens *granaderos* — la gendarmerie mexicaine —, avaient un palmarès éloquent. C'étaient des spécialistes de la self-défense et du tir, eux. Mais Luis Maria Portillo a fait jouer ses relations. Aussi le poste de convoyeur sur l'Aquila Azteca, qui fonctionne chaque jour en liaison avec le Texas Eagle en partance de Laredo pour Saint-Louis du Mississipi, ne pouvait-il lui échapper.

Cinq ou six fois par mois, l'Aquila Azteca traîne, derrière un tender, un fourgon chargé de devises, de lingots d'or et de pierres précieuses. Le reste du temps, un wagon postal ordinaire charrie le courrier. Le convoi est impressionnant, avec sa suite de wagons-lits Pullman, de voitures-restaurants et de bar-fumoir. Il dessert les gares de Querétaro, San Miguel de Allende, San Luis Potosi, Saltillo et Monterrey, avant la frontière de Laredo, où des géants texans au large chapeau prennent en charge le précieux chargement avec leur rire jovial et leur arsenal à la ceinture.

Voilà trois mois que Luis Maria Portillo, de jour, comme de nuit, couve des centaines de millions de dollars à destination des États-Unis. Jamais la moindre anicroche n'est venue troubler la quiétude de sa fonction. Placide, il assiste, de l'intérieur du fourgon, à l'arrivée des véhicules blindés, fortement escortés, dans la réserve des messageries de Mexico. Puis, c'est le chargement. Il s'enferme hermétiquement avec les trois employés chargés de collecter, au fil du voyage, les objets de valeur recommandés et les sacs de devises, aux principaux points d'arrêt. Il attend, tranquille derrière sa fenêtre grillagée, le raccordement de la motrice au wagon spécial, puis au convoi de voyageurs rangé le long du quai de la gare de Mexico City.

271

Lorsque le train s'élance dans la nuit, Luis Maria Portillo abaisse son siège-couchette, éteint la lampe principale, revêt un pyjama rayé et chausse des pantoufles. Après quoi, avec la même minutie rituelle, il sort d'une mallette la galette mexicaine appelée *tortilla*. Il étend dessus du fromage mêlé de viande, de poivrons et de *chile*. C'est son repas du soir, qu'il déguste en l'agrémentant de *pulque*.

Luis Maria Portillo est heureux. Et pourtant, il indispose singulièrement les ambulants qui n'ignorent rien de sa carrière policière et de sa servilité. Ils redoutent d'être un jour les victimes de cet espion de la direction des *correos y telégrafos*.

La Land Rover se glisse à travers l'épaisse forêt accrochée au versant montagneux. Le Gringo surveille chaque ombre du chemin en lacet. Les ressorts de la voiture tous-terrains gémissent dans les profondes ornières qui apparaissent dans le pinceau des phares comme de mystérieuses oubliettes. Joe le Dingue se révèle un chauffeur émérite. Il prend un plaisir visible à déjouer les pièges de la piste. Paul Leccia et Fredo la Moralité, eux, se tassent sur la banquette arrière, anxieux, les mains soudées aux armatures.

Le Gringo respire fort, pour dissiper l'oppression qui l'envahit lorsque, au défilé des crevasses, se substitue la vision des sacs de dollars. L'action dépend de lui. Il en est l'animateur. A lui de la mener rapidement, et sans défaillance.

Don Guidoni, renseigné avec une précision étonnante par des voies connues de lui seul, a confirmé les points importants que soulignait Rocco : repérer parfaitement les lieux, pour s'assurer le maximum de chances de succès ; étudier à plusieurs reprises le passage des trains de nuit, afin d'enregistrer les variations de vitesse à l'entrée de la courbe précédant le viaduc ; chronométrer le temps que met la voiture pour remonter au *rancho* de la Bonne Chance.

Pour le moment, la Land Rover descend vers les profondeurs de la gorge, noyée dans la nuit. De lourds nuages accentuent encore l'aspect spectral des cimes noires. A chaque tournant, le balai des phares fait briller, au fond des fourrés, les yeux phosphorescents de nocturnes bêtes sauvages. Les rochers se dressent, puis disparaissent, en une succession de visions dantesques. L'eau des cascades ruisselle et bruit sur des lits de pierres.

Dès que la jonction de la Land Rover et de la Cadillac s'était faite, en fin d'après-midi, Rocco avait choisi une clairière propice pour camoufler le matériel de séjour : sacs de couchage, boîtes de conserve, batteries électriques, poste émetteur-récepteur à ondes courtes.

— Deux d'entre nous, avait-il précisé, dormiront dans les sacs ou dans la Cad, à leur gré, pendant que les deux autres veilleront. Mais d'abord, on casse une croûte. A la nuit tombée, on descendra dans la gorge.

Le viaduc se dessine, vision de civilisation inattendue dans la sauvagerie ambiante, avec ses arches qui enjambent une large vallée. La Land Rover progresse jusque sous la voûte centrale.

— Tu t'arrêtes là, ordonne Rocco à Joe le Dingue.

Puis, s'adressant à Paul Leccia :

— Voilà le point précis où il faut que tu restes. Les sacs te tomberont d'au-dessus, tu n'auras qu'à les mettre en piles.

Paul acquiesce. Il connaît la musique... Il s'en souvient ! Le vol audacieux [1] qu'il avait lui-même monté le

1. Entre octobre 1866 et août 1881, plus de vingt attaques de trains postaux eurent lieu aux États-Unis à peu près dans les mêmes circonstances. L'agression contre le convoi Glasgow-Londres du 7 août 1963 n'a été qu'une répétition de ces méfaits.

23 septembre 1938 contre le train des Messageries marseillaises ne s'était pas déroulé dans un décor aussi extraordinairement grandiose, mais n'en avait pas moins été dramatique. Gus Mela, un teigneux, dissimulé dans le wagon de queue, manipulait les freins, faisait stopper le convoi et blessait grièvement le convoyeur. Cent quatre-vingt-deux kilos d'or changeaient de main. Aujourd'hui ce sont des billets qui vont subir le même sort.

Rocco saute à terre, fait signe à Fredo et à Joe de le suivre.

— Nous, on va escalader le versant pour calculer le temps qu'il nous faut, dit-il, ouvrant la marche, une torche électrique à bout de bras.

Il s'élève à travers les arbustes. Joe le Dingue a du mal à le suivre. Fredo, pas sportif pour un sou, traîne en queue de peloton.

L'athlétique Rocco lève de temps à autre la tête pour apercevoir l'entrée du viaduc. Les trois hommes contournent des ravins où se dressent d'étranges monolithes. Une pierre cède sous les pas de Joe, qui a le réflexe de s'accrocher à une branche. La prudence ralentit encore sa marche. Le ballast, enfin, apparaît. Le Gringo attend que ses deux complices, essoufflés, le rejoignent. Lorsqu'ils ont repris leur respiration, il explique :

— L'express part à vingt heures dix de Mexico City. Trois courts arrêts, et il doit être ici à deux heures vingt. Il faudra que le signal vert, au milieu du viaduc, devienne rouge pour le faire stopper.

— Comment ça ? demande Fredo.

— On enlèvera le carreau vert, et on le remplacera par un rouge après avoir masqué les autres lumières. C'est simple. Un kilomètre avant ce poteau, on fera la même chose sur l'autre panneau de signalisation. Le jaune fera ralentir le convoi. Les fils du téléphone cisaillés, nous pourrons surgir en toute tranquillité de chaque côté, sur le marchepied de la motrice.

Et il ajoute, avec un sourire sarcastique :

— Juan Martinez nous préviendra par radio au dernier moment de l'importance du chargement et du mot de passe utilisé ce jour-là. Lui-même sera alerté par son cousin de San Luis Potosi. De Concepción del Oro, il sera là d'un coup d'aile. Et, le temps que nous opérerons, il attendra le chargement sur le terre-plein du ranch. Ça lui suffit pour atterrir et décoller.

C'est par la voie des airs, en effet, que Don Giuseppe a choisi d'évacuer le fabuleux butin du train postal.

32

C'est avec une joie non dissimulée que je retrouve ce cher vieux Richard Baker sous les frondaisons du jardin couvert du Moustaches, le restaurant super-chic de Mexico City. Il n'y a que le F.B.I. pour s'offrir à la fois le décor style New Orleans, la cuisine raffinée, le bordeaux au millésime vénérable...

Oui, je suis heureux de retrouver Baker. La solitude me pesait. Ramón Gonzalez est un homme plein de courtoisie, de chaleur même, mais je crains que sa passion des corridas n'éclipse quelque peu sa fébrilité professionnelle. Quand je suis entré dans l'établissement, j'ai de suite repéré mon cher *Special Agent* qui m'attendait devant une *margarita,* cocktail d'alcool d'agave et de jus de citron. J'ai commandé un jus de pamplemousse. Il a vidé son verre, cul sec, avec une maestria que j'ai bien reconnue, en a commandé un second. J'ai siroté le mien, puis nous sommes passés à table.

La mini-conférence était commencée.

Il est radieux, Richard, dans son costume de tweed beige, de l'autre côté de la table éclairée par des lumignons. Les haut-parleurs dissimulés dans les feuillages distillent de la musique douce, tandis que Baker m'écrase de toute sa supériorité de *G.man* du prestigieux F.B.I. :

— J'ai des renseignements intéressants, *amigo !* dit-il, l'œil allumé. Le Gringo est ici.

Je m'en doute. La conversation téléphonique de Tanger était assez explicite.

— ... Sa maîtresse l'a rejoint. Sitôt votre départ du Maroc, j'ai découvert qu'elle s'était embarquée pour La Havane. J'ai tout de suite filé là-bas.

Ça, le Gros me l'a dit aussi.

Baker goûte le bordeaux que le sommelier vient de verser, fait un signe affirmatif de la tête.

— Où habitent-ils ? dis-je dès que le serveur s'est éloigné.

— A Cuernavaca. Une heure de route. Si vous aimez les pyramides aztèques, la peinture contemporaine, les beautés du site, vous pouvez y jouer les touristes. Mais si vous souhaitez piéger le Gringo, on y va demain.

Le maître d'hôtel s'est planté devant nous. Après les *camarones,* ces grosses écrevisses que je déguste avec un filet de mayonnaise, je vois arriver le *pollo al arroz* qui n'est rien d'autre que du poulet au riz. Là, au moins, pas de petits pots de *chile.* Une sauce aromatisée de couleur brune accompagne la volaille. Le maître d'hôtel, qui arbore les moustaches d'un troisième couteau dans une opérette typique du Châtelet, pose le plat sur un chauffe-plat argenté sous lequel vacillent deux bougies. A la table voisine, suffisamment distante pour que soit gardé le secret des conversations, un garçon se donne des mines de magicien inspiré pour préparer des bananes flambées devant un couple d'Américains en extase. Les diamants de la jeune femme scintillent sur la peau laiteuse.

— Vous avez localisé leur planque ? dis-je en pensant à Rocco et Liliane.

Baker secoue négativement la tête :

— Non, hélas ! Mais je me suis renseigné. Cent cinquante mille habitants au cœur d'un terroir de vergers et de jardins tropicaux. Il faudrait ratisser les hôtels et les agences de location de villàs. Si nous voulons réussir, force est de mettre Gonzalez dans le coup.

Je me sens assez réticent. Non que j'aie une quelconque aversion contre le bon commissaire mexicain... Mais un des dictons favoris du Gros me tracasse : « Secret de deux, secret des dieux. Secret de trois, secret de tous. »

— C'est indispensable ?

— Absolument. N'oubliez pas que nous sommes sur le terrain de la police mexicaine.

— Évidemment.

Je me dis que nous ne sommes pas sortis de l'auberge. Je me souviens de ma recherche des villas de la Riviera italienne, l'an passé[1], et de Tanger, cette année... Je doute que Rocco ait changé ses habitudes et se prélasse tranquillement dans un hôtel de la région, même le plus simple...

— Nous y serons encore dans trois mois, dis-je, découragé.

L'assurance et le flegme de Richard Baker viennent à mon secours :

— Peut-être pas. Il se peut que Liliane téléphone à ses amis, à Roussette, à Fredo la Moralité. Ça vous dit quelque chose, ces noms-là ?

L'œil de Baker me fixe, au-dessus de son verre. Il se fout de moi, ma parole ! Ainsi, il sait que je me suis fait arnaquer par Maurasse !

— Fredo ? dis-je, sur un ton d'innocence bien mal joué.

— Oui. Qui se fait appeler aussi Malegrat. L'ami du Gringo, si vous préférez, son ancien compagnon de détention à la prison de Fresnes. Et son homme-orchestre du réseau d'exportation de la drogue vers la

---

1. Voir *le Ricain*.

Floride à partir des plages de Jibacoa. Quand je vous dis que je suis bien informé…

Ça oui, ça se voit ! Je préfère m'abstenir de pousser plus loin.

Richard me délivre de mes angoisses :

— Rassurez-vous, mon cher. Nous autres Américains, nous sommes bien placés, dans cette île où nous tenons en main le régime Batista, contre la montée du communisme… Revenons à Liliane. Elle était au Deauville. Elle a disparu. Elle a gagné Mexico : j'ai trouvé la trace de son passage à l'aéroport. Ensuite, plus rien.

— Ce qui fait que si elle ne téléphone pas…

— La patience est l'art d'espérer, *amigo !* Il faut donc patienter… Café ?

Le maître d'hôtel s'approche :

— L'un de vous serait-il monsieur William Burke ?

— C'est moi, dit Baker.

— *Teléfono, señor.*

— Excusez-moi, dit Richard, en posant sa serviette.

Il suit le maître d'hôtel au travers du luxueux décor. Les haut-parleurs diffusent *Revoir Paris,* de Charles Trenet. Me voici nostalgique, tout d'un coup. Je pense à Marlyse et à nos serins. Cinq minutes s'écoulent avant que le soi-disant William Burke ne regagne sa place.

— Qu'est-ce que je vous disais ? C'est bien à Cuernavaca, hacienda Vista Hermosa.

— Liliane a donc téléphoné ?

Baker vide son verre d'un trait, fait claquer sa langue.

— On ne peut rien vous cacher, *friend.* La Bible a raison de dire que c'est un don de Dieu qu'une femme silencieuse.

On croirait entendre le Gros !

— A propos, enchaîne-t-il, avez-vous vu nos nouvelles techniques ?

Il sort de sa poche une boîte de carton verte sur laquelle je lis *Electronic Corporation — New York.* Il déplie avec précaution un papier de soie, exhibe une capsule d'appareil téléphonique analogue à celle qui se trouve dans les combinés des P.T.T. Objet métallique conique, terminé par une pointe de laiton. Il joue, avec un sourire d'enfant, à le faire sauter dans sa main.

Quand je lui demande ce que c'est, il cligne de l'œil :

— Nos nouveaux émetteurs ! Il suffit de les glisser dans les appareils à la place des pastilles ordinaires, et vous captez les conversations, jusqu'à un rayon d'un kilomètre, sur un poste-radio.

— Tout le monde peut donc les entendre ?

— Non... ça passe sur une bande spéciale, au-dessus des 110. En modulation de fréquence.

Pour moi, tout ça c'est de l'hébreu... Ce que je retiens, par contre, c'est que ça doit être drôlement pratique quand on peut s'introduire dans les appartements en se faisant ouvrir par un Monseigneur, roi des serrures, par exemple !

— On colle ça dans la chambre de Liliane, conclut Richard en glissant la boîte dans sa poche, et on est tranquilles.

Le dîner est terminé. Baker se lève, jette une poignée de dollars sur la table et, devant les maîtres d'hôtel qui accourent, me lance une magistrale tape dans le dos :

— C'est ça la police, mon cher. Il faut marcher avec son temps !

Je ne peux qu'approuver. Je me sens vraiment petit et ô combien ridicule avec les bonnes vieilles méthodes que m'a enseignées le Gros et que nous pratiquons, Hidoine et moi, vaille que vaille, tous les jours que Dieu fait, dans les rues de Paris. Mon élan est coupé ! Je ne puis plus confier au superman américain ce à quoi j'ai perdu mon temps depuis mon arrivée à Mexico. J'aurais bonne mine ! Fi de la rencontre fortuite avec Paul Leccia, de ma filature impromptue en taxi, de la découverte de l'enveloppe dans la Chrysler et de mes tentatives désespérées pour découvrir l'étage de l'appartement que Paulo est censé occuper rue Copernico.

Si je lui parlais de mon enveloppe rose, c'est pour le coup qu'il s'en étranglerait de rire, le Baker! Surtout que, comme sœur Anne, je ne la vois jamais venir!

Dans la pénombre de l'escalier monumental de l'immeuble de la calle Copernico, je réalise que j'ai bien fait de garder ma langue. Je ne marche pas avec mon temps, je n'ai rien d'un as du F.B.I. bardé de pistolets et de micros, je suis et je reste un pauvre type à l'affût d'une enveloppe rose que le facteur jettera dans une boîte anonyme.

Il est neuf heures vingt. Cela fait deux heures que je fais le pied de grue. Une fois de plus, j'ai assisté à l'arrivée du marchand ambulant et à l'étalage de ses produits *made in Mexico.* J'ai vu des employés partir de chez eux pour aller travailler, des ménagères entreprendre la grande expédition du marché, des livreurs s'engouffrer dans les escaliers de service de cette rue résidentielle. Mais je guette toujours en vain le courrier.

Elle est longue, cette attente. D'autant plus pénible que chaque fois que s'ouvre la porte de l'immeuble, ou que j'entends le moindre bruit, je suis obligé de faire semblant de descendre ou de monter... Il ne devrait pourtant plus tarder, ce facteur.

Le voici. La porte, que j'ai calée avec une pierre, me laisse apercevoir un uniforme, qui suit l'arrêt d'un triporteur dont les freins grincent et dont le moteur émet un curieux sifflement. Je m'accroupis dans l'angle de l'escalier. Des journaux, des imprimés, glissent dans les boîtes. Des enveloppes blanches, aussi. Mais pas d'enveloppe rose. Suspense. Aurait-elle été déjà distribuée sans que je le sache?

O surprise, le facteur ne quitte pas l'immeuble. Il commence même à escalader l'escalier. Je n'ai que le temps de me redresser afin de pouvoir le croiser de façon décente entre le premier étage et le rez-de-chaussée.

Du bas, j'observe sa main sur la rampe, en même temps que j'entends son pas lourd sur les marches. Il a passé le second palier. Le voici au troisième. Pas pour longtemps. Déjà, il redescend. Le temps de me glisser derrière la porte de service et je le laisse sortir. J'entends siffler le moteur de son triporteur. Je m'envole vers le troisième ! Deux portes. Je tire le paillasson de celle de gauche. Au hasard. Je me couche au ras du sol. L'enveloppe rose est là. Je l'aperçois, suffisamment poussée sous l'huis pour un destinataire habituel, insuffisamment pour un professionnel de l'espionnage.

Ma lime à ongles attrape l'angle de la lettre. Je la tire, la prend, la glisse dans ma poche, me relève. Leccia réside au troisième étage gauche. Le carnet d'électricité, dans le placard du palier de service, m'apprend le nom de la propriétaire : Inés Ruiz. Il habite donc chez cette femme et le complaisant facteur lui dépose ses lettres à domicile !

Si la piste du F.B.I. à Cuernavaca ne donne rien, j'aurai toujours celle-ci en réserve. Les bonnes vieilles méthodes françaises ne sont peut-être pas aussi idiotes que le pense le superman Baker !

Et comme dirait le Gros : « D'abord l'étable, ensuite la vache. »

33

L'Aquila Azteca s'ébranle avec vingt minutes de retard. En ce lendemain de long week-end, les sacs postaux regorgent plus que jamais de dollars qui seront échangés, à Wall Street, contre des pesos mexicains. Il a fallu attendre le courrier d'Acapulco, retardé par suite d'ennuis mécaniques dans la traversée d'Iguala. Tous les établissements de la Confédération ont centralisé sur la capitale les recettes des derniers jours. La banque centrale du Mexique a spécialement affrété un wagon blindé de la compagnie des *Ferrocarriles nacionales* à destination des États-Unis.

De sa plate-forme directoriale, une lueur de satisfaction dans l'œil, le commissaire Luis Maria Portillo a supervisé les opérations de chargement. Il s'est assuré de la fermeture hermétique, de l'intérieur, des doubles portes qui ne seront ouvertes qu'à la frontière, lors de la passation des consignes, pour inventaire de la cargaison. Les lumières de la gare centrale se sont à peine estompées qu'il a vérifié encore une fois, ultime mesure de précaution, le mécanisme assurant l'inviolabilité du compartiment.

A Querétaro, verrou de la riche et fertile plaine du Bajío, le retard est en partie comblé. L'arrêt est rapide. La glace pare-balles bascule devant les chariots postaux, au bout du quai, dès qu'a été prononcé le mot de passe qui, pour cette nuit-là est « Moctezuma[1] ». Les sacs sont balancés à l'intérieur du fourgon. Le mécanicien, Manuelo Pizarro, lunettes relevées, surveille lui aussi le transfert du haut de sa locomotive. Il remet la vapeur.

Le verrouillage de la glace s'effectue alors que le train roule déjà dans la nuit noire. Il fonce vers San Miguel de Allende, puis vers San Luis Potosi, où les mêmes manœuvres se répètent, chaque chef de gare étant avisé du mot de passe par téléphone, dès le départ du convoi de la gare précédente.

Luis Maria Portillo est fier d'avoir mis au point ce système de protection, destiné à empêcher toute indiscrétion. Seul en a connaissance le mécanicien de la locomotive derrière laquelle est attelé le fourgon, et uniquement au moment du départ. Ainsi pourrait-il, en cas d'accident, délivrer les postiers emmurés.

A chaque escale, le commissaire perçoit, sur le plancher, le bruit mat des sacs qui viennent grossir le trésor sur lequel il s'enorgueillit de veiller. Il les connaît bien, les quatre cent cinquante kilomètres qui séparent San Luis Potosi de Saltillo. Les yeux clos, il voit défiler ce décor irréel, désert chaotique percé d'innombrables tunnels, chevauché par des viaducs impressionnants qui apparaissent et disparaissent au rythme des étapes grillées à pleine vitesse.

Le jour se lève à peine lorsque l'express entre en gare à Saltillo. Le commissaire Portillo n'aime pas cette ville, que dominent des montagnes arides. Pour lui, le seul intérêt qu'il pourrait en tirer, ce sont ses *sarapes,* qui servent à la fois de couverture et de pèlerine. Il aimerait bien en rapporter quelques centaines à Mexico. Il les revendrait avec un sérieux bénéfice. Malheureusement, le train ne s'arrête que quelques minutes, et il est trop tôt pour que les indigènes aient étalé leurs éventaires devant la gare. Avec un soupir de regret, Luis Maria

1. Empereur aztèque.

Portillo se glisse dans son sac de couchage. Il ne tarde pas à sombrer dans une douce somnolence, que ponctue le bruit régulier des boggies.

Le Gringo et Joe le Dingue sont bien réveillés, eux. Ils consultent leur chronomètre. A cette heure-ci, le convoi s'étire entre Barrendo et Vanegas, en pleine nature. Les feux blanc et rouge du bimoteur de Juan Martinez ne les ont pas encore délivrés de leur longue attente. Ils surveillent le ciel étoilé au-dessus des crêtes qui se découpent en dents de scie géantes. L'avion leur lancera au passage, par sa radio de bord, le code de dernière heure.

C'est Jimmy Gaeta, le frère de Joe le Dingue, qui est là-haut, quelque part dans le ciel, au côté de Martinez. Une sacrée tête brûlée, ce Martinez, le pilote casse-cou de la Mafia, le roi des passeurs de stupéfiants entre l'Amérique du Sud, le Mexique et Cuba, l'homme-voltige, le champion des atterrissages et des départs en catastrophe, radié de l'armée mexicaine pour insubordination.

Après son éviction des cadres, ce grand gaillard brun, bâti en force, toujours vêtu d'une salopette de mécanicien, est venu chercher fortune à Manhattan. De bar en bar, de tripot en tripot, il a fini par tomber, à Brooklyn, sur les frères Gaeta. Séduits par la personnalité du pilote, ils l'ont présenté à Don Guidoni. Le vieux Don est un connaisseur. Il a tout de suite réalisé le parti qu'il pourrait tirer d'un tel personnage, qui se trouve être, de surcroît, le cousin d'un employé de la gare de San Miguel de Allende, accompagnateur habituel des trésors postaux. Il lui a acheté, aux surplus, un vieux bimoteur que Juan s'est ingénié à rafistoler. Cette acquisition s'est révélée plus que rentable : chaque fois que Juan passe la frontière, cela rapporte gros à l'Organisation. Comme il aime tout particulièrement les atterrissages sur les plages de sable durci, au bord de la mer, Don Giuseppe et Rocco usent et abusent de ses services pour le débarquement clandestin de la drogue sur les territoires américain et cubain.

Lorsque Pizarro, le mécanicien de l'Áquila Azteca, immobilise sa locomotive à la verticale du signal rouge, il est stupéfait de voir surgir sur le marchepied gauche un cheminot en salopette, le visage barbouillé de cambouis. Le chauffeur, lui, n'a même pas le temps de réagir devant l'individu en veste de toile et en pantalon de velours qui a bondi sur le côté droit : le manche de la pioche, enveloppé de chiffons, s'est abattu sur son crâne avec un bruit mat.

Pizarro cligne des yeux devant la lanterne de mineur que le Gringo élève tout contre son visage. En même temps, il voit poindre l'acier noir d'une arme :

— Pas un cri ou tu es mort ! Le mot de passe !

Le mécanicien, glacé d'effroi, fait signe qu'il ne comprend pas.

— Tu le connais, dit doucement Rocco. « Mocte-zuma ». Ne cherche pas à me posséder. Le fric que tu transportes, ce n'est pas le tien, ni celui de tes camarades. C'est celui des banques.

Pizarro sent le canon d'un revolver lui pénétrer entre les côtes. C'est le colt de Joe le Dingue.

— Viens avec nous, intime le Gringo. Tu vas décrocher le fourgon du reste du train.

Manuelo Pizarro s'exécute, tel un automate. Pour lui, la scène est irréelle, dans le froid de la nuit, sous la lune haute. Les trois hommes descendent sur le ballast, arrivent au wagon blindé. Le train endormi a quelque chose d'imaginaire. Les voyageurs se reposent. Et, dans le fourgon, les ambulants sont si absorbés dans le classement du courrier qu'ils ne s'aperçoivent même plus si le train roule ou non. Il n'est pas rare, d'ailleurs, qu'un convoi stoppe dans la nuit, lorsque des trains de marchandises encombrent les voies. Un postier aurait-il mis le nez à la fenêtre qu'il n'aurait deviné que le mécanicien en compagnie de deux cheminots.

Pizarro désaccouple la voiture postale en quelques secondes.

— Par ici, maintenant, lui souffle Rocco.

La mort dans l'âme, il escalade le marchepied de sa motrice. Il constate qu'un troisième homme s'est joint aux deux faux cheminots. Il tient, lui aussi, une arme de fort calibre. Il parle à ses compagnons en une langue que Pizarro ne connaît pas.

— Il commençait à bouger, alors je lui en ai refilé un petit coup. Damé oui.

Le mécanicien desserre les freins. Un bruit d'air comprimé soudain libéré viole le silence de la nuit, retentit loin dans la campagne.

La locomotive s'ébranle, tirant le seul fourgon. Pizarro se décide enfin à murmurer :

— Si un train arrive par-derrière, c'est la catastrophe.

— Ne t'inquiète pas, dit Rocco. On a mis les pétards de signalisation. On n'en a pas pour longtemps.

La motrice suit au ralenti une longue courbe. Les rails brillent sous la lune.

— Accélère, dit Rocco. Jusqu'au viaduc, là-bas.

L'étrange train amputé reprend de la vitesse. Pizarro connaît bien le viaduc, haut d'une vingtaine de mètres, dont l'accès apparaît à un kilomètre environ maintenant. Rocco lui fait signe de ralentir, puis de s'arrêter en plein milieu. Il obéit.

— C'est bien. Tu vas prévenir tes copains les postiers qu'ils nous laissent visiter leur coffre-fort. Et n'oublie pas d'être naturel.

Pour la seconde fois, Pizarro et ses deux gardes du

corps retrouvent les silex de la voie. Il est surtout terrorisé par le regard du roux au pantalon de velours.

Rocco, d'un signe de tête, désigne au mécanicien la double porte. Pizarro frappe trois coups secs sur la tôle renforcée, criant le mot de passe :

— Moctezuma... C'est Pizarro, le chef de train.

Pendant un bref instant, Rocco et Joe, tapis contre la paroi, attendent, le cœur battant, conscients que c'est maintenant que tout se joue. Enfin, une voix perce à travers la cloison.

— Écartez-vous, que je vous reconnaisse !

De sa place, Rocco fait signe au mécanicien d'obéir. L'arme s'élève dans sa direction.

Un rayon électrique illumine quelques instants la face de Pizarro. Puis les clés tournent dans les serrures. Les barres d'acier sont déplacées, la double porte s'entrouvre :

— Qu'est-ce qui se passe ?

Le postier recule d'un bond en voyant les deux inconnus. Trop tard. Les armes sont braquées.

— Le premier qui bouge est mort, dit Rocco.

— Dame oui, renchérit un troisième homme qui surgit, porteur d'une mitraillette.

Les postiers sont soudés au plancher du fourgon.

Quant à leur protecteur attitré, le commissaire Luis Maria Portillo, réveillé en sursaut, il contemple la scène de ses yeux ronds. Elle est loin, son arme, bien enfoncée dans l'étui suspendu à la poignée des toilettes... Et encore, il n'est pas du tout certain de savoir s'en servir.

Aussi se contente-t-il de lever les mains bien haut vers le plafonnier.

— Dans le coin et à genoux ! commande Rocco.

Les trois ambulants en blouse grise s'exécutent avec une promptitude qui les rend grotesques. Il y a là un rouquin lourdaud au bord de l'évanouissement, un grand maigre aux cheveux poivre et sel et un maigrichon qui semble atteint de convulsions. Le commissaire

288

Portillo sautille dans ses pantoufles pour venir les rejoindre.

— Les mains sur la tête pour tout le monde ! ajoute Rocco.

Puis, s'adressant au commissaire :

— Tenez, vous, le vieux bébé, portez donc les sacs de fric près de la porte. Et vite !

L'ancien policier est d'autant plus épouvanté qu'au cours de sa longue carrière, il n'a jamais affronté un gangster. Il frémit en lorgnant sur l'abîme noir de la gorge, au bord de la voie. S'il leur venait à l'idée de le balancer là-dedans, au bas du viaduc... Il se hâte d'obéir avec un empressement quelque peu secoué de tremblements.

Son pantalon de pyjama, qui s'obstine à déserter son abdomen, n'arrange pas les choses. C'est avec une désolante maladresse que le malheureux s'efforce d'amener devant la porte le plus de sacs possible. Mais, malgré sa bonne volonté, il ne va pas assez vite.

Rocco consulte de nouveau sa montre. Le temps presse. Le danger peut venir de l'autre partie du train, restée sur la voie. Rocco a bien cisaillé les fils pour qu'on ne puisse donner l'alerte après s'être aperçu de la disparition de la motrice. Mais l'interruption inhabituelle des liaisons peut amener les gares intermédiaires à sonner l'alarme générale.

— Fredo, ordonne-t-il, donne-lui un coup de main pour les balancer !

— Dame oui, fait l'autre.

Le silence devient plus lourd. Le canon du revolver de Joe meurtrit à plusieurs reprises l'épaule du commissaire Portillo, dont le front ruisselle. Seuls sifflent les poumons des trois employés appuyés à la cloison. Ils se tortillent pour soulager leurs muscles ankylosés.

Fredo, d'un geste sec, soulève les sacs les uns après les

autres, les jette dans le vide. Le commissaire prend son rythme, moitié par émulation, moitié par hâte d'en finir avec cette mauvaise plaisanterie. Lorsque le dernier sac a disparu dans le vide noir où l'attend Paul Leccia, Rocco fait signe à Fredo de déguerpir. La dernière partie du plan, la fuite, va maintenant se jouer.

Joe le Dingue voulait exécuter les employés le long du ballast et les balancer dans le vide. « Surtout ce con de flic », a-t-il précisé en désignant Portillo. Le Gringo s'y est opposé.

— Du sang inutile, a-t-il dit. On les menotte, on les boucle dans les toilettes de leur wagon. Ils pourront toujours gueuler. Le temps qu'on vienne les sortir de là, on aura terminé le ramassage.

— Si tu veux, a répondu Joe en haussant les épaules. Mais les témoins, moi, je les préfère morts...

Joe pousse dans le réduit ses victimes paralysées par la peur, passe le bracelet d'une menotte dans la poignée creuse, accroche l'autre bracelet au support fixe d'une tablette métallique, ce qui donne à peine quelques centimètres de jeu. Même si les employés n'étaient pas anéantis, ils ne pourraient pas s'évader. Quant au fier commissaire Luis Maria Portillo, il est au bord de l'évanouissement.

Joe le Dingue rejoint le Gringo sur le seuil du wagon, saute sur le sol, referme la double porte. Sur le parapet, le mécanicien attend la suite des événements avec la mine d'un homme qui sent que sa dernière heure approche.

— Monte, ordonne Rocco. Et fais marche arrière jusqu'au bout du viaduc !

Pizarro renverse la vapeur. Le train repart doucement en sens inverse. Le chauffeur, encore à moitié assommé, est affalé dans un coin, devant une pelle. Il assiste, les yeux vides, aux manœuvres de son collègue.

A peine celles-ci sont-elles achevées que le Gringo, d'un vigoureux coup de crosse, expédie Pizarro rejoindre le chauffeur au pays des rêves. Un nouveau coup, par sécurité, à chacune des deux nuques, et Rocco s'élance à la suite de Joe, dévalant la pente en voltige. A mi-chemin, ils rattrapent Fredo, qui peine à travers les buissons.

Rocco a un sourire de triomphe en retrouvant la Land Rover de Paulo Leccia, chargée à ras bord d'une dizaine de sacs. Tous trois se juchent sur les marchepieds. Le véhicule tous-terrains se met en marche. Il n'y a plus qu'à rejoindre le *rancho* de la Bonne Chance.

A trois heures du matin, Juan Martinez soupire d'aise en apercevant les lanternes de la Land Rover qui cahote vers l'esplanade du *rancho*. La lune commence à se voiler. Juan saute de la carlingue de son bimoteur et marche à la rencontre des arrivants. Il désigne, avec de grands gestes et un rire, l'amas de sacs postaux :

— Ça me paraît avoir drôlement bien marché !

— Onze, dit laconiquement Rocco. On va tous pouvoir les caser ?

— Pourquoi pas ? plaisante Juan. A moins que tu préfères les abandonner aux vautours ?

Il fait basculer la porte de la carlingue.

Dans l'éclair des phares de la Land Rover, les quatre hommes embarquent les sacs. Juan, avec la précision du technicien, les entasse dans la queue de l'appareil. Il les pousse en s'arc-boutant contre les sièges. Quand il a réussi à tous les coincer dans la cabine, il lui reste à peine sa place de pilote.

— Tu fais le retour avec moi ? demande-t-il à Jimmy Gaeta.

Jimmy n'hésite qu'une seconde. Bien sûr, ça ne lui dit rien de voyager dans de telles conditions, serrés comme des sardines, mais le trajet n'est pas si long entre

Salvador et Acaponeta, dans le Nayarit, où la police a le mérite de ne pas exister, ou presque. De toute façon, il vaut mieux accompagner le magot. On ne sait jamais ce qui pourrait se passer dans la cervelle farfelue de Juan Martinez...

— Je viens, dit-il. Au diable le confort.

Juan boucle sa ceinture, appuie sur le démarreur. L'hélice gauche tourne lentement, mouline avec une ardeur pathétique. Puis, soudain, le moteur pétarade dans une explosion de fumée et d'étincelles. Juan appuie sur le démarreur de droite. L'hélice renâcle. Le moteur consent à tousser quelques secondes, puis se tait. Juan a beau continuer à sourire et lever le pouce en signe d'optimisme, les quatre hommes debout près de l'avion suivent les opérations avec inquiétude.

Enfin, le moteur se met à rugir puis vrombit normalement, couchant l'herbe sous les ailes. Un dernier geste de la main de Jimmy et l'appareil pivote sur lui-même. Juan, lui, est déjà tout à sa manœuvre. Le bimoteur, qui tangue mollement sur les aspérités du plateau, se dirige vers un faux plat. Il s'arrête pour faire son point fixe. Les moteurs s'emballent, tandis que les phares éclairent la savane.

L'avion s'est mis face au vent. Il se cabre. Puis, freins lâchés, commence à rouler. Il saute sur les bosses. Ses ailes basculent, semblent toucher les arbustes alentour. Juan Martinez, sourd au vacarme, le maintient habilement en ligne. L'appareil prend de la vitesse. Juan l'arrache au sol. Les roues frôlent un arbre, puis l'ascension se fait, brutale, vers le ciel étoilé.

— J'aime mieux que ce soit eux que moi, dit Fredo, blême. Dame oui ! Et nous, qu'est-ce qu'on fait ?

— Nous, dit Rocco, on met les voiles. On balancera la Land dans un ravin. C'est mieux que d'y foutre le feu. Ça attirera moins l'attention. Il me tarde de retrouver les coussins de ma Cadillac. C'est autre chose que ces tapecul !

34

Je comprends pourquoi le conquistador espagnol Fernand Cortez, qui a foulé le sol mexicain quatre siècles avant moi, a choisi la région de Cuernavaca pour y construire son palais. L'ancienne « corne à vache » des Aztèques étend ses paysages enchanteurs, à la végétation foisonnante, mille mètres au-dessous de la capitale mexicaine. L'air y est beaucoup plus respirable et les citadins fortunés de l'immense agglomération d'Amérique centrale n'hésitent pas à parcourir chaque soir soixante-dix kilomètres pour apprécier le calme de leur luxueuse résidence. Malgré le hurlement déplaisant de la sirène de police, je me suis émerveillé de tout, au long du trajet. Surtout des curieux jardins flottants de Xochimilco, embarcations surabondamment fleuries, qui sillonnent les étroits canaux à l'eau trouble et nauséabonde, entre les flonflons des *mariachis* et les bouteilles des vendeurs de limonade. Le folklore !

L'hacienda Vista Hermosa invite au farniente. Des bâtiments vénérables entretenus avec soin, des pelouses, bien sûr, une piscine. Le propriétaire couve son domaine d'un œil de fierté, et il y a de quoi. C'est sûrement la plus belle hôtellerie de la région. Il contemple ses jardins de la fenêtre de son cabinet de travail, dont il nous a ouvert la porte avec un étonnement mêlé de méfiance. Au cours de sa paisible et honnête existence, il n'a sans doute jamais vu débarquer chez lui un trio aussi insolite : un as du F.B.I. décontracté et souverain, un policier français engoncé dans un costume gris sombre de confection, cornaqués par un compatriote au sombrero arrogant.

Ramón Gonzalez porte l'index au bord de sa coiffure :

— *Policía judicial,* dit-il. Pouvez-vous nous accorder quelques minutes ?

Notre hôte, qui a achevé de refermer la porte, nous désigne trois sièges d'un geste machinal. Nous préférons rester debout ; l'hôte, courtois, fait de même, nous assaillant, malgré lui, de coups d'œil inquiets.

— Que puis-je pour vous être agréable ?

Il a de la classe, le propriétaire de l'hacienda Vista Hermosa. Il est petit, certes, mais très aristocratique avec son nez bourbonien, ses cheveux gris et son port de tête orgueilleux. Ses mains sont particulièrement soignées. J'ai même l'impression que ses ongles sont nacrés d'un vernis transparent.

Le commissaire Gonzalez ne semble guère pressé de répondre à la question. La petite comédie policière habituelle, destinée à mettre les nerfs de nos interlocuteurs à l'épreuve par des silences prolongés, dure encore plus longtemps au Mexique qu'en France. Gonzalez se décide enfin à attaquer, mais, en bon torero, par la bande :

— Vous devez bien vous douter du but de notre visite, n'est-ce pas ?

Les yeux du distingué maître des lieux s'écarquillent. Il secoue la tête en silence, la mine parfaitement perplexe. Gonzalez prend tout son temps pour extraire de sa poche une circulaire qui semble avoir déjà beaucoup servi. Il colle la photo du Gringo sous le nez de l'élégant hôtelier.

— Cet homme ne serait-il pas un de vos clients, par hasard ?

— *Si,* dit l'hôte, un peu interloqué.

Ma joie est hélas de courte durée, car il ajoute aussitôt :

— Il a séjourné ici une huitaine de jours, d'abord seul, avec sa femme ensuite. Il a quitté l'hacienda il y a quelques jours.

Je regarde Baker, étonné lui aussi. Gonzalez laisse se prolonger le silence, puis, soudain :

— Et elle ?

— Elle ? Elle est partie ce matin à la suite d'une communication téléphonique. Le chef de réception lui a commandé un taxi.

Baker fait grise mine. Son beau plan est à l'eau et ses fameuses pastilles téléphoniques devront attendre une autre occasion pour émettre leurs indiscrets messages.

— Ils reviennent quand ? demande Gonzalez, qui semble doté de nerfs à toute épreuve, à moins qu'il ne pense à la prochaine corrida.

— Ils ne reviennent pas, *señor.* En tout cas, ils ne m'ont rien dit. Leur note a été réglée en espèces. D'ailleurs, notre client avait laissé une avance assez confortable à la caisse pour le cas où il serait obligé de partir précipitamment pour ses affaires. Cela nous a un peu surpris, je dois dire, mais il avait l'air tellement à son aise. A l'heure qu'il est, c'est peut-être nous qui lui devons de l'argent. Qu'a-t-il donc fait de si répréhensible pour que vous le recherchiez ?

Gonzalez rumine un bon moment ce qu'il vient d'entendre, avant d'ajouter, flegmatique :

— Vous savez où ils sont allés ?

Du coup, le propriétaire se raidit :

— Hélas non, commissaire. Je n'ai pas l'habitude d'interroger mes clients.

Je traduis, bien évidemment, qu'il n'a pas l'habitude de jouer les indicateurs de police. Je suis catastrophé. Mais je constate que mon abattement n'est rien à côté de celui de Baker. A vrai dire, l'as du F.B.I. fait peine à voir. Gonzalez, lui, toujours aussi calme, a sorti de sa poche un petit carnet aux pages écornées et un stylo dont il dévisse le capuchon. Il se prépare à noter les déclarations du propriétaire. Il relève la tête.

— Sous quel nom le couple s'était-il inscrit ?

— *Señor* et *señora* Hamilton.

— Vous leur avez fait remplir leurs fiches ?

— *Si,* naturellement...

Gonzalez ne répond que par un soupir satisfait. L'importance des annotations lui échapperait-elle ? Ou rêve-t-il de toros ? Je m'immisce, impatient, dans la conversation :

— Vous en avez le double ? dis-je.

L'hôtelier ouvre la porte de son bureau, traverse le hall, se dirige vers le comptoir de réception. Je le vois fouiller dans un classeur. Il revient avec quelques imprimés à la main. Il referme la porte, tend les papiers à Gonzalez. Par-dessus son épaule, je déchiffre : *Hamilton, Edouard, industriel, domicilié 713 Saint Louis Street, New Orleans.* Baker qui a lu, lui aussi, sous le sombrero de Gonzalez, m'indique :

— C'est le French Quarter. Le Vieux-Carré, si vous préférez, le long du Mississippi.

Le nom de Hamilton apparaît également sur la fiche de Liliane. Seule l'adresse est différente : Deauville, La Havane.

— A-t-elle laissé des affaires dans sa chambre ? dis-je à nouveau.

— Non, *señor.* D'ailleurs, le personnel est en train de la refaire.

Ramón Gonzalez a fini d'inscrire les identités sur son carnet. Il range son stylo. Avec une lenteur distillée, il demande :

— Est-ce que le couple recevait beaucoup ?

— Pas la moindre idée, répond l'élégant hôtelier, qui commence à donner de vifs signes d'inquiétude. Ce que je sais, par contre, c'est qu'ils téléphonaient souvent. La note est élevée. C'est pourquoi nous verrons ce que nous leur devrons d'argent, quand les comptes seront faits.

— Puis-je voir la liste de leurs appels ? dis-je.

L'aubergiste traverse de nouveau le hall, revient vers nous avec un agenda broché à couverture noire. Il tourne les pages foliotées, s'arrête au numéro de la chambre 27, sous lequel figure le nom de Hamilton.

L'écriture varie selon les employés qui se sont succédé au cours des jours, mais elle reste toujours lisible. Gonzalez ressort son stylo, glisse le capuchon entre ses dents, recommence à écrire. Plusieurs numéros me sautent aux yeux. Et des noms de villes : Paris, Marseille, Tanger, Naples, Palerme. Je retrouve des indicatifs familiers : ceux de Pierrot les Cheveux-Blancs, de Girola, de Benutti. C'est la preuve que Rocco et ses amis sont toujours en relation. Parmi les abonnés parisiens, je relève deux numéros qui semblent se situer dans le quartier de l'Étoile et de Wagram. Je demanderai à Hidoine de les éplucher. Je note aussi des appels cubains, mexicains et américains. C'est vrai qu'il a dépensé une fortune en téléphone, le Gringo ! On va s'amuser, pour identifier tous ses correspondants !

Au moment où le commissaire Gonzalez prend congé en portant une nouvelle fois l'index à son sombrero, je lâche l'affirmation qui me brûlait les lèvres :

— Mr. Hamilton possédait une voiture, bien sûr, pour venir chez vous !

— *Si, señor.* Une Cadillac, dernier modèle.

— Je vois que vous n'avez pas noté son numéro sur la fiche.

L'hôtelier ne dira plus rien, je le sens. Après tout, ce n'est pas son rôle de jouer les détectives amateurs dans son établissement. Il soulève les épaules avec l'air de la plus parfaite ignorance. Puis, il semble s'abîmer dans une profonde méditation.

— Immatriculée où ? insiste Baker qui a repris du poil de la bête.

— En Louisiane, je crois... Je me rappelle vaguement que la batterie était à plat et qu'il a dû faire réviser le circuit de freinage. Peut-être que le garagiste de la calzada Domingo Diez pourra vous en dire plus.

Tout en inscrivant les indications, Gonzalez affecte une tranquillité d'esprit que je commence à trouver particulièrement irritante.

La piste de Cuernavaca, signalée par le F.B.I., a fait long feu.

Pour la discrétion, je suis servi ! En faisant hurler à mort sa sirène, la voiture de police file le long de l'avenue Alvaro Obregon, longe le parc Borda dont les essences tropicales exhalent un parfum entêtant, freine devant le garage de la calzada Domingo Diez. Le sombrero de Gonzalez se dessine dans l'ouverture de l'atelier. Un individu longiligne, voûté, les joues maculées de cambouis, essuie ses mains sur un chiffon graisseux. Je saute à terre, tout excité de curiosité. Baker suit, ressassant sa mauvaise humeur.

Je dévore le détail de la fiche de réparation, tandis que Gonzalez ressort son éternel carnet. La facture est établie au nom de Hamilton Edouard, hacienda Vista Hermosa. Elle concerne bien le changement de la batterie et des plaquettes de freins de la Cadillac immatriculée 1739 LA 219.

Je demande :

— Quelle couleur ?

— Blanche, coussins rouges. Avec antenne de radio sur l'aile, à escamotage automatique.

Gonzalez ressort la circulaire :

— C'est ce type-là ?

Le garagiste fait « oui » de la tête, devant la photo de Messina.

À TOUS SERVICES POLICIA Y GRANADEROS. URGENT. INTERPELLER OCCUPANTS VOITURE CADILLAC 1739 LA 219 U.S.A. COULEUR BLANCHE COUSSINS ROUGES AVEC RADIO — DANGEREUX ET ARMÉS — PRÉVENIR COMMIS-SAIRE GONZALEZ POLICIA JUDICIAL MEXICO CITY QUI ENVERRA INSTRUCTIONS.

35

— Ah ! Garcia, si je n'étais pas si près de la retraite, comment je leur flanquerais ma démission à travers la gueule, à ces salopards.

L'inspecteur-chef Porfirio Madero s'efforce de garder son calme. Installé à son bureau du *Departemento de seguridad publica de Zacatecas,* une tasse de café posée devant lui, il contemple sans aménité la veste de smoking et le nœud papillon qu'il a jetés sur une chaise, dans l'angle de la pièce. Sa chemise empesée, à larges plis, est déboutonnée. Elle laisse apparaître une poitrine velue.

L'officier de paix Garcia, sanglé dans son uniforme, garde un prudent mutisme quand Porfirio Madero reprend :

— Depuis douze ans que je commande la brigade, jamais un coup comme ça ne m'est arrivé ! Le jour du mariage de ma fille encore ! C'est un fait exprès ! Huit cents invités...

Madero vide d'un coup le contenu de la tasse. C'est un homme grand, musclé, frisant la cinquantaine. Sa figure cuivrée, à l'expression énergique, s'orne d'une martiale moustache en croc. Ses cheveux noirs, quelque peu huileux, tombent sur un cou de taureau.

Il jette un coup d'œil à la pendule murale qui marque onze heures moins cinq, presse brutalement le bouton de l'interphone qui le met en communication directe avec le poste de police.

— C'est vous, Lopez ? Envoyez-moi six bonshommes avec leur bordel à l'intersection des nationales 54 et 55 à la sortie de Morelos. Qu'ils m'interceptent toutes les bagnoles et qu'ils les fouillent à mort. Exécution.

— Lesquelles, chef ? nasille la voix de Lopez.

— Comment, lesquelles ? Mais toutes, imbécile. Les camionnettes des P.T.T. avec. Ça leur apprendra, à ces abrutis !

Il lève son index de la touche rouge de l'appareil, se tourne vers Garcia :

— Est-ce que vous vous rendez compte, Garcia ? La cérémonie est à onze heures au *palacio de gobernio* et à midi à la cathédrale.

Garcia se renverse contre le dossier de sa chaise, plisse ses petits yeux bridés.

— Puisque Lopez installe le barrage, dit-il, rien ne vous empêche d'assister à la bénédiction. Je surveillerai l'opération. Entre nous, il faudrait qu'ils soient dingues, les gangsters, pour se balader sur les routes avec leur butin ! A l'heure qu'il est, ils doivent déjà l'avoir planqué dans un coin, en attendant la fin de l'alerte.

— C'est sûr ! approuve Madero, courroucé. C'est ce que j'ai essayé de lui faire comprendre au Gonzalez. Rien à faire ! Il m'a répondu qu'il avait ameuté les brigades des capitales voisines, qu'elles dressaient des barrages et que je n'avais qu'à en faire autant.

— Partez tranquille, chef, affirme Garcia d'une voix bonasse, en haussant les épaules. Ou les voleurs sont loin, ou ils se cachent. A voir la façon dont ils ont mené leur affaire, ce ne sont pas des enfants de chœur. Qui vous dit, d'ailleurs, qu'ils vont passer par ici ? Il en existe, des routes entre les sierras, dans toutes les directions encore, à partir du viaduc. Ils n'ont que l'embarras du choix.

Perplexe, l'inspecteur-chef gagne la fenêtre qui surplombe le patio de la résidence administrative, dans le vieux Zacatecas. Il aperçoit, au-delà du jardin Juarez, la coupole de l'église et sa façade aux riches sculptures, entre ses deux tours. Le mariage de la demoiselle Madero avec le propriétaire de l'établissement thermal d'Aguascalientes est un événement local. Les curieux doivent se presser sur le passage du cortège, plaza de Hidalgo. Déjà, Madero perçoit des accords de cuivres. La vieille cité minière, vaste et délabrée comme si elle avait été frappée par un cataclysme, va vivre des heures de liesse, au grand soleil, qui illumine les arêtes rocheuses du Cerro de la Bufa.

Madero rajuste son nœud papillon, de l'air décidé de l'homme qui a enfin pris son parti :

— Après tout, vous avez raison, Garcia, vous savez où me joindre... Ce barrage, c'est une connerie mais pendant que vous y êtes, jetez donc un coup d'œil sur les américaines blanches à coussins rouges... Vous avez le numéro, je crois ?

La Cadillac immatriculée 1739 LA 219 file sur la nationale 54. Rocco, décontracté, roule vite. Il a traversé des kilomètres de zone chaotique, avant de dépasser Pozo Camboa. Joe le Dingue, une mitraillette entre les cuisses, regarde défiler le paysage derrière ses lunettes à verres teintés.

Dans deux heures à peu près, ils seront à la Felicidad, l'hacienda de Don Guidoni. Le vieux *mustachio* leur fera certainement l'honneur d'un sourire, vu le résultat positif de l'opération. C'est à la Felicidad qu'ils retrouveront Juan Martinez et Jimmy Gaeta de retour du Nayarit. Une longue ligne droite de terrain herbeux, derrière le corral, sert de terrain d'atterrissage. Juste ce qu'il faut pour que le bimoteur puisse se poser.

Fredo la Moralité et Paulo Leccia, eux, ont été abandonnés à la gare de Vanegas, après la culbute de la

302

Land Rover dans un précipice insondable. A l'heure qu'il est, ils roulent, détendus, vers Mexico City. Ils se sont installés dans des compartiments différents, comme s'ils ne se connaissaient pas. Fredo séjournera une nuit ou deux chez Leccia, rue Copernico, dans l'attente des réactions policières. Si tout se passe bien, il s'envolera alors pour Cuba. Sa part de butin lui sera versée plus tard à la Chase Bank de Panama.

Rocco revoit la mine piteuse du convoyeur, sa servilité lorsqu'il s'était empressé de jeter les sacs par-dessus bord. Cela le fait rire. Vraiment une scène à filmer et à envoyer à ses employeurs !

Il est en pleine euphorie, Rocco. Il ne pense pas à la tuile toujours possible sur ce ruban de route désertique. Il ne lui vient même pas à l'idée que la police puisse être si vite à pied d'œuvre.

Le compteur marque quatre-vingts miles. Le pare-brise avale le ruban goudronné.

Rocco conduit du bout des doigts, en souplesse. En vrai professionnel, il jette un coup d'œil derrière lui, grâce au rétroviseur panoramique qui reflète la route déserte. Un panneau signale l'embranchement de la nationale 55.

La Cadillac ralentit à l'entrée de Morelos. Elle suit maintenant la rue principale, bordée de vieilles demeures de l'époque coloniale, la grande époque de cette région, quand les fourmis humaines s'agitaient dans les mines d'argent.

Des véhicules stationnent en file indienne à la sortie du village. Plus moyen d'avancer. La grosse américaine vient doucement s'immobiliser derrière une camionnette.

Joe le Dingue, toujours sur le qui-vive, serre la crosse de la mitraillette.

— Qu'est-ce qui se passe ? s'inquiète-t-il.

— Un accident, sans doute, répond Rocco, penchant

la tête hors de la portière. J'aperçois un poids lourd, là-bas, sur le bas-côté.

Il met le levier de vitesse en position neutre, lâche la pédale du frein. Un fourgon se gare à son tour derrière la Cadillac, la touche presque.

Joe le Prudent glisse la mitraillette sous son siège.

— Ce n'est pas un accident, dit Rocco au bout d'un moment. On dirait qu'ils fouillent les camions.

Et il ajoute avec un petit rire :

— Ils cherchent peut-être les sacs de dollars, ces guignols ! Avant qu'ils les trouvent !

Un uniforme a surgi tout contre la portière, porte sa main à son casque :

— Papiers, s'il vous plaît.

Le gardien promène d'instinct son regard à l'intérieur de la voiture, tend la main. Rocco ouvre le coffre à gants. La voiture est en règle. Il ne risque rien. Il possède même l'autorisation de circuler, le feuillet spécial d'assurance mexicaine, obligatoire dans la Confédération.

L'agent déchiffre le permis de conduire avec un bon sourire tranquillisant, s'apprête à le rendre. Son sourire s'efface. Un pli barre soudain son front. Il dévisage Rocco qui ne bronche pas. Il hésite quelques secondes, se porte à l'avant puis à l'arrière de la Cadillac. Il prend tout son temps pour en vérifier les numéros.

Son visage s'est transformé. D'un signe, il ordonne aux deux hommes de descendre. Sa main agrippe la poignée de la portière.

Rocco réagit. Déjà, il a passé le levier de changement de vitesse sur la position 2. Il écrase la pédale de l'accélérateur. Le moteur s'emballe. La voiture fait un bond en avant, déboîte de la file dans un hurlement de pneus. L'agent lâche prise. Rocco libère toute la puissance des énormes cylindres, pour foncer sur la ligne droite. Il écarte l'idée qu'un autre barrage puisse l'attendre plus loin. Pour l'instant, il fonce, les dents serrées.

Joe, qui a récupéré sa mitraillette sous le siège, la tient, le canon baissé sur ses genoux. Ses yeux ont pris une expression cruelle. Ses mâchoires se crispent.

— Je ne comprends pas, dit Rocco, les yeux rivés à l'asphalte qui se déroule à une vitesse vertigineuse. On dirait que mon numéro a été signalé. Le premier chemin de traverse qui se présente, je fonce dedans.

Le moteur de la puissante voiture oublie son silence et sa souplesse. Il mugit, poussé à fond. Rocco aborde le virage à une vitesse folle. Il perçoit, à travers un brouillard, des coups de sifflet. Ses mains serrent le volant. Il s'efforce de respirer lentement, pour maîtriser les battements de son cœur.

A cent mètres devant le capot, des chevaux de frise se dressent en chicane, barrant la route.

Rocco a comme un goût de sang dans la bouche, quand les robots armés et casqués lui font signe de stopper, les mitraillettes pointées sur le pare-brise.

— Cette fois, on y est, dit-il.

Il fait mine de se garer. De nouveau, son pied écrase l'accélérateur. La Cadillac bondit.

— Fais gaffe ! crie-t-il à Joe.

La voiture navigue, tous amortisseurs écrasés, donne l'impression de se coucher. Rocco fonce dans l'étroit passage qui lui laisse à peine quelques millimètres de chaque côté des ailes.

Les pantins casqués s'écartent dans une danse confuse.

Rocco réussit à rétablir l'équilibre, tandis que la mitraillette de Joe crache des flammes. Le rétroviseur d'aile lui renvoie l'image de deux corps qui s'affaissent, coupés dans leur élan.

La Cadillac tangue encore, file vers le fossé, se redresse, zigzague dans le gémissement des pneus.

Le premier obstacle est franchi.

Le second obstacle, ce sont deux voitures de police, rangées en quinconce, derrière lesquelles deux motards s'abritent.

Rocco fait corps avec son volant. Rien ne peut arrêter la masse d'acier qui fonce à travers les balles, se met en travers. Rocco la maintient avec la maîtrise d'un pilote de course.

Tout d'un coup, Joe le Dingue fait un saut de carpe, comme s'il avait touché une ligne à haute tension. Sa mitraillette s'échappe de ses mains subitement ouvertes. Un flot de sang inonde la chemise de Rocco, qui continue à accélérer, les nerfs tendus.

Rocco repousse le corps de Joe, qui gêne son bras. Une brûlure soudaine a cinglé sa tempe. Le sang coule sur sa joue. Dans un tourbillon de rage, il ressasse une seule question : « Comment sa voiture a-t-elle pu être signalée ? »

Enfin, la ligne droite sur laquelle la Cadillac continue à se balancer.

Le pied au plancher, Rocco perçoit dans tout son corps le roulis des amortisseurs. Il pense, une seconde : « Elle tient mal la route, la Cad. »

Il ressent une légère brûlure au bras. La carrosserie et le siège ont amorti l'impact. Un motard l'a pris en chasse, qui tire à vue.

C'est sa vie qui se joue, en quelques secondes. Il oublie sa souffrance. Il ne pense plus à rien. Oubliée, Liliane. Oublié, Don Guidoni. Oubliés, les sacs du trésor si facilement gagné.

Ses doigts se crispent un peu plus sur le volant.

De la main droite, il saisit la mitraillette de Joe. Il freine. Il lâche une rafale par la portière, au hasard. Le motard riposte, avant que sa moto se couche et racle le sol dans une gerbe d'étincelles.

Rocco prend du champ. Son bolide traverse Guadalupe, prend le chemin sur la gauche, vers Salinas.

S'il arrive à San Luis Potosi, l'État voisin, Rocco est sauvé. De là, il foncera sur Guanajato. L'imbroglio des frontières le fera échapper aux flics.

L'éclaircie après la tempête.

La steppe défile, hérissée de cactus. Les mains de Rocco commencent à trembler, après la tension de tout à l'heure. La Felicidad n'est plus si loin. Le corps de Joe le Dingue a été abandonné dans une clairière de Mexquitic. Les chacals s'en chargeront.

Rocco parle à voix haute, comme pour se rassurer :

— Vraiment, je ne m'explique pas comment, et par qui, ma voiture a pu être signalée aux flics !

36

— D'accord, Don Giuseppe, d'accord, je n'ai pas de preuves. Mais, si un de ces jours le F.B.I. vous dégringole dessus, vous ne direz pas que je ne vous ai pas prévenu !

Don Guidoni maintient sa main sur son estomac. La fureur rentrée décuple la douleur. Il est blême. Il supporte mal cette ordure de conseiller Ibarrez. Mais le vieux Don en a vu d'autres. Il garde une immobilité impressionnante, figé dans sa posture favorite, le dos collé au bahut de palissandre. Le regard froid filtre à peine, derrière les lunettes cerclées.

Les insinuations de l'homme à tout faire de Batista, pour qui le Don n'a que mépris, ne sont ni trop précises, ni trop appuyées, mais glissées dans la conversation avec une subtile perfidie.

Ce qui agace Don Giuseppe, c'est que, quel que soit le peu de confiance qu'il accorde au conseiller Ibarrez, ses propos rejoignent l'information qu'il a lui-même reçue la veille de Castellammare del Golfo.

Dans le patois sicilien, incompréhensible pour une oreille indiscrète, Lucky Luciano lui avait rendu compte :

— Grâce à un ami policier, mon correspondant Benutti a pu consulter le dossier de Fredo la Moralité à Paris. Une autorisation de séjour lui a bien été accordée sur demande écrite de la Police judiciaire. Mieux, il a perçu une avance sur le prix de sa trahison. Je peux vous en envoyer la copie, si le Gringo ne le croit pas ! L'ennui, c'est que c'est lui qui l'a fait entrer dans l'Organisation !

Le vieux Don a encore ces paroles en mémoire, quand les propos d'Ibarrez viennent s'ajouter aux reproches de Lucky. Déjà, le Cubain l'avait averti de ces rumeurs. Mais, tout comme Rocco, qui avait tenu à entraîner Fredo Maurasse dans l'attaque du train postal pour, justement, couper court à ces bruits fâcheux, Don Giuseppe avait balayé ce qu'il considérait comme des calomnies.

Un long silence plane, troublé seulement par les vociférations d'un palefrenier qui, dans le corral voisin, ne parvient pas à enrouler convenablement le lasso du *charro*. Un mauvais équilibre de la corde et le cavalier mexicain peut avoir le doigt sectionné lors de la *charreria,* qui consiste à attraper au grand galop le cheval sauvage destiné au dressage, ou la mule en instance de tonte pour la vente.

C'est d'une voix presque trop calme que le Don énonce enfin :

— D'après vous, que faudrait-il faire ?

Ibarrez a un sourire fielleux. Il le hait, ce Gringo trop beau, trop sûr de lui, en passe de devenir aussi puissant que les plus anciens de l'*Onorata Società*. En éliminant Fredo, il se délivrerait du même coup de Rocco le gêneur, ce qui lui assurerait la mainmise sur la filière Cuba-Mexique dans laquelle il possède de nombreuses relations. Et, accessoirement, il tiendrait Roussette qui est loin de lui déplaire. C'est qu'elle rapporte gros, la Française. Sa peau blanche et ses formes généreuses font fureur, à La Havane.

— Don, dit solennellement Ibarrez, c'est vous qui décidez. Moi, je me suis contenté de vous faire part de mes soupçons.

Don Giuseppe décolle quelque peu son dos du buffet, sur le rebord duquel il cueille une carafe d'eau. Il emplit à demi un verre, y fait dissoudre un cachet. D'une voix qui se veut inquiète, il demande :

— Vous avez d'autres éléments ?

— Des soupçons, Don, toujours des soupçons mais qui prennent allure de certitudes. Ils se recoupent tellement bien !

Il réfléchit un instant, hausse les épaules et dit enfin, comme au prix d'un grand effort :

— Longtemps, croyez-le, j'ai hésité à vous en faire part. Malheureusement, les événements se précipitent. D'abord, cette canaille de Hoover a envoyé discrètement à Cuba un de ses meilleurs éléments, Richard Baker. Bien sûr, dès que j'ai appris ça, j'ai fait filer Liliane. Elle a gagné Cuernavaca. Baker, déboussolé par ce départ inattendu, a réagi. Il est au Mexique lui aussi ! Or, seul Fredo Maurasse était au courant, parce que je lui avais demandé de conduire Liliane dans un coin désert, pour embarquer.

Don Giuseppe fronce le sourcil. La main posée bien à plat sur son estomac, il fait quelques pas dans la pièce, vient se poster devant la large baie. Derrière les lunettes, ses yeux semblent s'élargir sur le bleu du ciel.

— Alors ? demande-t-il.

— Eh bien, alors... Quand j'ai su ça, j'ai téléphoné à Liliane, qui avait donné son point de chute à Roussette, et je l'ai fait déguerpir. Elle est au Camino Real, dans la suite de la C.C.A. Je suis hélas persuadé que les flics se sont pointés à l'hacienda Vista Hermosa de Cuernavaca. Il est facile de s'en assurer. Si cette vérification est positive, nous aurons ainsi la preuve de la trahison du Français !

Don Giuseppe pivote sur ses talons, réprime un regard de dégoût. Mais Ibarrez ne sait pas si cette mimique le concerne ou est inspirée par Maurasse.

— Ensuite ?

Ibarrez feint de ne pas avoir entendu la question. Il enchaîne, comme de lui-même :

— Si les flics sont allés là-bas, ils ont fatalement recueilli des tuyaux sur Rocco, sur le numéro de sa voiture même. Dans ce cas, l'Organisation est en péril !

Ibarrez se décerne un brevet de machiavélisme toutes catégories, tout en observant du coin de l'œil Don Giuseppe qui arpente de nouveau la salle à manger, passant et repassant dans les myriades de poussières qui voltigent dans le rayon de soleil tombant à pic sur le tapis de corde. Enfin, le vieux *mustachio* s'arrête :

— Cela fait beaucoup de choses, en effet, dit-il. Si je comprends bien, Fredo Maurasse a passé un marché avec les flics français, qui marchent de pair avec le F.B.I. Je vais vérifier tout ce que vous m'avez dit, notamment à Cuernavaca. J'ai certaines entrées à la *Policía judicial* de Mexico City. Le seul ennui, c'est que le commissaire Ramón Gonzalez est plus que discret sur ses opérations. Impossible de l'acheter, même si on lui offrait une arène ! Je vous appellerai d'ici peu. Excusez-moi...

Ibarrez tend la main, qui reste dans le vide. Déjà, le Don a tourné les talons. Un *mafioso* géant, les colts à la ceinture, pénètre dans la pièce. Malgré lui, Ibarrez frissonne. Il se sent quand même plus tranquille dans son ministère de La Havane : là-bas, au moins, il n'a pas à jouer les agents doubles !

37

Le commissaire Gonzalez et son adjoint Alvarez, qui cache une mitraillette sous son imperméable, se penchent contre la porte de l'appartement n° 732 de l'hôtel Camino Real.

— Tu en es sûr, Vicente ? s'inquiète le commissaire. Je ne voudrais surtout pas faire de blagues.

Le chef de rang de l'établissement secoue la tête en signe d'approbation :

— Vous m'avez demandé de vous prévenir si John revenait. Lui ou quelqu'un d'autre de la société. Je tiens parole, commissaire. Conchita a entendu parler à l'intérieur de la chambre. Quand on connaît Conchita, la meilleure épousseteuse de l'étage, on peut lui faire confiance.

— Oui, oui, souffle Ramón Gonzalez, mais je n'entends rien, moi. C'était peut-être la radio ?

Vicente Jurgado lève les bras en signe d'impuissance.

— Qu'est-ce que vous voulez que je vous dise ? A vous de jouer, commissaire. Mon rôle s'arrête là. Je vous donne l'information, je ne peux pas faire plus. Mais si vous regardez les chaussures, devant la porte, à côté de celles de la femme, pour moi ce sont des souliers d'homme. Cela n'a rien à voir avec la radio !

Les yeux de Gonzalez se fixent sur les deux paires de chaussures. Pas d'erreur : les grands mocassins de crocodile noir, à côté des escarpins, appartiennent bien à un homme.

— D'accord, d'accord, dit doucement Gonzalez. Mais qui te dit qu'elles sont à Messina-Moore ? Tu ne l'as pas vu entrer, lui ?

— La femme correspond au signalement que vous m'avez donné. Elle est arrivée en taxi avec sa valise. Elle a demandé la clé. Elle est montée. Ensuite, elle a téléphoné à la réception pour demander qu'on lui passe les communications destinées à M. et Mme Hamilton. Je n'en sais pas plus mais, pour moi, c'est convaincant.

Ramón Gonzalez est dans le doute. Doit-il ou non tenter d'intervenir ? Si le gangster est là, c'est un coup magistral, tout à l'honneur de la police mexicaine. Mais s'il fait chou blanc ?

Le commissaire hésite encore. Depuis leur expédition à l'hacienda Vista Hermosa, Baker et Borniche sont introuvables. Qu'importe, après tout. Il peut très bien se passer d'eux.

Il se secoue. Une chose est sûre. C'est bien la Cadillac du faux Hamilton qui a forcé le barrage. C'est bien son compagnon qui a reçu une décharge en pleine tête. Les *granaderos* ont retrouvé son corps dans les bois de Mexquitic. Et c'est bien sa maîtresse qui continue à s'agiter dans l'appartement, à faire couler les robinets de la salle de bains, maintenant.

Manque la voiture. Elle a réussi à passer entre les mailles du filet.

Quand Vicente Jurgado a alerté Gonzalez, il a patrouillé autour du Camino Real dans l'espoir de découvrir la luxueuse américaine. Mais le Gringo, alias Moore, alias Hamilton est un vieux routier. Il a dû planquer la Cadillac dans un coin tranquille et se glisser discrètement dans l'hôtel.

— Qui a-t-elle appelé, elle ? demande Gonzalez à Jurgado.

— Impossible de le savoir. L'appartement a une ligne

directe avec l'extérieur. Et nous ne possédons pas de micros.

« C'est vrai, se dit Gonzalez, mais il faut savoir se contenter de ce qu'on a ! Puisque Conchita, la reine de la poussière, et Vicente, le maître de rang un peu arrogant, croient que l'oiseau est là-dedans, il faut y aller, tant pis ! »

— Elle n'a pas mis le verrou de sûreté, au moins ? demande-t-il encore.

— Sûrement pas. Vous verriez le signal rouge.

Ramón Gonzalez invite Vicente à s'effacer. Il retient son souffle, tourne doucement le passe-partout de l'hôtel dans la serrure, ouvre. Son adjoint le couvre de sa mitraillette.

La chambre est en désordre, le lit est défait. Une valise sur le tapis laisse échapper pêle-mêle des vêtements d'homme et de femme. Alvarez fouille déjà la salle de bains, sonde les placards. En vain. La femme est seule. Elle les regarde, interloquée :

— Qu'est-ce que cela signifie ? reproche-t-elle. Vous auriez frappé, j'aurais ouvert !

Décontenancé, Gonzalez ne répond pas directement. Il se contente de demander, un peu gauche :

— Que faites-vous ici ?

— En voilà des façons, dit Liliane, qui essaie de louvoyer. C'est défendu d'habiter au Camino Real ? Qui êtes-vous d'abord ? Et pourquoi votre compagnon me menace-t-il de son arme ?

Ramón Gonzalez se tourne vers Alvarez, lui fait signe de quitter la chambre.

Il en a vu de toutes les couleurs, le commissaire Gonzalez, au cours de sa longue carrière. Il n'en est pas moins impressionné par cette suite somptueuse où flotte le parfum capiteux de la jolie femme qui le nargue. Il ne peut détacher son regard du déshabillé transparent qui souligne et révèle des formes pleines et généreuses. Il admire la ceinture d'or tressé, savamment nouée autour de la taille svelte. Les longs cheveux tombent, en une caresse, sur la peau des épaules, à peine brunie.

Il porte la main à son légendaire sombrero :

— Commissaire Gonzalez, de la *Policía judicial.* Vous n'avez pas répondu à ma question...

— Je suis venue visiter Mexico, dit Liliane. Cela aussi est interdit ?

La main de Gonzalez pêche un cigarillo dans la poche de sa veste. Il en mordille le bout, qu'il recrache sur la moquette, sous les yeux réprobateurs de Liliane. Il le triture sans l'allumer.

— Ma foi non, dit-il. Mexico est une belle ville et vous avez raison. Mais d'où venez-vous ?

— De Cuernavaca. Je fais du tourisme... L'époque aztèque me passionne. J'ai admiré la pyramide de Teopanzolco, avant de pousser plus loin.

Ramón Gonzalez sourit de contentement : les civilisations disparues, c'est son violon d'Ingres ! Il va pouvoir facilement vérifier si la belle étrangère se moque de lui ou non.

— Qu'en pensez-vous, alors ?

— Ses structures pyramidales emboîtées l'une dans l'autre sont étonnantes. Presque aussi impressionnantes que le double escalier monumental et le temple de Tezcatlipoca.

« Elle est forte, la garce, se dit Ramón Gonzalez. Pas la peine de continuer dans cette voie... »

— Et où logiez-vous, à Cuernavaca ? demande-t-il d'un air détaché.

Liliane ne se démonte pas pour si peu. Ce policier semble renseigné, c'est évident. Inutile de jouer au plus fin.

— A l'hacienda Vista Hermosa, dit-elle. Un endroit de rêve.

— Mais cher, soupire Gonzalez. Vous en connaissez les prix ?

Liliane prend un air lointain, très mondaine, écartant de la main ce genre de considérations vulgaires :

— A vrai dire, commissaire, je ne sais pas...

Elle marque un temps d'arrêt, comme si elle hésitait à se confier. Puis :

— J'étais à peine arrivée dans la ville que j'ai fait la connaissance d'un Américain. Il m'a invitée à dîner et je suis restée avec lui. Il m'a quittée pour un voyage d'affaires de quelques jours.

— Tiens ! Il s'appelle comment, cet Américain ?

— Hamilton.

Le front de Gonzalez se plisse.

— C'est le nom que vous avez pris à Cuernavaca.

— Je n'ai pas pris ce nom-là, commissaire, dit Liliane en écarquillant les yeux. D'ailleurs, je n'ai pas rempli de fiche. Je réside d'ordinaire à l'hôtel Deauville, à La Havane et j'ai donné cette indication à l'hôtel. Vous pouvez vérifier. S'ils ont inscrit le nom de Hamilton, c'est sans doute parce que je partageais la chambre de mon amant.

Ce disant, elle regarde Gonzalez avec un aplomb tranquille. Lui, continue de mâchonner le bout de son cigare. Il a affaire à forte partie. La fiche de police mentionne en effet l'adresse de Cuba. La jeune femme ne ment pas.

— Il a sûrement une voiture, M. Hamilton ?

Liliane répond très vite, spontanément :

— Bien sûr. Une Cadillac toute blanche.

— Avec des coussins de cuir rouge, je parie !

— Exact. Il a dû l'acheter en Louisiane, parce que la plaque porte ce nom.

« La vraie garce, se répète Ramón Gonzalez. Impossible de la coincer ! »

— Ce sont ses vêtements, là dans la valise à vos pieds ?

— Oui. Il m'a téléphoné de le rejoindre dans l'appartement de sa société. J'ai pris les clés à la réception. Personne ne m'a rien demandé.

— Il va donc venir vous retrouver ?

— Naturellement. Mais pourquoi ces questions ? Il a fait quelque chose de mal ?

— Non, non... Nous contrôlons seulement les allées et venues de tous les étrangers. On a parlé d'un possible attentat contre le président, alors, forcément...

— Forcément, dit Liliane, pas dupe. En tout cas, si vous voulez le voir, M. Hamilton, je vous l'envoie dès qu'il arrive. C'est un homme très bien, et riche avec ça, ce qui ne gâte rien !

« Toutes les mêmes, ces salopes », pense Gonzalez, qui poursuit, de sa voix monocorde :

— Vous êtes entrée comment au Mexique ?

— Par Cozumel, cette île si jolie, en face du Quintana Roo. J'avais d'abord pensé visiter le Yucatan. Puis, je l'ai réservé pour la fin de mon voyage. J'ai donc pris l'avion de Cozumel à Mexico. De là, je suis allée en taxi à Cuernavaca. Je ne sais si vous me comprenez, mais les amoureux des antiques sont un peu fous. Leurs itinéraires sont en dents de scie !

— Je sais, soupire Gonzalez. Mais il faut un visa, pour entrer au Mexique.

Liliane se retourne brusquement. Le déshabillé dévoile l'arrondi d'un sein, lorsqu'elle se penche pour ouvrir son sac.

— Le voici, dit-elle en tendant son passeport. Il m'a été accordé à Cuba. Mon ami, le conseiller Ibarrez, est assez lié avec votre consul.

Gonzalez feuillette le passeport. Tout est en règle. Pas moyen de coincer cette femme qui l'excite et l'agace à la fois.

— Vous permettez que je le conserve quelques instants ? dit-il, cauteleux. Le temps de vérifier deux ou trois petites choses.

— Quoi donc ? s'impatiente Liliane en refermant son déshabillé.

— Oh ! trois fois rien... Je vois que vous êtes passée par Tanger et Malaga, avant d'atterrir à Cuba. C'est une bien jolie ville, Tanger. Je ne la connais pas, mais on m'en a parlé, il n'y a pas si longtemps. Je crois même que M. Hamilton s'y trouvait, lorsqu'il se faisait appeler John Moore. Je déteste les menteurs, mademoiselle Cerisole !

D'un geste rituel, Liliane passe ses longs doigts dans sa chevelure.

— Je ne comprends rien à vos histoires, dit-elle, la bouche sèche.

Gonzalez, d'une pichenette, fait basculer son sombrero vers l'arrière :

— Vous n'y comprenez rien ? répète-t-il sur un ton devenu ironique. Eh bien, je vais vous aider. Quand vous saurez que votre amant ne s'appelle pas Hamilton, mais Messina, que vous êtes sa maîtresse depuis pas mal de temps, et qu'il vient de tuer deux de nos agents à Zacatecas, vous comprendrez que je n'aime pas être pris pour un imbécile. Habillez-vous. Nous serons beaucoup plus tranquilles pour discuter dans mon bureau. Vous pourrez m'expliquer pourquoi vous avez quitté Tanger puis Cuba. Et, si vos souvenirs ne sont plus très frais, un policier français viendra vous secouer la mémoire !

Liliane passe la main sur son front, où Ramón Gonzalez a cru voir perler quelques gouttes de sueur.

— Alvarez, ordonne-t-il en ouvrant la porte, perquisitionnez cette pièce comme il faut pendant que madame revêt une tenue décente.

Il prie Liliane de laisser ouverte la porte de la salle de bains, par précaution. Elle ôte son déshabillé avec une impudeur calculée. Tout en l'observant, le commissaire songe que cette femme roublarde doit être trop attachée à son amant pour faire des confidences à la police.

318

Pourtant, il est sûr qu'elle sait où est le Gringo! Il faut qu'elle parle.

Il la regarde enfiler un pantalon blanc, qui lui colle aux hanches. « De gré ou de force, se dit-il. Si elle résiste à mes questions, je laisserai faire Alvarez. Il sait placer les électrodes où il faut pour faire avouer les plus endurcis. »

38

Richard Baker m'a donné rendez-vous à la buvette de la Torre Latinoamérica. Sans doute parce qu'elle n'est pas loin de mon hôtel. J'ai dépensé deux pesos pour avoir droit à l'ascenseur qui m'a déposé au quarante-troisième étage. De là, je domine l'impressionnant panorama de la ville illuminée, jusqu'aux cimes neigeuses que les feux du soleil couchant teintent de rouge. Mais je n'ai pas l'âme touristique pour me plonger dans la contemplation du Popocatepelt, en cette fin de journée où les catastrophes se sont amoncelées.

Le premier coup du sort nous a été assené, à Baker et à moi, au retour de Cuernavaca. Gonzalez, prétextant une location de places pour la prochaine corrida, nous avait abandonnés rue Madero. Nous avions faim. Nous nous étions installés, pour déjeuner, dans un Vips, maillon d'une chaîne de restaurants à prix modérés. Un vendeur de journaux s'égosillait entre les tables. Il ne nous avait pas fallu longtemps pour découvrir les énormes titres relatant l'agression du train postal et la disparition de millions de dollars. Il n'était pas, non plus, nécessaire d'acheter les vingt-cinq quotidiens qui fleurissent à Mexico City. La lecture de l'*Excelsior* et du *The News* suffisait à nous édifier.

— Les victimes sont incapables de fournir des signalements précis, marmonnait Baker, entre deux bouchées. Pourtant, tout me fait penser au Gringo : même façon de procéder, même minutie dans la préparation, même audace que dans l'affaire du détournement d'avion de la Regional Air Lines.

— Vous avez raison, disais-je, en repoussant mon assiette. Un chef de bande grand, brun, svelte, ça correspond, malgré le visage barbouillé de cambouis. Portillo, le flic-convoyeur, a noté, lui, que l'autre type avait les cheveux roux sous la casquette de cheminot. Vous savez à qui je pense ?

— Non.

— A Gaeta. Joe le Dingue a travaillé avec Rocco à New York. Si Joe est là, son frère Jimmy ne doit pas être loin.

Baker approuvait du chef et de la fourchette.

— D'accord pour Rocco et Joe le Dingue. Mais le troisième ? Le conducteur du train est formel : c'était un Américain, un Gringo comme ils disent ici. Et son signalement ne colle pas du tout avec celui de Jimmy. Au contraire, c'est un petit homme rabougri et insignifiant. Seul détail : il portait à l'annulaire un énorme diamant qui scintillait sous la lampe.

— Tous les *mafiosi* ne sont pas des Apollon recrutés dans des concours de beauté ! avais-je trouvé la force de plaisanter.

— Si vous voulez. Mais nous suivons quand même la Mafia de près, et seule la présence des frères Gaeta nous a été signalée au Mexique. Aucun autre *mafioso* n'a quitté le territoire des États-Unis.

L'appétit coupé, je m'obstinais :

— Comment le mécanicien est-il si sûr d'avoir eu affaire à un Américain ?

— C'est simple ! On n'en dit rien dans l'*Excelsior*, mais dans *The News* le journaliste rapporte que, si le conducteur du train ne parle pas l'anglais, il connaît nos jurons. Selon lui, le troisième agresseur terminait chacune de ses phrases par *Damn'it*. *Damn'it* par-ci, *Damn'it* par-là.

Je sursautais :

— Comment dites-vous ?

— *Damn'it*.

Du coup, une sonnette avait tinté dans mon esprit. La fièvre de la chasse balayait mon abattement. Et si le conducteur du train s'était trompé ? Et si ce n'était pas *Damn'it* mais le *Dame oui* que prononce, à tout bout de champ, mon Fredo l'Amoral que le Gringo a fait venir à La Havane ? Le signalement correspond, en tout cas.

Je me suis jeté à l'eau. Au diable les secrets et aux grands maux les grands remèdes. J'ai raconté mes aventures de la rue Copernico, à la recherche de l'insaisissable Paul Coti. Comme je m'y attendais, Baker a souri avec condescendance quand je lui ai parlé de l'enveloppe rose.

— Qui est ce Coti ? a-t-il soupiré en ingurgitant son Coca-Cola.

— Un type qui, en 1938, a monté un vol de cent quatre-vingt-deux kilos d'or et de plusieurs millions de bijoux dans un train de messageries.

Réveil de Baker. Changement brutal de programme. Nous quittons en catastrophe le restaurant. Richard éprouve soudain le besoin de courir à l'ambassade des États-Unis.

— Une antenne du F.B.I. y fonctionne en permanence, m'a-t-il lancé en s'engouffrant dans un taxi. On se retrouve à six heures à la Torre Latinoamérica.

Moins bien loti, je décidais de regagner mon hôtel, puis de me rendre, à pied, au consulat de France : à défaut d'antenne de la Sûreté nationale, le Gros m'y avait peut-être expédié une lettre.

Le second choc, je l'ai encaissé dans ma chambre. Je m'apprêtais à changer de chaussures. Le téléphone a grésillé. J'ai décroché, un soulier à la main. La voix de Ramón Gonzalez a retenti à mes oreilles :

— Pourriez-vous passer au bureau, *amigo* ? Liliane ne veut rien savoir.

— Comment ça, Liliane ?

— Je vous expliquerai. On m'a informé que Messina était avec elle au Camino Real. J'ai essayé de vous joindre.

— Je déjeunais avec Baker.

— Je ne pouvais pas le savoir. Il m'a fallu opérer. L'ennui, c'est qu'elle était seule. Vous qui la connaissez, vous pourriez peut-être en tirer quelque chose ?

Je n'ai su que répondre. J'étais à la fois anéanti et furieux. Le dicton du Gros m'est revenu en tête : « Secret de trois, secret de tous. » L'arrestation de Liliane, la gaffe monumentale, allait faire prendre au Gringo des précautions supplémentaires.

Je me suis remémoré les réticences de Liliane, voire ses injures, lorsque je l'avais interpellée sur la Côte d'Azur. Une tigresse, prête à mordre et à griffer pour défendre son homme. Si le flic au sombrero croyait qu'elle lui livrerait Rocco, il se faisait des idées, l'amoureux de corridas !

Fou de rage, je ne suis pas allé à la *Policía judicial.* Après tout, que Gonzalez se débrouille ! Il valait mieux que Liliane ne me voie pas.

Je me suis éclipsé de l'hôtel sans donner la clé au concierge. Avant de passer au consulat, j'ai rôdé, abattu, dans le ventre de Mexico, le Merced. J'ai erré au milieu des marchands qui offrent aussi bien des fruits exotiques que des habits de pacotille, et même des cercueils. J'ai badé devant un groupe d'acrobates qui faisaient leurs tours devant un public de bonnes sœurs et d'*indios* en costume. J'ai franchi un réseau de charrettes, de motos, de bicyclettes, de bus et de camions rivalisant de pétarades, évitant les discussions inutiles et les mains des mendiants, sans cesse tendues.

Mais j'avais beau tâcher de me distraire, toute cette agitation ne me rendait pas mon optimisme. Et la lettre de Vieuchêne, que j'ai recueillie au consulat, rue du Havre, au milieu d'un paquet de notices de recherches concernant Coti, Gandolfino et Maurasse, ne m'a pas remonté le moral : Marlyse est inquiète de ne pas avoir de nouvelles et le Gros me reproche de ne pas donner signe de vie. Il redoute que nous nous fassions griller par Nonoeil Vérot, qui serait sur le point d'arrêter, pour trafic de stupéfiants, Mitrani les Cheveux-Blancs, Jeannot Gras et Girola. Et, pour couronner le tout, la chatte angora du voisin a dévoré mes canaris !

Journée maléfique, s'il en fut.

Baker se laisse aller contre le dossier de la banquette. Il pose son verre de Long John, son whisky préféré, consulte sa montre. Dix-huit heures. C'est le moment où la buvette de la Torre Latinoamérica est envahie par les employés de bureau qui se donnent rendez-vous, après le travail, pour retarder quelque peu les retrouvailles avec leurs insalubres taudis du nord de la ville, sur le fond asséché du lac de Texcoco, ou leurs cabanes accrochées au flanc des ravins.

— J'ai eu Hoover, dit Baker. La Caterpill Company est une société de la Mafia dont le principal actionnaire est Don Guidoni. Son siège social est à New Orleans, 3241 Canal Street. C'est plutôt une boîte aux lettres, où la voiture de Rocco est aussi immatriculée. Hoover a mis le *Treasury Department* sur le coup.

Je le regarde sans rien dire, tout en avalant les dernières gouttes de mon jus de fruit. C'est beau d'avoir toute une machine policière à sa disposition.

— Et, tenez-vous bien, exulte Baker, l'adresse de Canal Street, c'est encore celle que Paul Coti a donnée à la société Avis quand il a loué sa Chrysler ! Vous aviez raison, mon cher, tout s'imbrique. Votre piste Coti n'était pas à négliger.

Baker admire le protocole des buveurs de *tequila* voisins : le sel sur la main et la goute de citron, et conclut :

— La police scientifique a du bon, mais vos méthodes, si pittoresques, ne sont pas mal non plus. Nous allons planquer, comme vous le dites, tout le temps qu'il faudra rue Copernico !

39

En cette fin de journée, la température est brusquement tombée. Il est dix heures. Le quartier Anzures évoque une ville abandonnée. La Chrysler roule lentement dans la rue Copernico. Paulo Coti vient de la récupérer à la descente du *ferrocarril*, derrière la station de Buenavista.

Paulo tend un trousseau de clés à Fredo la Moralité :

— Tu as bien compris, lui dit-il. Si je ne suis pas rentré à minuit, tu les laisses sous le paillasson d'Inès.

La Chrysler progresse jusqu'à l'immeuble cossu, en pierre de lave. La lumière du hall jette une tache claire sur l'ombre du trottoir.

— Et si je ne te vois pas ? demande Fredo.

— C'est que le mari de Carmen sera en voyage. C'est pratique, les représentants de commerce, quand leur femme vous aime bien. Salut !

Maurasse la Moralité referme doucement la portière. Les mains dans les poches, il entre dans l'immeuble, avec ces yeux d'homme à l'affût que seule confère une longue détention.

Les larges feux rouges de la Chrysler se sont évanouis à l'angle de la rue Bradley.

Fredo soupire d'aise. Il se sent en sécurité, dans l'immeuble. Il referme la porte, commence à monter. Il a une pensée émue pour Rocco, le grand organisateur :

— Tu couches une nuit chez Paulo, lui a-t-il dit. Et demain, tu prends le bus pour l'aéroport. Je te téléphonerai.

Tout en escaladant les marches, Fredo caresse machinalement le jeu de clés. Un curieux bonhomme, ce Paulo, lunatique, comme pas un. Il ne s'est décidé à ouvrir la bouche que lorsqu'ils ont quitté la gare et se sont retrouvés, cheminant l'un près de l'autre, dans l'obscurité de la rue Mosqueta. C'est vraiment un miracle qu'il lui ait parlé de sa maîtresse.

Arrivé sur le palier du troisième étage, Fredo la Moralité s'arrête, comme pris de doute. Il regarde par-dessus la rampe de l'escalier. La cage est bien déserte.

Son museau de fouine se plisse de satisfaction. Le voici rassuré. Il sort le trousseau de sa poche. Il ouvre délicatement la porte, soulève le paillasson, dépose les clés sur le plancher, referme le battant.

Il craque une allumette, parcourt toute la longueur du vestibule, allume la lumière. Des meubles poussiéreux et des paquets encombrent le corridor.

Il passe une porte. Se trouve dans une salle à manger qui révèle, elle aussi, les stigmates de l'abandon. La table est couverte de vieux journaux, de papier d'emballage. Les fauteuils, qu'il découvre de la baie qui ouvre sur le salon, disparaissent sous les housses, en une tristesse fantasmatique.

Un peu impressionné par cet abandon généralisé, Fredo regagne le couloir, entre dans une chambre. Là encore, il pousse un commutateur. La lampe montre les draps douteux d'un lit défait. Le cabinet de toilette est aussi encombré que le couloir. Encombré et sale. Le lavabo est grisâtre. Fredo fait une grimace de dégoût, devant quelques poils de barbe qui ont volé çà et là et qui ont depuis longtemps séché.

Il pousse une autre porte, se trouve dans une chambre nue. Un matelas est posé à même le sol.

« Il ne doit pas coucher là souvent, se dit-il. Même chez moi, à l'île d'Yeu, c'était plus propre ! Donc, c'est qu'il a une autre planque. »

Puis :

« Pour une nuit, je n'en mourrai pas. Je m'enroule dans une couverture. Demain soir, heureusement, j'aurai mon lit et ma Roussette. »

Il s'assure que les volets sont clos, derrière les rideaux élimés. Même le combiné du téléphone est couvert de poussière.

Appartement ou boîte aux lettres ? Après tout, c'est l'affaire de Paulo. Et les affaires des autres ne le regardent pas. Il a assez à s'occuper des siennes.

Un coffret ouvert sur une cheminée offre quelques cigarettes jaunies. Fredo en prend une. De nouveau, un sentiment de dégoût le saisit. Il la repose. Demain, il achètera les petits havanes dont il est friand. D'ailleurs, pour l'instant, il n'a pas envie de fumer. Il s'assoit sur le bord du sommier. Il enlève sa chaussure droite. Puis la gauche. Ses orteils s'amusent avec le fil d'écosse de ses chaussettes.

Et voici que l'animal de prison dresse l'oreille. Les longues journées de cellule finissent par changer l'homme en chien. Un doberman aux oreilles qui se dressent. Un berger allemand dont la truffe s'affole.

Fredo se raidit. Il sent, il sait, qu'il se passe quelque chose d'anormal.

Non, ce n'est pas Paulo qui est entré discrètement pour ne pas le réveiller.

Il sent, et il sait, que quelqu'un avance, pas à pas, dans la chambre à côté.

Quelqu'un qui ne peut pas être Paulo : il n'aurait pas eu le temps d'aller chez son amie et de revenir rue Copernico.

Fredo la Moralité s'est redressé, reprenant son courage dans la station verticale. Il s'est planqué contre la cloison.

Il a éteint la lumière. L'armoire, près de lui, est un obstacle qui le rassure.

Tout est noir. L'inconnu marche sur des œufs. Les pas, presque imperceptibles, se rapprochent du cabinet de toilette.

La porte de la chambre s'ouvre.

De l'endroit où il se trouve, Fredo ne peut distinguer la vague silhouette qui se tient sur le seuil.

— *Hands up !* Ne bougez pas.

La voix a retenti très fort dans cet univers de silence et d'abandon.

— Ne bougez pas !

La voix a répété son ordre.

La lumière surgit, brutale.

Fredo Maurasse se retourne, la peur au ventre. Ses yeux tournoient dans un tumulte de lumière. Deux ombres semblent se jeter vers lui. L'une d'elles brandit une arme de gros calibre.

Mais ce n'est pas l'arme qui lui fait peur. C'est cette voix qui, en français, avec un accent américain, lui lance :

— *How are you,* monsieur Fredo ? Je suis content, vraiment content de faire votre connaissance. *Let's go.* Venez.

40

Fredo la Moralité frotte ses poignets endoloris. Les gardiens qui l'encadrent viennent de lui enlever les menottes.

— Asseyez-vous, lui dit le commissaire Gonzalez en désignant une chaise devant son bureau.

L'inspecteur Alvarez et le *Special Agent* Richard Baker se tiennent un peu en retrait. Ils attendent.

— Votre nom ? demande Gonzalez.

— Malegrat. Alfred Malegrat.

— Age ?

— Quarante-deux ans.

— Marié ?

— Dame non !

— Profession ?

— Commerçant.

— En quoi ?

— Import-export, dit Fredo.

Il semble très fier de ce mot magique. Du coup, il cesse de se masser les poignets. Le commissaire Gonzalez, lui, n'a pas l'air convaincu du tout. Il arbore même un sourire franchement arrogant. Ce qui ne l'empêche pas de noter avec soin les réponses, en fonctionnaire méticuleux. Les cendres de son cigarillo teintent de gris la grande feuille de papier administratif, que cache aux trois quarts son large sombrero.

D'un revers de la main, le commissaire balaie les cendres. Puis, il relève la tête :

— Import-export de quoi ?

— De tout, répond Fredo avec un aplomb superbe.

— Vous vous foutez de moi ?

— Dame non. Le commerce est libre, à Cuba, que je sache. Alors, moi, j'achète et je revends.

Le regard de Fredo se porte sur Baker, qui semble l'approuver, hochant la tête avec son flegme mi-américain, mi-britannique. Du coup, Fredo reprend encore un peu plus d'assurance. Il en vient même à sourire, une seconde. Mais le regard de Ramón Gonzalez lui fait rapidement retrouver la mine sombre qui convient à l'homme interrogé.

La voix du policier mexicain claque, très sèche :

— Vous achetez quoi ? Vous vendez quoi ?

— Ce que je peux. Ce que je trouve.

Le commissaire écrase son cigare dans un sabot de taureau, souvenir d'une corrida particulièrement dramatique pour le matador, qui traîne sur le bureau.

— Si je comprends bien, vous résidez à Cuba ?

— Dame oui. A La Havane !

— A l'hôtel ?

— Non. J'ai un petit appartement. Enfin, un pied-à-terre, pas loin de l'hôtel Nacional, vous voyez ?

— Vous avez obtenu un visa de notre consulat, dit Gonzalez. Vous n'avez donc jamais eu des problèmes avec la justice ?

— Dame non. Je suis un commerçant français, honnête d'après ce qu'on dit. Si je suis allé à Cuba, c'est pour des raisons d'intérêt.

— Et à Mexico ?

— Pour opérer des achats. En fait, j'étais venu pour ça, mais je me suis un peu amusé, au lieu de m'occuper de mes affaires. Si vous voulez tout savoir, j'ai fait la connaissance d'une femme qui m'a emmené dans son pied-à-terre, rue Copernico. Le temps de vérifier à son appartement principal si son mari n'était pas rentré de voyage, et elle vient me retrouver dans la nuit. Je laisse les clefs sous le paillasson.

Le commissaire Gonzalez relève son chapeau pour faire face au sourire de Richard Baker, qui tousse discrètement. Il questionne de nouveau :

— Comment s'appelle votre bonne fortune ?

— Inés.

— Inés comment ?

— Je ne connais que son prénom. Nous sommes aussi discrets l'un que l'autre, c'est normal...

— Je comprends, dit Gonzalez, tout en dessinant des ronds sur sa feuille. Donc, c'est cette femme qui vous a laissé rue Copernico tout à l'heure ?

Fredo la Moralité hésite quelques secondes avant de répondre :

— Pas exactement. C'est son frère. On venait de prendre tous les trois un café au Tacuba. Il m'a proposé de me déposer. Elle est partie de son côté, tout en disant qu'elle me rejoindrait comme d'habitude. Si elle pouvait, bien sûr.

Gonzalez écoute tout cela avec l'air blasé du flic qui en a entendu d'autres. Il sort un cigarillo de sa poche. Il prend tout son temps pour l'allumer.

— Vous pouvez justifier de votre emploi du temps depuis votre arrivée à l'aéroport international ?

— J'ai circulé pas mal. Je suis allé sur le Paseo, dame oui, et à Insurgentes. J'ai flâné, j'ai bien mangé. Pourquoi me posez-vous toutes ces questions ?

— Un vol a eu lieu dans l'État de Coahuila, une histoire de train postal, des millions de dollars disparus.

Les yeux de Fredo Maurasse s'écarquillent, exprimant l'ahurissement le plus complet :

— Alors ça ! Je ne vois vraiment pas ce que je viens faire là-dedans !

Richard Baker avance d'un pas, et intervient, un sourire énigmatique aux lèvres :

332

— Je vais vous le dire, mon cher Fredo.

Maurasse se retourne, surpris d'entendre son prénom prononcé par cette voix américaine. Soucieux, le front ridé, il fait face.

— Où est Rocco ? demande simplement Baker.

— Rocco ?

— Messina. Le Gringo !

Maurasse joue l'étonnement avec un sens théâtral des plus complets :

— Je ne vois pas ce que vous voulez dire, dame non ! C'est qui, ça ?

— Si vous ne le connaissez pas, cela n'a aucune importance. Dites-moi, je n'ai pas très bien compris votre nom. C'est Malegrat ou Maurasse ?

Tout commence à se mêler dans le cerveau de Fredo. Il cherche une échappatoire. D'instinct, il déteste ce grand type flegmatique à l'accent traînant, qui polit ses ongles sur le revers de son veston, tandis que Gonzalez, lui, continue à dessiner des ronds. Il risque une tentative de plaisanterie :

— Maurras était un leader d'extrême droite, en France. J'ai emprunté son nom parce que j'ai les mêmes idées que lui.

— Ah ? répond Baker, sans se démonter. Et moi, je croyais que Malegrat était le nom de Roussette, votre amie.

Fredo accuse le coup. Où veut-il en venir, cet Américain si bien renseigné ?

Fredo s'efforce de rassembler ses esprits. Il s'adresse à Gonzalez :

— Je veux bien vous répondre à vous, mais je n'admets pas qu'un yankee, qui n'a rien à faire au Mexique, doute de mon honnêteté. Dame non.

Le commissaire hausse les épaules, sans cesser de dessiner sur l'envers de la feuille de papier officiel. Quant à Baker, il continue, comme si de rien n'était :

— Rocco m'a souvent parlé de vous, Fredo. C'est étrange que vous ne vouliez pas en causer.

« Ce gars-là n'est pas un flic, se dit Maurasse. C'est un type de la C.I.A. Ils sont partout, ceux-là. Leur organisation recrute même dans les bas-fonds. Je vais peut-être pouvoir m'entendre. »

Baker continue :

— Et Liliane, son amie, vous la connaissez ?

Fredo secoue lentement la tête de gauche à droite ; maintenant qu'il a dit qu'il ne connaissait pas Rocco, il ne va surtout pas avouer qu'il connaît Liliane !

— Je pensais que vous auriez pu la rencontrer à La Havane, dit Baker avec un bon sourire. Chez l'ami Smith, par exemple. N'allez pas me dire que vous ne savez pas qui c'est celui-là !

« Cette fois, aucun doute, pense Fredo. C'est bien la C.I.A. Comme Smith ! Faut essayer de s'entendre ! »

— Ah, Liliane, dame oui, dit-il un peu trop fort, comme si la mémoire lui revenait. La fille qui loge au Deauville ! Ça, pour savoir de qui elle est la maîtresse... Comment l'appelez-vous, le type ?

— Logeait au Deauville, rectifie Baker, en souriant de toutes ses dents. Souvenez-vous, vous l'avez accompagnée au cruiser qui l'a déposée au Mexique. Cessons de jouer à cache-cache, monsieur la Moralité. Vous avez raconté des histoires au commissaire Gonzalez, qui peut vous faire goûter les joies des prisons mexicaines. Mais j'ai mieux à votre service. Le cambriolage du coffre de Smith, est-ce que ça vous rappelle quelque chose ?

— Qu'est-ce que c'est ça encore ? balbutie Fredo, effaré.

— Des papiers, surtout des dollars, envolés. Mais numérotés, mon cher ! Donc, faciles à retrouver dans votre coffre de la Chase Bank à Panama ! Vous n'avez pas de chance, Fredo : inutile de continuer vos salades. C'est comme ça qu'on dit chez vous, non ? Vous voyez que nous savons tout, et plus encore, vous allez voir ! Je laisse le soin à un de vos amis de vous rafraîchir la mémoire. Vous venez, Gonzalez ?

Avec stupeur, Fredo constate que Baker entraîne le commissaire mexicain hors du bureau, où il reste seul en compagnie de l'inspecteur Alvarez et de deux gardes. Il perçoit la rumeur d'une conversation dans le corridor.

De quel « ami » a voulu parler l'Américain ? Qu'est-ce que tout cela veut dire ?

Lorsque je fais mon entrée dans la pièce, Fredo devient si pâle que je me demande s'il ne va pas s'évanouir. Il fait un effort manifeste pour articuler quelques mots :

— Ça alors... Qu'est-ce que vous faites ici, monsieur Borniche ?

Je m'assois dans le fauteuil de Gonzalez. Je cale paisiblement mon dos contre le bois poli.

— Remets-toi, mon vieux, dis-je. Nous avons à discuter de tant de choses, tous les deux. Tu t'es mis dans de drôles de coups, dis donc, depuis que tu m'as fait la valise !

Ce qu'il ne peut pas savoir, Fredo, c'est que j'ai enregistré toutes ses réponses, bien assis dans le bureau des inspecteurs, contigu à celui du chef de la section criminelle. La petite pastille installée par Baker dans le téléphone du commissaire Gonzalez me transmettait les nuances de son embarras.

Nous avions soigné notre plan. Fredo, à peine installé dans l'appartement de la rue Copernico, je suis monté sur le palier du troisième étage pour écouter. J'ai soulevé le paillasson. Miracle ! Les clés s'y trouvaient ! Redescendu quatre à quatre à la voiture, j'ai lancé à Baker :

335

— Fredo est là ! Coti va sûrement revenir !

Nous avons longtemps attendu. Pour rien. Puis, nous avons débattu de l'opportunité d'une intervention. Gonzalez n'était pas très chaud pour renouveler l'expérience Liliane.

Finalement, ils m'ont laissé décider.

— Voilà ce que je propose, ai-je dit. On pique Fredo et on laisse deux gardiens à l'intérieur, pour le cas où Paulo rappliquerait. Lui ou quelqu'un d'autre !

— Si les clés ne sont plus sous le paillasson, ils vont se méfier, a dit Gonzalez.

— On va les remettre ! Vous, pendant ce temps, vous baratinez Fredo. Il faut le laisser s'enferrer. C'est un dur. Je ne me découvrirai qu'en dernier ressort, pour lui assener le K.O. final. Il ne s'attend pas à me voir, et ça lui fera un choc.

J'ai failli avoir pitié de Fredo en le voyant, de la porte cochère où j'étais caché, partir ahuri et menotté vers les locaux de la *Policía judicial.*

J'ai attendu encore, en vain, le retour de Coti.

Quand une voiture banalisée m'a amené deux inspecteurs en renfort, je leur ai fait signe de se taire, en leur montrant l'appartement. Je les y ai bouclés, puis j'ai remis les clés sous le paillasson. A la moindre alerte, ils pouvaient prévenir par téléphone le bureau de Gonzalez.

Le visage dur, je répète ma phrase, en regardant Maurasse fixement :

— Oui, mon cher, et dans de sales draps !

Fredo n'est plus seulement pâle, il est verdâtre, maintenant.

— Ça alors, murmure-t-il, comme pour lui-même, monsieur Borniche !

Je jette un coup d'œil sur l'inspecteur Alvarez et sur les gardiens, affectant la mine de l'homme qui réfléchit.

— J'aurais voulu être là pour le début de ton interrogatoire, dis-je, mais je n'en avais pas fini avec

336

Coti. Maintenant, ça y est, il est au trou, lui aussi ! Avec Liliane. Tu peux nous tirer ton chapeau, Fredo. On a fait du bon boulot.

Son désarroi fait peine à voir. Il me regarde comme si j'étais un habitant d'une autre planète. Il n'y comprend vraiment plus rien.

— Je veux d'abord te remercier, dis-je. Grâce à tes indications, nous avons pu piquer les auteurs du coup du fourgon. Tes complices, quoi ! Coti, Gaeta, Liliane… Il ne manque plus que Rocco, mais ça ne saurait tarder.

— Quelles indications ? balbutie-t-il, ébahi.

— … Tu as la mémoire courte. Tu ne te souviens pas de nos accords de l'île d'Yeu ? Je te donnais une autorisation de séjour, plus cinq cent mille francs pour tes frais de déplacement. Tu te procurais de faux papiers, et tu venais à Cuba pour entrer en relations avec le Gringo. Tu as exécuté ton contrat. Tu nous as mâché la besogne. Reste à savoir comment les autres vont prendre ça !

Fredo est devenu aussi blanc qu'un suaire.

— Vous rigolez ou quoi ? bafouille-t-il.

— Je n'en ai pas envie. Quand Liliane a quitté Tanger pour Cuba, c'est toi qui étais au comité d'accueil. Lorsqu'elle a rejoint Rocco à Cuernavaca, c'est toi qui l'as conduite au bateau. Elle m'a tout raconté, Liliane. Elle a compris que la partie était perdue.

Fredo hausse les épaules.

— Arrêtez votre char, monsieur Borniche ! Pensez, comme si vous aviez arrêté Liliane !

— Tu la connais ? Tu disais tout à l'heure que tu ne la connaissais pas.

— Pourquoi, vous écoutiez aux portes ?

— A peine. J'arrivais juste. Si tu ne me crois pas, je peux te la faire apercevoir, une seconde, sans qu'elle te voit.

Une partie de poker. Si Fredo croit à l'arrestation de Liliane, il risque de parler.

— Vous seriez bien emmerdé si je vous prenais au mot, dit-il. Dame oui.

— Bon.

J'ouvre la porte du bureau, appelle Gonzalez, referme la porte. Un profond silence s'installe. Puis, on perçoit des pas dans le couloir. Par le trou de la serrure, je vois Liliane faire son apparition. Elle n'est pas au meilleur de sa forme, les yeux rougis, les traits tirés, les cheveux en désordre.

— Regarde, dis-je, à Maurasse.

Fredo colle son œil au panneau.

— Ça alors, articule-t-il péniblement.

— Voilà pour elle. Si tu veux voir Coti, c'est pareil. Suppose donc que je leur raconte que c'est toi qui les as fait arrêter. Tu aurais du mauvais sang à te faire, partout où tu serais !

— Vous ne feriez pas ça, monsieur Borniche !

— C'est une idée qui m'est venue comme ça, si par hasard on ne s'entendait pas.

Les mains sur les genoux, il hoche la tête, me décoche un regard féroce :

— Ça vous servirait à quoi de me faire porter le chapeau ?

— Pour te remercier de m'avoir doublé, dis-je. J'ai toujours eu pour habitude de rendre la monnaie. Tu as sûrement des choses à me raconter, sur Cuba, sur la drogue, sur le cambriolage chez Smith. Baker, le gars du F.B.I. que tu as vu tout à l'heure, a lui aussi pas mal de questions à te poser, à ce sujet. Il faut que tu sois con pour être allé mettre les dollars dans ton coffre de la Chase Bank, à Panama !

Fredo perd pied. Je lis la fatigue sur son visage. Ses mains tremblent. Mais je ne vais pas le lâcher pour autant. Il faut lui parler de l'attaque du train, du coup mortel asséné sur la tête du machiniste.

— A l'avenir, tu devrais surveiller tes propos. C'est un conseil que je te donne. Personne ne connaissait ton tic, des « dame oui » et des « dame non », personne sauf moi. Tu n'as pas de chance. A la confrontation, avec le gars du train, ça va faire ni une ni deux. Et puis quand tu fais des coups comme ça, enlève donc ton diamant, ça se remarque !

Je le sens faiblir, Fredo. Il n'a plus le choix.

Pour s'en sortir, il est contraint de trahir, une nouvelle fois. C'est l'engrenage fatal. Avant même qu'il ouvre la bouche, je sais ce qu'il va me proposer.

— Et si je vous donne Rocco, monsieur Borniche ?

— Tope là, dis-je en me levant. L'ennui, c'est que tu m'as déjà fait le coup une fois. Ce n'est pas seulement Rocco qu'il me faut, c'est aussi le magot !

Il ne répond pas. S'il disait un mot sur les sacs de dollars, il reconnaîtrait sa culpabilité. A vrai dire, je m'en moque, moi, de l'argent. Les assurances sont là pour rembourser les banques. Ce qu'il me faut, c'est le Gringo.

— Paul Coti a été aussi surpris que toi de me voir, dis-je d'un ton aérien. Pour être franc, je vais te confier le marché que je compte lui proposer : on écrase au maximum le coup des bijoux de la Bégum, en échange de Rocco. Je le libère, il rentre en France, il se constitue prisonnier. Très bien vu par les juges, tu comprends ? Toi, pendant ce temps, tu feras du tourisme dans les prisons de Cuba et du Mexique. Des années. Roussette risque fort de changer de cavalier d'ici là. Quoique je peux aussi la faire tomber pour recel, dans l'histoire du vol, chez Smith. Le coffre à Panama est à vos deux noms, d'après Baker. Qu'est-ce que tu en penses ?

Alfred Maurasse réfléchit. J'en profite pour lui donner le coup de grâce :

— Décide-toi. Ou je passe le marché avec toi, ou je traite avec Coti. Je prendrai seulement quelques précautions pour que l'un ou l'autre ne puisse me rouler.

N'oublie pas que je suis le seul à t'avoir identifié pour le coup du train postal. Que je possède aussi le double de ton autorisation de séjour.

Fredo baisse la tête, retrouve la phrase qu'il avait déjà proférée dans le bureau de l'inspecteur Vérot, à la 3e brigade territoriale.

— Qu'est-ce que je dois faire, monsieur Borniche?

— Ce n'est pas compliqué, Fredo. Voici mon plan.

QUATRIÈME PARTIE

LE PIÈGE

41

Vieuchêne, pour tenir sa conférence de presse et faire l'étalage de son génie policier devant une assemblée de connaisseurs éclairés, a réservé le salon boisé du premier étage du restaurant « Au Pied de Cochon » :

— ... Un commissaire lâchement assassiné dans l'exercice de ses fonctions, un trafic international de drogue qui croissait et embellissait au rythme des semaines, voilà où nous en étions, messieurs, quand j'ai décidé de prendre l'affaire en main...

Ayant asséné ces alléchantes paroles, le Gros promène un regard satisfait sur l'aréopage de flics et de journalistes réunis autour de la table. Le vieux stratège laisse s'installer un instant de silence, afin de permettre à chacun de s'imprégner de son récit coloré.

J'en profite pour jeter un coup d'œil de l'autre côté de la rue où le pavillon Baltard dresse son armature de fer et de fonte, ornée de lanternons. Le quartier des Halles est en pleine effervescence, une arroseuse municipale nettoie, à grande eau, le carreau de la boucherie et les ventes à la criée succèdent au marché de gros.

Tant par son emplacement que par la qualité de ses spécialités, la brasserie « Au Pied de Cochon » est une vedette des guides gastronomiques. Elle offre l'avantage d'être à mi-distance entre la Préfecture de police et la Sûreté nationale. En portant son choix sur l'établissement, Vieuchêne avait eu une idée de génie : il invitait les deux directeurs concurrents de la Police judiciaire à déjeuner et, de cette rencontre historique, jaillissait, sous ses auspices, la réconciliation définitive des services.

— L'amitié de deux frères est plus solide qu'un rempart, m'avait-il confié dans l'euphorie de son initiative. Moi, j'ai toujours été pour la fraternité policière.

Je n'en avais pas cru un mot. Pas plus que le cauteleux Desvaux, le superviseur du Quai des Orfèvres, que ses collaborateurs surnomment René les Bretelles en raison de l'élasticité de son échine. Au dernier moment, il avait prétexté un empêchement majeur. Et son bras droit, le flic loucheur Nonoeil Vérot, s'était décommandé, lui aussi.

— Des jaloux, avait maugréé Vieuchêne, dépité. Dans le fond, j'aime mieux ça. Ils auraient encore été capables de critiquer mon acquittement.

« L'opération Gringo », comme il s'amuse à la définir, lui avait été bénéfique. La plaidoirie de son avocat, aussi. Le conseil de discipline avait flétri ses dénonciateurs et le directeur de la Surveillance du territoire en personne avait accordé à Vieuchêne sa voix prépondérante.

Tout cela n'est plus que mauvais souvenir. Les aventures du Gringo ont relégué la bataille des peaux de bananes à l'arrière-plan. Superbement à l'aise dans un complet bleu marine fleuri d'un ruban rouge, Vieuchêne reprend son exposé. Il va enfourcher tous les chevaux du Mexique. Il prend son élan en ingurgitant, coup sur coup, deux verres d'alcool de poire. Déjà ont défilé les évolutions du bel Italo-Américain en Turquie, en Italie et à Tanger. Je suis sidéré de la façon dont le Gros a su reconstituer les différentes pièces du puzzle pour en faire un condensé vivant, alerte, dont il est, bien entendu, le maître d'œuvre. Il a sûrement écumé les archives d'Interpol, du F.B.I. et de la *Policía judicial* mexicaine tout entières pour en arriver là. Ce n'est pas possible autrement.

Il se racle la gorge, s'éponge le front. Je m'amuse à détailler les convives du déjeuner copieux que la Sûreté m'a offert, en gratification. A la droite du Gros, enrobant sa corpulence dans un costume fil-à-fil fleuri à la boutonnière, le replet directeur de la P.J. Un homme sympathique, affable, aussi souriant que gourmand. Il couve Vieuchêne d'un regard protecteur. Près de lui, Marlyse, les cheveux blonds épars sur ses épaules dénudées. Elle est belle. Je la contemple avec fierté. En deux jours, elle a réussi à se confectionner une robe digne de Chanel, grâce à la machine à coudre que j'ai pu lui offrir avec la prime de l'affaire Messina. Vieuchêne l'a invitée en qualité de collaboratrice occasionnelle et gratuite. J'aurais préféré qu'il la rémunère un peu, voire qu'il augmente mes états de frais, mais il a trouvé ma demande de mauvais goût.

Mon regard passe sur le faciès de boxeur de Delpêche, le reporter de *France-Soir.* Il n'invite pas à la contradiction. Ses poings non plus. Tout en tournant de la main gauche le café dans la tasse, il prend des notes sous les yeux amusés de Salardenne du *Parisien libéré.* Basset, de l'A.F.P., et Arqué de *Paris-Presse,* sont là aussi, l'un petit, effacé, l'autre grand, les cheveux noirs rejetés à l'arrière, le nez busqué. Et, en bout de table, Nicodème Loeil, le mari chauve et cocu de la secrétaire du Gros, reprend de la charlotte pour la troisième fois. Elle s'est mise en frais, Mme Loeil. Son décolleté supporte un collier en strass qui reflète tous les feux des appliques murales. Elle a ourlé de rouge le cœur de ses lèvres et s'est collé une mouche baladeuse sur la pommette droite. Hier, elle ornait son menton.

C'est une intéressante petite comédie humaine qui se joue devant moi. Il y a les acteurs et les figurants.

Crocbois, le chauffeur, ruisselle de gomina. Il s'est assis à côté d'Hidoine, dans l'arrondi de la table, entre les reporters de *l'Humanité* et de *l'Aurore*. J'aurais bien aimé être avec eux, mais le Gros a exigé que je me place à sa gauche :

— Vous comprenez, Borniche, il se peut que j'oublie un détail. Alors, je compte sur vous !

Il a repris son discours. L'assistance boit ses paroles. Quelle hauteur de pensée, quelle sérénité, quelle grandeur d'âme ! Il a presque un tempérament de romancier, cet homme-là. On a l'impression d'y être.

Mais on n'y est pas.

C'est l'enquête de l'inspecteur Najapa, de la *Policía judicial* de Veracruz, qui à été un modèle du genre...

— ... Dis-moi, Consuela, tu la connaissais bien, toi, Lucienne, la femme de Manuel Gómez ?

La jeune fille, intimidée, frémit. Elle a peur de ces bâtiments de l'avenue Cortes y Allende. On chuchote que souvent, dans les sous-sols, les prisonniers y subissent d'ignobles tortures. L'inspecteur la toise sans aménité. Comment est-il arrivé à elle, ce flic machiavélique dont tout le port redoute les accès de colère ?

— *Si, inspector*. Enfin, comme ça...

— Plus, Consuela, plus ! La preuve, c'est que tu la rencontrais souvent, autour du Zocalo devant les marchands de coquillages. Vous alliez aussi danser, rue Hernandez, quand son mari n'était pas là. Elle te faisait ses confidences, Lucienne, ne dis pas le contraire !

Consuela fait un oui timide de la tête. Et soudain, la question précise, brutale :

— Comment se fait-il, alors, que tu n'étais pas à son enterrement ? Toutes ses amies, même les moins intimes, s'y trouvaient. Et toi, pas !

— Je ne sais pas, *inspector*. Je devais avoir du travail.

— Non, Consuela, non. Pas ce matin-là. J'ai vérifié. Tu es restée chez toi. Dis-moi, ce type, tu le connais ?

Najapa lui tend une photographie. Consuela reconnaît sans peine le Gringo. Ses doigts se contractent. L'inspecteur profite de son trouble pour attaquer un peu plus :

— Il est arrêté. Il te rendait visite, n'est-ce pas ? Sans doute que tu lui plaisais. Je le comprends, d'ailleurs ! Comme un fait exprès, la veille de l'assassinat du douanier Pelayo et de sa maîtresse, il était à Veracruz. Il a logé à l'hôtel Diligencias. Il était arrivé la veille par le courrier de la Mexicana de Aviación. Il a dirigé le débarquement de sacs de drogue à Mandinga, juste au moment de l'assassinat. Coïncidence curieuse, tu ne trouves pas ?

Consuela fait un effort désespéré pour garder son sang-froid. Elle revoit les billets sur la table, la *casita* enfouie sous les branches. Elle revoit Emiliano, son père, réapparaître sur le balcon, essuyant tranquillement la lame de son poignard. Ses narines frémissent. Najapa sait qu'il a touché juste.

— Allons, Consuela, un bon mouvement. Ce n'est pas toi qui les as tués, les deux amants, c'est sûr ! Mais tu y étais. J'ai découvert un morceau de ta robe, tu sais bien, ta robe verte. Il était accroché à la barrière, près du bouquet d'arbres. Où est-elle cette robe ?

L'inspecteur ouvre son tiroir, en sort un minuscule morceau de tissu léger, le présente à la jeune fille.

— J'ai eu du mal à remonter le courant. Cela n'a pas été facile. Tu vas être bien franche, ma petite Consuela. C'est ton amant qui les a tués, n'est-ce pas, pendant que tu montais la garde ? Tout cela pour que la drogue puisse débarquer sans risques. Ne dis pas non, on a retrouvé un sac de jute sur la plage. Et les mauvaises langues ont parlé. Je sais que ton père Emiliano acceptait ses visites.

Consuela baisse la tête. Il faut sauver son père, mais

comment ? Ce policier a vraiment des yeux qui font peur.

— J'ignore si c'est lui l'assassin, dit-elle, mais il n'est pas mon amant. Je le jure. Il vient me dire bonjour, comme ça, de temps en temps.

— Ah ! oui ? Et pourquoi ?

Najapa prend un ton paternaliste, celui qui amène les aveux.

— Je vais t'aider, Consuela. Ce soir-là, un pêcheur qui descendait vers le port t'a vue. Il a pensé que tu attendais un amoureux près de la barrière. La lune éclairait le paysage, même les paillotes de la lagune. Tu faisais le guet pendant que ton ami poignardait Luis Pelayo. C'est simple.

Consuela cache sa tête dans ses mains, éclate en sanglots. Elle se laisse aller. Elle craque.

— Oui, dit-elle dans un souffle. Mais je ne savais pas qu'il voulait faire ça.

— C'est bien, ma petite. Tu as raison de te soulager. Ça va aller mieux, maintenant. Je te confronterai avec lui, s'il le faut. Pour le moment, je vais enregistrer ta déposition. Tu veux que je te fasse monter un café ?

Sur cette note sensible, le Gros marque un temps d'arrêt. Il secoue la tête, l'air inspiré.

— Bien sûr, conclut-il, la pauvre fille ne pouvait pas tenir le choc. Mon collègue mexicain l'a tournée et retournée sur le gril. Il avait tout compris. Le père de Consuela, lui, s'est mieux défendu. Il n'arrêtait pas de jurer sur la Vierge qu'il ne savait pas de quoi il s'agissait. Et tant qu'on n'arrêtait pas le Gringo, il avait beau jeu.

— Justement, interrompt Delpêche, le Gringo dans tout ça ?

— J'y viens, j'y viens, dit Vieuchêne, agacé. Ne brûlons pas les étapes. Si vous croyez que c'était facile ! Après le hold-up du train postal, puis la fusillade de

348

Zacatecas, Ramón Gonzalez avait commis l'erreur d'arrêter Liliane. Et ça, c'était la tuile ! Si le Gringo apprenait ça !

Il est près de deux heures de l'après-midi lorsque la Cadillac blanche traverse le village endormi de Tepetates. Pour les Mexicains, la sieste est sacrée. Presque aussi sacrée que la célébration de la fête de la Virgen de Guadalupe, la Vierge noire, que l'Indien Juan Diego avait vue jadis apparaître sur les ruines du temple de Tonantzin. Depuis, les pauvres, les esclaves, les opprimés ont leur idole. Rocco constate, non sans plaisir, que les seuls témoins de son passage sont de petits ânes squelettiques, étonnés d'être dérangés dans leur rêverie, au milieu des minuscules champs de maïs entourés de cactus rébarbatifs.

Il reçoit, par la capote baissée, des rafales de l'air frais de la montagne qui le revigorent. Il évite astucieusement la nationale 70 qui le reconduirait vers Aguascalientes. A Ojuelos de Jalisco, il prend la route de Lagos de Moreno. Quelques kilomètres après le croisement, une cascade jaillit d'un rocher. Il s'arrête, se désaltère, se débarrasse du sang coagulé figé sur son front. Il extrait du coffre un pantalon de treillis et un poncho, les revêt. Ses blessures sont insignifiantes.

La Cadillac entre dans l'État de Guanajato, débouche sur la place de los Fundadores, au centre de León, se fraie un passage entre deux charrettes, devant un bâtiment en démolition. Rocco ferme les portières à clé et lance le trousseau le plus loin qu'il peut sur les graviers. Les mains à l'abri du poncho, il emprunte la rue principale, évite le *Palacio nacional*, découvre un café désert devant l'église de Nuestra Señora de los Angeles, à la façade de style baroque.

Il a faim. Il choisit une *tortilla* farcie qu'il plonge dans le *guacamole,* une purée épaisse d'avocat mélangée de *chile,* de tomate et d'oignon. Il cherche des yeux une cabine téléphonique. Seul, un vieil appareil à l'ébonite cassé est posé sur l'extrémité du comptoir.

Tandis que le café qu'il a commandé coule goutte à goutte dans le filtre, il s'adresse à la vieille femme au masque cuivré :

— Vous avez l'annuaire de Cuernavaca ?

Elle le regarde, ahurie. Puis, tout en continuant à rincer les verres de deux doigts de la main sous un mince filet d'eau froide, elle lui désigne la rue :

— *Correos y telégrafos.*

Rocco avale son café, règle la note, s'achemine vers la poste centrale. La ville est calme. Un marchand de journaux a exposé tous les quotidiens qui relatent l'attaque du fourgon postal. Rocco passe devant sans les regarder, escalade quelques marches, s'arrête au guichet du téléphone. Du tas d'annuaires crasseux, il sort celui du Morelos. Dès qu'il a découvert l'hacienda Vista Hermosa, il demande la communication, s'enferme dans la cabine.

— Mme Hamilton, je vous prie.

— De la part de qui ? répond une voix féminine.

— Son mari.

Il y a un moment d'hésitation au bout du fil. Rocco entend chuchoter sans toutefois arriver à comprendre nettement les termes de la conversation. Mais cela suffit pour exacerber son instinct déjà en éveil.

Après un déclic, une voix d'homme prend le relais, dans l'écouteur :

— Mme Hamilton est sortie, monsieur.

— Pour longtemps ?

Nouveaux chuchotements au bout de la ligne. Sans doute veut-on le faire parler pour essayer de localiser son appel. Aussi raccroche-t-il, en murmurant : « *Gracias !* »

Il flaire le danger. Demeure un moment interloqué, adossé à la paroi de la cabine. Qu'a-t-il pu se passer à

Cuernavaca ? Cela semble étrangement lié, en tout cas, au barrage de police de Zacatecas.

Les flics ont dû faire une descente à l'hacienda. Ils ont embarqué Liliane pour lui faire dire tout ce qu'elle sait sur Rocco et sur son équipe.

Il se sent glacé. Bien sûr que c'est ça ! Personne d'autre n'avait le numéro de la Cadillac qu'il venait d'acquérir. Ils ont dû drôlement la secouer, Liliane, pour qu'elle lâche le morceau. Un étrange sentiment de découragement l'envahit. Mais comment sont-ils arrivés à Liliane ? Et qu'en ont-ils fait ? Où est-elle en ce moment ?

Il ressort de la cabine, demande à la préposée la communication avec le Camino Real, à Mexico. Souvent, il a dit à Liliane que, s'il lui arrivait quelque chose, elle pourrait toujours se réfugier dans la suite louée par la C.C.A.

— Mexico en ligne, dit la standardiste.

Anxieux, Rocco s'introduit dans la cabine.

— La suite 732, ordonne-t-il.

— *Momento.*

Son mouvement d'espoir se change vite en appréhension. Le ronflement de l'appareil résonne dans le vide. Liliane n'est pas plus au Camino Real qu'à l'hacienda Vista Hermosa. Déjà, au bout du fil, l'employé demande :

— Y a-t-il un message ?

— Non, fait Rocco. Madame a-t-elle dit à quelle heure elle rentrera ?

— Elle était là ce matin, mais je ne l'ai pas vue sortir. Voulez-vous que je me renseigne ?

— Je rappellerai, dit Rocco sèchement.

Il pousse un soupir de soulagement. Si Liliane est là, c'est qu'elle a quitté volontairement Cuernavaca. Pour se rapprocher, sans doute. Ce qui l'étonne, pourtant, c'est qu'elle ait pris cette initiative inattendue.

De nouveau, l'inquiétude l'envahit. Un instant, il a

envie de joindre Paulo Coti, rue Copernico. Mais, à cette heure-ci, il ne doit pas être encore arrivé. Il rappellera ce soir le Camino Real. Si Liliane n'est toujours pas là, il demandera à Paulo de passer à l'hôtel, voir ce qui se passe. En attendant, il va regagner le plus vite possible l'hacienda de Don Guidoni.

Arrivé à ce point palpitant de son récit, le chroniqueur Vieuchêne s'éponge le front. Delpêche, sur un ton d'impatience, le relance :

— Si je comprends bien, commissaire, à ce moment-là, le Gringo ne sait donc pas que Liliane a été embarquée par Gonzalez. Et il n'a aucun point de ralliement à Mexico, puisque ses complices ne sont pas encore arrivés. Qu'est-ce qui se passe, alors ?

— C'est là que tout se complique, soupire le Gros. Heureusement, Borniche me câble tout de suite que Gonzalez a eu la malencontreuse idée de piquer Liliane.

— Donc, il vous réveille ?

— Comment ça, il me réveille ?

— Bien sûr... Avec le décalage horaire, il est au moins une heure du matin à Paris !

Le Gros fait face avec une présence d'esprit remarquable :

— Borniche ne me réveille pas du tout, monsieur Delpêche. Pour la bonne raison que, lorsque je suis sur une affaire aussi importante, je ne dors pas ! Donc, il m'appelle et moi je lui dis de cueillir Fredo dès qu'il arrive rue Copernico.

— Parce que vous saviez que Fredo allait y venir ?

Vieuchêne fait semblant de ne pas entendre. Il se contente de hausser imperceptiblement les épaules, tandis que Basset fronce le sourcil. Imperturbable, il enchaîne :

— La police est une école de psychologie, monsieur

Delpêche, vous devriez le savoir, vous qui êtes un vieux routier ! Ce qui n'est pas visible, nous le devinons !

Il a un de ces toupets, le commissaire ! Oui, un sacré toupet !

Il fallait faire vite. J'avais été bien inspiré de ne pas me faire voir de Liliane. J'avais aussi bien manœuvré, en ne la confrontant pas avec Fredo, ce qui n'aurait eu pour résultat que de les dresser l'un contre l'autre, méfiants, hostiles. L'expérience m'a appris qu'il est souvent délicat de mettre en présence deux thèses qui risquent de s'opposer. Devant Liliane, Fredo n'aurait rien osé dire. Liliane, de son côté, n'aurait pas trahi son amant.

J'ai relâché Fredo la Moralité. Je l'ai devancé chez lui. J'ai fait déguerpir les flics mexicains, ai posé, en douce, la pastille émettrice de Baker dans le téléphone.

Quand Fredo est arrivé, il a tenté de se révolter :

— Vous vous rendez compte de ce que vous me faites faire !

— A prendre ou à laisser, Fredo. Coti reste au ballon. Si tu reçois un coup de téléphone de qui que ce soit, tu me le répercutes. N'essaie pas de me doubler, surtout.

— Je vous répercute ça où ?

— En bas dans la voiture.

— Et Liliane ? Vous la relâchez ?

— Je n'en sais rien. Mais, si elle t'appelait elle aussi, tu me le dis. Souviens-toi que je cherche à te sauver, Fredo, et que Paulo doit porter le chapeau. Maintenant, si tu préfères que ce soit lui qui collabore avec moi.

Bien sûr, il fallait que Liliane soit libérée. Qu'elle prévienne Fredo. Et Rocco. Ou les deux. Il n'y avait plus qu'à attendre.

42

— Remarquablement monté, commissaire, s'exclame le rubicond directeur de la P.J. Compliments !

Il est congestionné d'enthousiasme, le grand patron. Il en devient lyrique :

— Si ces messieurs de la P.P. étaient là, ils en prendraient de la graine ! Combien je vous approuve, lorsque vous dites que la police est une école de psychologie ! Une rude école, même. Tenez, moi qui vous parle, quand j'ai débuté dans la carrière en... Attendez... oui, c'est ça, en 1925...

Flash back ! Il ne manquait plus que ça. Nous voici précipités au temps des brigades du Tigre et des enquêtes en torpédo. Rien à voir avec le Gringo. Seulement voilà, lorsqu'un directeur parle, force est d'écouter, ne serait-ce que par politesse. Ou de faire semblant. Pendant que le nôtre s'évertue à accabler de détails historiques son bienveillant auditoire, mon esprit vole vers mes aventures à moi, vers le Gringo, vers le Mexique...

Rocco quitte la cabine téléphonique.

Il évite de côtoyer la compromettante Cadillac. Deux solutions s'offrent à lui pour gagner la Felicidad, la luxueuse hacienda de Don Guidoni : l'autobus jusqu'à

Guanajato ou le train jusqu'à Silao. De là, il prendra un taxi. Il choisit l'autobus.

Il rejoint la *central camionera,* où stationnent les cars de la compagnie Estrella Blanca, cherche des yeux le receveur.

— Un aller pour Guanajato, dit-il.

Il examine l'employé assis derrière sa grille, de la même façon qu'il examine tout le monde dès lors que ses sens sont aiguisés par l'instinct du danger. Il tend un billet, ramasse la monnaie.

Comme il s'assoit sur un banc, en attendant le départ, un *granadero* s'approche de lui. Un jeune militaire qui fait de vains efforts pour avoir l'air martial.

— Papiers, s'il vous plaît !

Le Gringo décroise les jambes, cherche sous le poncho son faux passeport. Il hésite à le tendre au grand dadais en uniforme qui fait mine de s'impatienter. Si le numéro de la Cadillac a été communiqué aux flics, pourquoi pas le faux nom d'Hamilton ?

Il n'a guère le choix.

Ses doigts frôlent la crosse du colt glissé dans sa ceinture. Il jette un regard autour de lui. De nombreux métis font la queue pour monter dans l'autobus, et c'est lui, lui seul, que le *granadero* a interpellé.

C'est alors que la prédiction de la fatma de Tanger traverse son esprit : « Il y a du sang autour de toi... Beaucoup de *moudjahedin* qui te cherchent... »

Il la revoit bien, la tête de la vieille folle qui avait tant fait peur à Liliane. Il chasse la vision pour revenir au gendarme juvénile. Il lui accorde le sursis, du moins momentanément.

Il sort ses papiers, les offre avec un sourire amical. L'autre les lui prend des mains, les parcourt avant d'articuler d'une voix presque adolescente :

— Vous êtes Américain ?

— *What ?*

— *Se habla español ?*

— *No,* fait Rocco en agitant désespérément la tête de droite à gauche. *You speak english ?*

— *Perdone ?*

— *You speak english ?* répète Rocco.

Il arbore le large sourire de l'Américain d'une comédie musicale, se tapote la poitrine pour excuser son ignorance de la langue et faire montre de sa bonne foi :

— *I am americano... Yes, yes, americano... Thank you...*

Le gendarme, dépassé par cette pantomime, lui rend son passeport, hausse les épaules, puis lui tourne délibérément le dos pour sévir contre deux vendeurs d'objets en fer forgé qui se disputent l'emplacement idéal.

L'autobus démarre avec du retard. Rocco, méfiant, s'est installé à l'arrière. Il tient à surveiller ce qui se passe dans l'habitacle. Il feint de regarder défiler le paysage, mais en fait il dévisage les voyageurs autour de lui. Il surveille quelques instants un Européen qui se donne des airs d'homme d'affaires, ouvrant et refermant sans cesse un attaché-case.

Il est soulagé, sans très bien savoir pourquoi, de le voir descendre à l'arrêt de Silao. Un prêtre s'assoit à sa place. Le *sacerdote* chausse des lunettes cerclées d'argent. Avec componction, il extrait d'une serviette de cuir des poivrons farcis de poisson et de fromage, qu'il commence à savourer en lisant sa Bible.

Rocco se carre contre le dossier de la banquette. Il pense à Liliane. Il lui tarde d'avoir de ses nouvelles.

Don Guidoni s'est redressé, les mâchoires serrées. Sa main appuie plus fort au creux de son estomac. Il marche de long en large à travers la pièce. Le Gringo supporte mal le regard, d'une dureté inaccoutumée, derrière les lunettes à monture d'écaille.

Après quelques secondes de silence, le verdict tombe de la bouche crispée :

— La mort, voilà ce qu'il mérite, ton Fredo.

Le Gringo dévisage le Don, désagréablement surpris.

— Rien d'autre, poursuit le Don. Jusqu'ici, tu l'as défendu, je sais. Mais l'assassinat de Joe doit t'ouvrir les yeux. Personne d'autre que Maurasse n'a pu communiquer aux flics l'immatriculation de ta voiture. Personne d'autre ne savait que tu emprunterais la route de Zacatecas pour me rejoindre. Et lui seul a pu envoyer les flics à Cuernavaca.

Le Don s'arrête une seconde en repassant devant le buffet, sur lequel il cueille un verre d'eau, qu'il avale d'un trait. Il ne quitte pas Rocco du regard, pour bien mesurer l'effet de ses paroles.

— Lucky a confirmé les soupçons du conseiller Ibarrez. Benutti m'a fait parvenir la photocopie de l'autorisation de séjour de Maurasse. La cause est entendue, Fredo travaille pour les flics !

Le Gringo est effondré. Si Fredo est un traître, Rocco porte lui-même une écrasante responsabilité. C'est la vie de l'Organisation qui est en jeu. La police va démanteler les laboratoires clandestins qui fonctionnent merveilleusement. Les membres de *Cosa Nostra*, même les mieux protégés jusque-là, vont être arrêtés.

La victoire des flics sur l'*Onorata Società* sera sans précédent. Aucun de ses membres ne pourra oublier que c'est lui Rocco, qui a introduit dans son sein la brebis galeuse. Il n'ose pas, tout d'abord, contrarier Don Guidoni. Puis, il se décide :

— Jusqu'à notre départ de Mexico, Fredo ne connaissait pas le numéro de ma Cadillac, Don. Il n'a donc pas pu le communiquer à quiconque ! Au retour de l'expédition, comment aurait-il pu le faire puisqu'il est dans le train avec Coti.

Il n'en dit pas plus. Mais son esprit revient à Liliane. Impossible, ça ne peut pas venir d'elle !

Le Don réfléchit. Juan Martinez et Jimmy Gaeta, perplexes, les regardent alternativement tous les deux. Une chance encore que Fredo ne sache pas où le trésor postal a été caché !

Le Don agite nerveusement la main.

— Il faut parer au plus pressé, dit-il enfin. A quelle heure Coti et Maurasse seront-ils rue Copernico ?

— Tard, répond Rocco. Pas avant dix heures et demie, onze heures...

Don Guidoni consulte la pendule posée sur le buffet, se tourne vers Martinez :

— Combien d'heures de vol jusqu'à Mexico ?

— Impossible d'y atterrir de jour, Don ! Sauf autorisation exceptionnelle, ou incident technique. Par contre, je peux tenter le coup dans un endroit isolé, du côté de Chelco, par exemple, mais c'est loin. Il faudrait une voiture pour gagner la ville.

Don Guidoni s'absorbe quelques instants dans une méditation. Il n'aime pas que des obstacles se dressent devant ses ordres.

— Je veux pourtant qu'il vienne ici, ce Maurasse, grommelle-t-il. Et d'urgence encore. Il faut qu'il s'explique. Après, j'aviserai. J'avais pensé à l'avion. Mais puisque ce n'est pas possible...

— Tout est possible, dit Juan Martinez avec sa fougue habituelle. Supposons que Rocco lui fixe rendez-vous, mettons à trois heures du matin, sur l'aéroport de Mexico, qui est fermé la nuit aux lignes régulières. J'atterris, il grimpe et le tour est joué.

— Il se méfierait moins, dit le Don, pensif, s'il s'embarquait avec Liliane. C'est une amie de Roussette. A Cuba, elles ne se quittent pas. Savoir si elle marchera dans la combine...

— On peut toujours essayer, Don, dit Rocco sans enthousiasme. Elle acceptera si je lui dis qu'ils doivent mettre les voiles tous les deux. Le tout est d'abord de savoir où Liliane est passée. Je vais rappeler le Camino Real. De toute façon, elle connaît votre numéro.

Pâle, haletante, Liliane est adossée au mur de sa cellule, figée dans la meilleure tradition des films d'épouvante. Le commissaire Gonzalez lui a promis une expérience dont elle se souviendrait.

Déjà, tout à l'heure, lorsqu'on l'a fait monter au troisième, elle a cru que c'était pour l'ignoble torture. On l'a redescendue sans explication.

C'est bien Gonzalez qui ouvre la porte, avec son éternel sombrero. Il est seul. On dirait que son attitude a changé. Il fait signe à Liliane de le suivre, laisse la porte de la cellule ouverte. Sans mot dire, il la précède jusqu'à son bureau. Il n'a plus l'air si redoutable, maintenant qu'elle peut contempler son dos voûté, ses chaussures éculées au bas du pantalon trop court.

— Vous êtes libre, dit Gonzalez, sans préambule. Il est tard, je sais, ou tôt, comme vous voulez ! J'ai été obligé de faire quelques vérifications. Puis-je vous demander quelque chose ? Enfin, deux petites choses.

Instantanément, Liliane est sur la défensive. Ce commissaire ne lui dit rien qui vaille, avec son air de ne pas y toucher.

— Dites toujours.

— D'abord de m'envoyer M. Hamilton lorsqu'il rentrera. C'est vous qui me l'avez proposé. J'aimerais lui poser quelques questions au sujet du barrage qu'il a franchi à Zacatecas dans l'après-midi, et sur son ami Gaeta, qui a été abattu. La police de San Luis Potosi l'a identifié par ses empreintes.

Liliane fait un gros effort pour ne pas montrer son trouble. C'est la bouche sèche qu'elle répond, regardant Gonzalez droit dans les yeux :

— D'accord, commissaire.

Il lui décerne un bon sourire :

— Bien... Ensuite, me fournir l'adresse du représentant de M. Hamilton, Paul Leccia. Il travaille pour la Caterpill Company à ce qu'il paraît. Il a donc sûrement un domicile à Mexico. J'ai quelques questions à lui poser à lui aussi !

— Je le lui demanderai, dit Liliane, sans se démonter.

Gonzalez lui rend ses papiers, qu'elle enfourne négligemment dans son sac. Elle se doute qu'il a été fouillé et refouillé, ce sac, tandis qu'elle se morfondait dans sa cellule. Mais elle s'en moque. Il ne contient rien de compromettant.

Gonzalez affecte la plus grande courtoisie en raccompagnant Liliane sur le seuil de son bureau. Il porte la main au bord du sombrero géant, puis la lui tend :

— Au revoir, et mes amitiés à M. Hamilton.

Quand elle regagne la rue et qu'elle n'a plus à faire front, elle retrouve la peur. Elle tremble, sous la pluie qui inonde ses longs cheveux. A l'abri au fond de sa guérite, la sentinelle la regarde héler un taxi, où elle s'engouffre. « Encore une pute qui a dû se faire alpaguer ! » pense-t-il, frottant ses gants l'un contre l'autre pour se réchauffer.

Le Gros jubile. Un nouveau verre d'alcool de poire lui a donné l'énergie suffisante pour attaquer le morceau de bravoure. Le directeur, lui, après avoir achevé sa narration antédiluvienne, est passé au stade de la somnolence. Le menton sur la poitrine, il a visiblement du mal à tenir les yeux ouverts. Il veut pourtant suivre jusqu'au bout la fin de l'épopée mexicaine. Les maîtres d'hôtel, en revanche, se sont rassemblés devant le vestiaire. Les quelques bribes du discours qu'ils ont captées les ont excités au passage. La conclusion les intéresse.

Le Gros leur adresse un regard complaisant. C'est

tout juste s'il ne les invite pas à prendre place autour de la table. Il prépare son démarrage, passant plusieurs fois la langue sur ses lèvres, puis, soudain, attaque. La filature de Liliane commence, au long des rues de Mexico, zébrées de néon.

L'ennui c'est qu'il n'y a jamais eu de poursuite nocturne. Cela s'est passé tout autrement. Et, à mesure que le Gros s'enfonce dans la fiction, je rétablis la vérité dans ma tête.

— Allô ?

Après un long silence, la voix de Fredo s'est glissée dans l'écouteur.

J'ai d'abord cru qu'il s'était endormi. Pourtant, de la lumière filtre à travers les persiennes du troisième étage. Dans la voiture de Baker, savamment camouflée, je n'entendais que les battements accélérés de mon cœur. Le téléphone allait-il enfin sortir de son mutisme ? Le commissaire Gonzalez, lui, chatouille le sombrero qu'il a, exceptionnellement, posé sur ses genoux.

— Paulo ?

— Dame non. Qui le demande ?

— Liliane... Qui est là ?

— Fredo... Comment ça se fait que tu téléphones à Paulo à cette heure ?

Les voix sont nettes. La technique Baker est bien au point. Et Fredo joue son rôle à merveille. Je sens sur ma nuque le souffle chaud de Gonzalez.

— Il faut que je vous voie, tous les deux. J'ai été emballée, puis libérée.

La surprise de Maurasse est si manifeste qu'il me fait sourire, malgré la gravité du moment.

— Il n'est pas là, Paulo. Pourquoi ?

— Les flics vous cherchent. Tu sais où il est ?

— Dame non. Il doit rentrer demain, sans doute. Il m'a prêté sa piaule pour une nuit.

Un temps mort. Je perçois dans l'écouteur la respiration angoissée de Liliane, comme si elle était là. C'est le moment crucial. Que va-t-il se passer ?

— Écoute, reprend Liliane, j'ai eu Rocco au fil. Je l'ai appelé de l'Azulejos, après avoir fait semblant de regagner ma chambre, au Camino. Il m'a conseillé de partir, et vite. Vous aussi. Quelque chose ne tourne pas rond. Je peux passer te prendre ?

— Ben...

— Je t'assure... Les flics m'ont parlé de vous. Rocco vient nous chercher à l'aéroport à trois heures du matin, côté canal. Il m'a expliqué...

Quelques crachements dans le haut-parleur. Une Vespa est passée près de là. Les étincelles de l'allumage se répercutent sur les ondes.

— Qu'est-ce qu'il t'a dit d'autre ?

— De se mettre à l'abri. Il m'a confirmé que Joe a été tué. Le flic m'en avait parlé. Je saute dans un taxi et j'arrive.

Un nouveau silence. Maurasse doit réfléchir. J'ai la preuve de sa seconde trahison lorsqu'il précise :

— Viens surtout pas rue Copernico, dame non. Tu n'auras qu'à m'attendre à l'angle de la rue Kepler et de la rue Cuvier. Il y a des cours intérieures, dans les immeubles. Je peux passer de l'une à l'autre sans qu'on me voie. Je t'attends.

Le Gros, lui, est toujours lancé dans la filature de Liliane au long des rues de Mexico. Comme il reprend son souffle, fuse une question du journaliste de l'A.F.P., qui le regarde d'un sale œil :

— Mais alors, commissaire, c'est Liliane qui va attirer Fredo à l'aéroport. Elle est dans le coup, avec Rocco.

— Si vous me laissiez parler, monsieur Basset, vous en sauriez davantage. Je ne sais si Liliane est ou n'est pas dans le coup, comme vous dites. Rocco lui a demandé de faire venir Fredo à l'aéroport, un point c'est tout. C'est drôle, vous les journalistes, il faut que vous cherchiez toujours la petite bête. Tout ce que je peux dire, c'est que nous avions l'heure et la piste. Le temps pour Gonzalez de joindre par radio l'aéroport et de faire préparer les projecteurs.

43

Fredo s'exhorte au calme. Il se répète qu'il n'a rien à craindre, que ses fâcheux pressentiments ne sont pas fondés. Les épaules tassées, il s'engouffre dans l'impasse Anahuac. La pluie fouette son visage. Les trottoirs défoncés, les baraques noirâtres, agglomérat de misère, les *pulquerias,* sinistres et nauséabondes, refuge de minables trafiquants de marijuana, tout ce spectacle noyé dans la grisaille de la nuit, ne lui parvient qu'au travers d'une sorte d'écran d'hébétude. Il ne voit rien, ne pense à rien. Si on l'interrogeait, à ce moment précis, il dirait qu'il rêve, dans une salle de cinéma devant un film de série noire. Pourtant, il avance à grandes enjambées. Et, sous ce rêve éveillé, tout comme la trotteuse de sa montre qu'il ne cesse de consulter, une idée l'obsède : arriveront-ils à temps ?

C'est l'angoisse. La frayeur assaille à nouveau son cerveau. Fredo secoue les épaules, se ressaisit, presse le pas. Il a l'impression que, tant qu'il ne sera pas sur la piste dont il aperçoit maintenant les balises, il se trouvera exposé, sans défense. En quelques secondes, le paysage ingrat, que balaie régulièrement le phare de l'aéroport, se transforme en un monde hostile, peuplé de flics. Il se voit, comme Liliane le voit, saturé de pluie, le visage dégoulinant, décomposé. L'allure d'un fuyard.

Il se retourne pour s'assurer que la jeune femme le

suit toujours. Il pousse un juron. Elle a glissé dans une flaque de boue. Il revient sur ses pas, lui tend la main. A travers les gouttes qui cinglent ses paupières, il l'entrevoit à peine. Elle patauge, la jupe relevée, les jambes maculées.

— Si tu ne te grouilles pas, on y sera jamais, bougonne-t-il.

Elle se relève avec peine, sans rien dire. Elle frissonne. Il s'en veut, tout d'un coup, d'éprouver de la tendresse pour cette fille qui s'essouffle, la robe plaquée au corps, les yeux hagards. Il ralentit l'allure, la soutient par le bras. Des lambeaux de chiffons, des pneus de vélos, des boîtes de conserve cabossées et rouillées pendent aux innombrables fils pirates qui apportent l'électricité aux déshérités de la zone. Lorsque la compagnie s'émeut, chacun arrache vite les fils prohibés qu'il réinstalle, le contrôle terminé.

La piste apparaît. De l'autre côté de la clôture que Fredo ne prévoyait pas si haute, des feux rouges la jalonnent. Ils se réfractent dans le rideau de pluie que le vent, de plus en plus violent, fait voltiger en volutes baroques.

— Huit minutes encore ! grince Fredo. On escalade !

Maurasse s'adosse contre un pilier de ciment, écarte les pieds pour se mettre d'aplomb, joint les mains. Liliane s'est déchaussée. Elle lance ses chaussures par-dessus le grillage. Ce mur à franchir, c'est la porte de la liberté. Pas question de faiblir. Elle plante un pied dans le tremplin formé par les doigts entrelacés, serre le cou de Fredo, se détache du sol.

— T'accroches le treillage, à l'endroit du poteau et tu grimpes sur mes épaules.

Liliane s'exécute. Ses mains sont loin du sommet. La dureté coupante du métal la fait grimacer. Il faudrait une échelle. Si seulement Paulo avait été là. Du toit de sa Chrysler, ils pouvaient aisément franchir la clôture.

— Sur ma tête, questionne Fredo, qu'est-ce que ça donne ?

Le phare illumine les deux êtres soudés verticalement, les mains de Fredo rivées aux chevilles de la jeune femme. Les pieds de Liliane tâtonnent, écrasent les cheveux de Fredo, qui raidit les muscles de son cou.

— Alors ?

— Il manque trente centimètres, gémit Liliane.

— Attends...

Il pivote lentement sur les talons, se place face au poteau. Il lui semble apercevoir une lueur, là-bas, au-dessus du cabanon de signalisation aux immenses carrés blancs et rouges, en bordure de la piste. Le reflet du faisceau sur une tôle, sans doute. Devant lui, une zone de gazon précède les lignes larges et blanches d'atterrissage. C'est là que le bimoteur doit se poser. Liliane, dans le taxi, a été formelle :

— A trois heures, côté canal. L'impasse Anahuac aboutit juste à la piste.

Une nouvelle fois, le rayon lumineux les effleure puis continue à hacher l'ombre du terrain.

— Je glisse mes orteils au travers des maillons et on coordonne nos mouvements, dit Fredo en ôtant lui aussi ses chaussures. Quand j'annonce, un, t'agrippes le grillage par les mains et les pieds, le temps que je monte le plus haut possible. Après, tu te poses. On recommencera autant de fois qu'il faut jusqu'en haut du pilier.

Il enregistre un murmure d'acquiescement. Il élève son pied droit, cale son gros orteil dans un interstice, plie légèrement la jambe gauche pour mieux appuyer sa détente.

— Tu y es ?... Un.

Il sent, d'un seul coup, sa tête se libérer. Il s'agrippe au fil de fer, amène vivement le pied gauche à la hauteur du pied droit. Quand Liliane reprend place sur sa tête, il s'arc-boute contre le treillis, malgré la douleur qui transperce ses phalanges. Il a gagné du terrain.

— Je l'ai ! crie Liliane, à la seconde tentative.

D'une traction, elle se hisse au sommet. Un sourire fugace étire les lèvres de Fredo. Instinctivement, il consulte sa montre dont le cadran lumineux est à portée de ses yeux. Encore quatre minutes. Avec l'agilité d'un singe, il atteint le haut du poteau, l'enfourche. Il maintient contre lui la jeune femme.

— On fait pareil pour la descente, dit-il.

Il abandonne à Liliane l'inconfortable piédestal, se laisse glisser contre la paroi rugueuse de la colonne, dépourvue de grillage sur sa face interne. Il découvre avec satisfaction que des pitons soutiennent une triple rangée de fil de fer destiné à le tendre.

— Tu peux y aller, souffle-t-il, ragaillardi.

Il s'assure de la solidité des fixations, élève un bras pour saisir les chevilles de la femme et les guider vers ses épaules. Elle se retourne, se laisse tomber. Sa gorge exhale une plainte. Une pointe de fil de fer barbelé a labouré sa cuisse, au passage. Le sang jaillit, coule au long de la jambe, dégouline sur le visage de Fredo à qui le phare n'apparaît plus qu'à travers un brouillard rouge.

La pluie redouble de violence. Le silence est total, le paysage désert. Ils descendent, tous deux, dans le cauchemar. Mais ils touchent au but. Fredo rejette sa peur loin derrière lui, telle une dépouille, un cadavre en décomposition. Ses souffrances s'éloignent à une vitesse vertigineuse. Tous les flics doivent être à sa recherche, c'est sûr, mais personne n'aura l'idée de penser au terrain d'aviation. Il se félicite du bon tour qu'il leur a joué en utilisant la sortie Kepler. A cette heure-ci, ils doivent planquer rue Copernico. Quand ils découvriront les courettes intérieures, Fredo sera loin. Il a de beaux jours en perspective, grâce au magot du train postal. Roussette saura se débrouiller sans lui. Si, un jour, elle veut le rejoindre, il avisera.

Leurs pieds touchent le sol. Liliane reprend son souffle.

— Pas si vite ! gémit-elle. J'ai mal.

Il n'en a cure. Ce n'est guère le moment de flancher. Son oreille exercée a perçu le ronronnement d'un moteur. Sa montre indique trois heures.

Le rayon lumineux balaie l'asphalte luisant de pluie. Comme ils arrivent devant la casemate bariolée, l'avion, tous feux éteints, se pose tel un planeur, roule vers eux. D'émotion, Liliane se jette au cou de Fredo, l'embrasse.

— La porte de l'appareil s'est déverrouillée, alors que Martinez n'avait pas terminé un savant tête-à-queue, s'échauffe le Gros. Ses mains se crispaient sur les manettes de gaz. Il se tenait prêt à décoller. Il a aperçu les deux ombres qui couraient vers la cabine. Le Gringo, lui aussi, les avait vues.

Le Gros marque une pause, lampe une gorgée d'alcool de poire, reprend, emphatique :

— Ah ! messieurs, quelle scène ! Messina saute sur le sol, en souplesse. Dans l'encadrement de la porte, Jimmy Gaeta en personne, une mitraillette à la main, assure sa protection. Rocco, la main de Liliane dans la sienne, l'entraîne vers la carlingue. Fredo ferme la marche. L'espace d'une seconde, le phare décalque le visage du pilote, tendu, derrière la vitre. C'est alors que tout s'est déglingué.

Le terrain, brusquement, s'embrase. Un arc de cercle de projecteurs converge vers le bimoteur, poudroie de lumière les pantins qui s'affolent dans sa direction. Un haut-parleur éructe des ordres :

368

— *Policía... Manos arriba...* Haut les mains.

Liliane, la première, se fige, médusée, anéantie.

— Couchez-vous ! hurle Gaeta, du haut de son promontoire.

Il enclenche le chargeur de la Thomson. Fredo se plaque au sol, la face contre terre. Rocco s'agenouille, tire le bras de Liliane pour la faire s'allonger. Elle résiste, clouée sur place, les narines dilatées. Elle n'en peut plus. Il l'agrippe par les jambes, la déséquilibre. Elle chute près de lui avec un cri de bête blessée. Une rafale troue le silence. Au jugé, Gaeta arrose des ombres qui bougent, là-bas, derrière la casemate.

Une seconde fois, l'arme de Gaeta crache le feu, en parabole. Puis, elle se tait. Fébrile, le tueur glisse un nouveau chargeur dans le magasin. Il n'a pas le temps d'armer. Une balle, une seule, éjectée par le Smith & Wesson de Baker, le tireur d'élite du F.B.I., le major de l'*Academy Police*, l'atteint en plein front. Sous l'impact, il décrit en l'air une demi-rotation, s'effondre, les bras en croix, dans l'herbe humide.

— Les mains en l'air, Rocco, dis-je dans le haut-parleur. C'est moi, Borniche. Fais pas le con !

Surpris, aveuglé par les projecteurs, le Gringo lève la tête. Puis, il saisit Liliane à bras-le-corps et se met en devoir de la porter jusqu'à l'appareil.

Rocco est à six mètres du bimoteur lorsque le panneau se referme. Un rugissement des moteurs, poussés à plein régime, déchire l'air. Martinez lâche les freins. L'avion vibre de tout son empennage, se cabre, roule, se dandine encore sur la piste mouillée avant de s'arracher dans un écho assourdissant.

Des silhouettes confuses émergent de la cabane. Le Gringo jette Liliane à terre. Il regarde autour de lui, aperçoit la mitraillette de Gaeta à proximité. D'un bond, il court vers elle, la saisit.

Au moment où ses mains puissantes se referment sur la crosse, deux éclairs l'éblouissent. Il ressent seulement une piqûre dans la cuisse, pareille à la morsure du froid et une autre douleur, plus vive, à l'épaule. Il lâche la mitraillette, écarquille les yeux. Une troisième balle miaule. Il bondit en l'air, les bras tendus vers le ciel puis plie les genoux, se recroqueville sur le sol.

— Rocco !

Liliane, les traits révulsés, hurle. Il tente de se redresser. Ses lèvres se colorent de mousse rose, ses yeux s'obscurcissent.

— Le piège... marmonne-t-il. Le piège...

Il voudrait en dire plus mais il n'y parvient pas. Sa langue semble comme ankylosée. Il bredouille des paroles inintelligibles.

— La *fatma*... Le piège... Les *moudjahedin*...

Sa main décrit un geste vague, une sorte de *mektoub* fataliste, à deux reprises. Puis elle retombe, inerte. Liliane s'en empare. Elle pèse une tonne.

ÉPILOGUE

44

« Dis-moi ce que tu manges, je te dirai qui tu es », affiche la carte du Grand Large, renommé pour ses plateaux de fruits de mer et ses spécialités de langoustes. Je ne regrette pas d'avoir poussé la porte. La salle est accueillante, le patron, sympathique.

Marlyse est ravie de ses premières heures de vacances loin de l'agitation parisienne et du folklore de la Côte d'Azur. Une traversée sans histoire sur un *Président-Durand* qui a remplacé le valeureux *Amiral-de-Joinville,* voué à la démolition, nous a débarqués hier à Port-Joinville, île d'Yeu, à quelques encablures de l'estacade de Fromentine.

Ils brillent de muscadet, les yeux de Marlyse. Entre deux craquements de carapace, elle m'évoque les ruelles tortueuses de la cité que nous avons visitée tout à l'heure, main dans la main. La rue de l'Abbesse nous a menés à la rue du Coin-du-Chat, la rue du Secret à celle des Mariés, au pied du phare. Des porches ont révélé des cours intérieures et d'étonnants jardins peuplés de lauriers-roses et de magnolias.

J'ai ressenti, sur le port, une légère déception. La façade surannée de l'hôtel Camaret a fait place au nouvel hôtel des Voyageurs et Camaret. Qu'est devenue la fille rougeaude et somnolente qui m'avait tendu la clef d'une chambre au broc ébréché et au Christ couronné de buis jauni ? Où sont passés les vieux loups de mer, rêvassant dans la grande salle, la pipe à la bouche, devant leur fillette de gros plant ?

— A quoi penses-tu ?

— A rien.

— Menteur.

La main de Marlyse se pose sur la mienne. Je revois mon débarquement, un jour de tempête, transi, dégoulinant de pluie, sous les meuglements de la corne de brume. Je pense à l'insolite rendez-vous, en noire campagne, au pied d'un dolmen, pour y rencontrer un pseudo-marin.

— Pourquoi un marin, patron ?

— Est-ce que je sais, moi ? C'est drôle comme vous posez des questions idiotes, Borniche. Ce Fredo, c'est un tonneau de poudre. S'agit pas qu'il me fasse sauter.

J'ai quitté la rue des Saussaies. Depuis huit ans, je vole de mes propres ailes. Libre, indépendant, heureux. Loin des jérémiades du Gros qui a réussi à décrocher son galon de sous-directeur.

La serveuse s'approche, le carnet de commandes à la main.

— Crêpes flambées ? La spécialité du chef...

Marlyse acquiesce d'un mouvement de paupières. Je me secoue :

— Deux. Dites-moi ! Vous n'auriez pas connu un certain Maurasse, ici ?

La réponse me stupéfie :

— Fredo ? Je pense bien. Il est tous les jours à l'Escale, rue de la Croix-du-Port ou chez Maurice, aux Sirènes.

— C'est loin ?

— Les Sirènes ? Non. A la plage des Vieilles.

Du coup, je n'ai plus faim. Le spectre du Gringo a resurgi devant moi.

— Ça, alors, si je comptais vous revoir là !

Les yeux de Fredo s'écarquillent. Je n'ai pas eu grand mal à le dénicher, dans sa masure du village de la Croix, devant le calvaire. J'ai abandonné Marlyse sur la plage et j'ai traversé la lande couverte d'ajoncs et de bruyère. J'ai frappé à la porte basse tandis que le rideau de la bâtisse voisine se soulevait de quelques centimètres.

Nous sommes si étonnés l'un et l'autre de nos retrouvailles que, pour un peu, nous nous donnerions l'accolade, tels deux anciens combattants, les hostilités terminées.

— Asseyez-vous. Un coup de cidre ?

Sans même attendre ma réponse, il dépose sur la table deux bols de grès qu'il est allé cueillir dans un vieux bahut, fait sauter le bouchon d'une bouteille. Un chien pelé, mi-épagneul, mi-papillon, vient me lécher la main.

— Je savais pas que mon clebs aimait les flics, plaisante Fredo en emplissant mon pot. C'est vrai que vous ne l'êtes plus !

Je ne suis plus flic, en effet. En même temps que l'insigne, la carte, le pistolet et les menottes, j'ai restitué à la Sûreté, le pouvoir d'enquêter, de questionner, de cuisiner. Je n'en ai pas besoin. Je ne viens pas interroger Fredo, je viens bavarder avec lui, évoquer le passé.

— Moi non plus, je ne comptais pas te revoir, dis-je. Qu'est-ce qui t'a pris de revenir ici !

Ma demande semble l'interloquer. Les yeux s'arrondissent, la bouteille reste en équilibre, au bout du bras.

— Où voulez-vous que j'aille ? Ils m'ont viré du Mexique... Déjà que j'y ai tiré cinq piges pour rien !

— Oh !

Il repose la bouteille, secoue la tête avec énergie.

— Pour rien, je vous dis. La preuve, c'est qu'ils m'ont libéré. Ils étaient furieux, les perdreaux ! Qu'est-ce qu'ils m'ont tabassé !

Son index désigne une cicatrice sur l'arête du nez, large, rougeâtre, transversale. La denture, non plus, n'a pas été épargnée. Des trous apparaissent tout au long de la gencive gauche.

— ... Ça les aurait arrangés de me faire casquer le coup du train, poursuit-il. Personne ne m'a reconnu. Le Gonzalez l'a pas digéré ! Encore heureux qu'il y ait une justice.

Il a un aplomb, ce Fredo. D'ici qu'il crie son innocence, il n'y a pas loin.

— Tu ne vas pas me dire que tu ne connais pas l'affaire ?

Il hésite quelques secondes. Le rappel des faits l'indispose, c'est visible. Il me jette un regard en dessous avant de répondre :

— Dame, j'en ai entendu parler, comme tout le monde. En taule, le bruit courait que Martinez, le pilote de la Mafia, s'était barré avec le magot en Amérique du Sud. Il aurait même monté une compagnie d'aviation avec Ibarrez.

Je fronce le sourcil.

— Quel Ibarrez ?

— Le conseiller de Batista, pardi. Il s'est fait la valise de Cuba quand Castro est arrivé. On en a appris des belles sur son compte. Il trahissait tout le monde, le régime, la Mafia, la police. Il m'a même soulevé Roussette, cette ordure. Si un jour je le retrouve...

Fredo vide son bol, cul sec, le pose sans ménagements sur la table. Son indignation est si grande que je réprime avec difficulté l'envie de sourire. Je jette de l'huile sur le feu.

— Comment ça, Roussette ?

— Dame, aussi vrai que je vous le dis. Roussette, encore, je m'en fous, mais c'est mes économies. Elle s'est barrée avec. Comme un con, je lui avais donné la procuration sur mon compte à Panama. Résultat, je suis obligé de me coltiner tous les jours des casiers de homards au port de la Meule si je veux becqueter. Elle est belle la morale, dame oui !

Le comble ! Pendant que Fredo se recueille dans ses pensées, je bois une rasade de cidre. J'observe quelques instants le front plissé, les pommettes saillantes, le teint basané, la couture du nez. Puis je romps le silence d'une question qui me brûlait les lèvres.

— Et Liliane, qu'est-elle devenue après la fusillade de l'aéroport ?

Il soulève les épaules sous la chemise de toile marine, dans un geste d'ignorance :

— Je sais pas. Ils l'ont gardée quelques jours puis ils l'ont relâchée. Dans le fond, elle avait rien fait, cette môme. Son drame, à elle, c'était d'être amoureuse du Gringo. Fil de Fer croit l'avoir aperçue un soir sur les Champs-Élysées, mais il a pas pu arrêter sa bagnole.

— Justement, Fil de Fer...

— Plein aux as, lui. Il vient d'acheter un autre bar dans le 16e. Le rendez-vous des gars de la haute. C'est pas comme le pauvre Pierrot les Cheveux-Blancs qui est mort d'un cancer des poumons. Il s'est tué à la tâche ! Pourtant, qu'est-ce qu'il buvait comme litres de lait !

Mitrani, Benutti, Girola, Luciano... La mort du Gringo s'était répandue comme une traînée de poudre. Hoover avait déclenché son offensive éclair contre les laboratoires clandestins, mais trop tard. Les précautions étaient prises. Benutti avait suspendu ses trafics dans l'attente de jours meilleurs et Girola s'était recyclé provisoirement dans la surveillance de ses cabarets et de ses réseaux méridionaux de call-girls.

Mais où John Edgar Hoover avait failli, le *Narcotics Bureau,* dans l'ombre, assurait la relève. Début 1962, ses agents interpellaient en Espagne trois trafiquants qui mettaient en cause leur patron, Lucky Luciano. Les députés socialistes italiens réclamaient l'arrestation immédiate de l'empereur de la drogue. Lucky, comptant une fois encore sur sa veine insolente, réussissait à se faire communiquer les dépositions de ses hommes de main et chargeait leurs avocats de les faire revenir sur leurs accusations. C'est alors qu'il guettait le résultat de ses démarches que la mort le foudroyait à l'aéroport napolitain de Capodichino, le 26 janvier 1962. Crise cardiaque, disaient les uns, empoisonnement au cyanure, affirmaient les agents du F.B.I. qui s'étonnaient qu'aucune autopsie n'ait eu lieu.

Quelques mois plus tard, Don Giuseppe Guidoni suivait Lucky Luciano dans la tombe, victime d'un cancer généralisé. Et, par une matinée de septembre 1964, les *carabinieri* mettaient définitivement fin à la carrière criminelle de l'analphabète-milliardaire Don Genco Russo, le dernier patriarche en titre de la Mafia.

Il se fait tard. Marlyse doit s'impatienter. Je quitte ma chaise.

— Dites donc, soupire Fredo, il y aurait pas moyen que je remonte à Paris, si je vous balançais une affaire ?

Le chien pelé m'a devancé à la porte, remuant la queue.

— Ça ne me regarde plus, mon vieux. Adresse-toi à mon ancien patron.

Fredo baisse la tête, réfléchit un instant, puis :

— Dans ces conditions, ça change tout. Jamais il voudra me refiler une nouvelle prime de cinq cent mille balles, celui-là ! Dame non, dame. Et puis je vais vous dire un truc, monsieur Borniche. Je ne l'encaisse pas tellement votre patron. Pour moi, c'est un type qu'a pas de morale ! *Kenavo*[1].

Santa Fe
New Orleans, 1979
Carnac, 1980.

1. Au revoir.

TABLE

DU MÊME AUTEUR

IMPRIMÉ EN FRANCE PAR BRODARD ET TAUPIN
7, bd Romain-Rolland - Montrouge - Usine de La Flèche.
LIBRAIRIE GÉNÉRALE FRANÇAISE - 12, rue François Ier - Paris.
ISBN : 2 - 253 - 02867 - 3